T. Jefferson Parker

Littekens van de nacht

VAN BUUREN  UITGEVERIJ BV

Oorspronkelijke titel: Silent Joe
Oorspronkelijke uitgave: Hyperion, New York

Van Buuren Uitgeverij BV
Postbus 5248
2000 GE Haarlem
E-mail: info@vanbuuren-uitgeverij.nl

Vertaling: Henk Popken
Omslagontwerp: Studio Jan de Boer
Zetwerk: Scriptura, Westbroek

ISBN 90 5695 134 3
NUGI 331

Voor Fritz en Flo,
Die mij langer kennen dan ik mijzelf ken,
Maar mij toch steeds bij hen uitnodigen.

Verantwoording

Ik wil graag alle medewerkers van het Sheriff-coroner Department van Orange County bedanken voor hun behulpzaamheid bij het schrijven van dit boek.

In het bijzonder wil ik Sheriff Michael Carona, Assistent Sheriff Rocky Hewitt, Lieutenant Terry Boyd en Deputy Mike Peters danken, die allen veel tijd hebben vrijgemaakt om mij over hun ervaringen te vertellen.

Ook bedank ik Rex Tomb, Matthew McLaughlin, Mark Hunter en Carl Swanson van de FBI. Dit zijn geweldige mensen, de waarheid is van hen en ik ben blij dat ze aan mijn kant staan.

Zoals bij veel van mijn boeken, begon dit boek met een telefoontje aan Larry Ragle, gepensioneerd hoofd van het forensisch laboratorium van Orange County. Hierdoor werden deuren voor mij geopend – meestal gevangenisdeuren – die ikzelf nooit open had kunnen krijgen. Dankjewel, Larry, *wederom*.

Dank ook aan het personeel van het Orange County kindertehuis. En niet alleen voor hun hulp aan mij, maar voor hun hulp aan honderden kinderen jaarlijks.

Voormalig assistent-officier van justitie Chris Evans beantwoordde al mijn vragen kundig en met humor. Daarvoor ben ik hem erkentelijk.

Tot slot dank ik Jonathan Lethem, die mij inspireerde om een poging te wagen aan dit boek.

1

'Plankgas, Joe. Mary Ann is weer depressief, dus ik wil om tien uur thuis zijn.'

Dat was de chef, Will. Will Trona, districtscontroleur van Orange County, eerste district. Mary Ann is zijn vrouw.

'Ja, meneer.'

'En praat tegen me onder het rijden. Ben je gewapend?'

'Het gebruikelijke.'

Will was weer gestresst. Dat kwam de laatste tijd vaker voor. Hij zat naast me, zoals meestal. Nooit achterin, tenzij hij in vergadering was. Altijd voorin, waar hij de weg in de gaten kon houden, en de snelheidsmeter en mij. Hij was gek op snelheid. Genoot ervan om met zijn hoofd tegen de hoofdsteun gedrukt door een bocht te trekken. Hij vroeg me altijd hoe ik dat voor elkaar kreeg, zo hard een bocht ingaan en toch nog op de weg blijven.

En ik gaf hem altijd hetzelfde antwoord. 'Langzaam er in en snel er uit.' Dat is het eerste dat ze je tijdens je rijlessen over bochten leren. Een goede auto kan dingen die de meeste mensen voor onmogelijk houden.

We kwamen van Wills huis in de Tustin-heuvels. Het was avond en half juni en de zon ging in een roze mist van wolken en smog onder. Er stonden hier veel nieuwe landhuizen, maar Wills huis was anders. Districtscontroleurs verdienen een behoorlijk salaris, plus de gebruikelijke emolumenten. Orange County is een van de duurste streken van het land. Wills stek voldeed bij lange na niet aan de nieuwe standaard voor deze buurt. Het was oud en onopgesmukt, maar verder was er niets mis mee.

Het was zelfs een goed huis. Meer dan dat. En ik kan het weten, want ik ben er in opgegroeid. Will is mijn vader, min of meer.

'We gaan eerst bij het Front langs,' zei hij, op zijn horloge kijkend. 'Medina durft weer uit het raam te kijken.'

Hij praatte tegen me zonder me aan te kijken. Zijn hoofd lag tegen de hoofdsteun, zijn oogleden halfgesloten, maar zijn ogen bewogen. Hij zag er meestal uit alsof hij teleurgesteld was door wat hij zag. Alsof hij het beoordeelde, een manier probeerde te bedenken hoe hij het kon verbeteren. Maar er school ook iets van genegenheid in zijn blik. De trots van de bezitter.

Will bukte zich en knipte zijn leren aktetas open. Hij haalde er de zwarte agenda uit, zette de tas weer op de vloer en begon iets op te schrijven. Hij praatte graag onder het schrijven. Soms had hij het tegen zichzelf, soms ook tegen mij. Ik kende hem al vanaf mijn vijfde en werkte vanaf mijn zestiende in de avonduren voor hem, dus ik wist zo langzamerhand wel of hij het tegen mij of tegen zichzelf had.

'Medina krijgt een herkansing. Hij registreert vijfhonderd vreemdelingen om te stemmen, zij vertellen tegen een verslaggever van de *Times* dat ze illegalen zijn, maar dat ze gerechtigd zijn om aan Amerikaanse verkiezingen deel te nemen. Gerechtigd omdat Medina gezegd heeft dat ze dat mochten. En ze stemden allemaal op mij, omdat Medina dat had gezegd. Wat moet ik daar in vredesnaam mee?'

Ik had er al over nagedacht. Ik keek in het spiegeltje terwijl ik antwoordde. 'Neem afstand. Vijfhonderd stemmen is geen schandaal waard.'

'Dat is kortzichtig, Joe. Dom. Ik krijg dankzij Medina de stemmen van de hele Latino-gemeenschap en jij vindt dat ik hem moet laten vallen? Wie heeft je geleerd om op die manier met vrienden om te gaan?'

Will is altijd belerend. Stelt je op de proef. Verbetert je. Daagt je uit. Zegt dingen om te horen hoe ze klinken, om te zien of hij er zelf wel in gelooft.

Ik heb geleerd bepaalde zaken op Wills manier te zien. Bepaalde dingen zal ik echter nooit leren. Will Trona heeft me gemaakt tot wat ik ben, maar ook Will kan niet meer doen dan het mogelijke. Ik ben nog niet half zo oud als hij. Ik heb nog een lange weg te gaan.

Maar één ding dat Will me geleerd heeft, is om snel te beslissen en er vervolgens met heel je wezen achter te blijven staan. Direct. Later, als je misschien je mening moet bijstellen, moet je weer met je hele gewicht achter *die* beslissing gaan staan. Wees nooit bang om het bij het verkeerde eind te hebben. Will haat slechts twee dingen: besluiteloosheid en koppigheid.

Dus zei ik: 'U hebt de Latino-stemmen nodig om het eerste district binnen te halen, meneer. Dat weet u. En die stemmen verliest u echt niet. Ze houden van u.'

Will schudde zijn hoofd en schreef weer iets op. Hij is een knappe man, goed gebouwd, met een krachtige nek en een brede borst, met handen die sterk en donker zijn geworden van de vele zomers in de bouw, toen hij na Vietnam zijn schoolopleiding wilde afmaken. Zwart, achterovergekamd haar, grijs aan de slapen, blauwe ogen. Als hij je aankijkt, is dat met dezelfde uitdrukking als in de auto: het hoofd enigszins achterover, bijna slaperig, maar de blik alert. En als hij glimlacht, omlijsten de lijnen in zijn vierenvijftigjarige gezicht dat op een manier die de mensen ervan overtuigt dat hij hen kent en mag. En meestal is dat ook zo.

'Joe, let vanavond op Medina. Mond dicht, ogen open. Je zou er best nog iets van kunnen leren.'

Mond dicht, ogen open. Misschien steek je er nog iets van op.

Een van Wills vroegste lessen.

Hij klapte de agenda dicht en liet hem weer in zijn aktetas glijden. Klikte die dicht. Keek nogmaals op zijn horloge. Toen leunde hij tegen de hoofdsteun en sloot half zijn ogen en keek hoe de middenklasseboulevard van Tustin overging in de barrio van Santa Ana.

'Hoe was het werk vandaag?'

'Rustig, meneer.'

'Het is daar altijd rustig. Tenzij er een gevecht is, of een rassenrel.'

'Ja.'

Overdag ben ik werkzaam voor het bureau van de sheriff van Orange Country. Ik werk in de Centrale Gevangenis, zoals alle aspirant-agenten. Ik werk nu vier jaar in de gevangenis. Nog een jaar, dan kom ik in aanmerking voor overplaatsing naar de geüniformeerde politie en dan word ik een echte agent. Ik ben vierentwintig.

Ik ben bij de politie gegaan omdat Will me zei dat ik dat moest doen. Hij is ook bij de politie geweest, tot hij tot districtscontroleur werd gekozen. Will zei dat ik bij de politie moest gaan omdat dat volgens hem goed voor me was en omdat het hem wel nuttig leek om een handlanger bij het bureau van de sheriff te hebben.

Aan Fourth Street, niet ver van de gevangenis waar ik werk, ligt het Hispanic American Cultural Front. Het is Jaime Medina's idee. Het HACF doet een hoop goede dingen – ze geven geld en spullen aan arme Hispanics, financieren beurzen en stipendiums voor behoeftige studenten, regelen immigratie, bieden onderdak aan gezinnen die in de problemen zitten en meer van dat soort zaken.

Maar vanwege dat misverstand over de kiesgerechtigheid van Medina's bijna-ingezetenen overweegt het OM de tent te sluiten wegens samenzwering en verkiezingsfraude. Ze zijn vorige week het HACF-gebouw binnengevallen om dossiers in beslag te nemen. Foto's op de voorpagina van kerels in pakken die kartonnen dozen naar een bestelbusje sleepten.

Will hoorde daar helemaal niet heen te gaan nu hen een aanklacht boven het hoofd hangt. En hij is goed bevriend met de openbare aanklager, Philip Dent – een reden te meer om zich gedeisd te houden tijdens het onderzoek. Maar Will vertegenwoordigt ook Medina's district in de Raad van Districtscontroleurs, een district dat je niet binnenhaalt zonder de stemmen van de Hispanics en zonder hun dollars. Weer zo'n politieke voetangel, een van de duizenden in het leven van een districtscontroleur. Vroeg of laat zal hij toch een standpunt moeten bepalen, want zoals Will me al vroeg geleerd heeft, is politiek een kwestie van actie.

'Joe, Jennifer heeft iets voor ons. Kun jij dat in de kofferbak stoppen en die afsluiten, terwijl ik met Jaime praat?'

'Ja, meneer.'

Ik keek opnieuw in de spiegel, sloeg linksaf de boulevard af en zag op de ene hoek de *zapateria* en op de andere de bruidswinkel met al de in wit kant gehulde etalagepoppen. Ik bestudeerde de auto's achter ons, de mensen op het trottoir. Ik was zelf wat gespannen vanavond. Iets in de lucht? Mogelijk. Zelfs met de ramen dicht en de airco aan kon je de Mexicaanse muziek in de *discoteca* horen dreunen. Een polka op mescaline. Een donkere man met een witte cowboyhoed en laarzen stopte aan de rand van het trottoir om ons voorbij te laten. Misschien herkende hij Will Trona's auto, misschien ook niet. Zijn walnootkleurige pokergezicht vertoonde geen enkele uitdrukking; hij had alles al gezien en was nergens meer van onder de indruk.

We reden een parkeerplaats in de schaduw van een enorme plataan op en stopten voor de achterdeur van het HACF-hoofdkwartier. We stapten de aangename hitte in en Will, gekleed in zijn gebruikelijke, slank afkledende donkere pak en met zijn aktetas in de hand, ging me voor.

De achterdeur was op slot, dus bonkte Will er hard op.

'Opendoen, Jaime! *La Migra!*'

De deur ging piepend open en werd toen helemaal opengegooid.

'Je bent weer eens helemaal niet leuk,' zei Jaime. Hij was een slanke jonge man met gebogen schouders, een bril met schildpadmontuur en een kakibroek die twee maten te groot leek. 'De racisten komen hier binnenvallen en jij gaat ervandoor.'

'En nu ben ik terug. Laten we ter zake komen. Ik heb haast.'

Medina draaide zich om en liep de gang in, gevolgd door Will en daarna ik.

Ze gingen het kantoor binnen en Jaime sloot de deur achter hen. Hij leek me op dat moment voor het eerst op te merken en knikte me even snel toe. Ik ben eraan gewend om genegeerd te worden en vind dat ook helemaal niet erg. Met een gezicht als het mijne heb je liever niet dat de mensen aandacht aan je besteden. Een van de eerste dingen die Will me leerde, was dat de mensen me veel minder aanstaarden dan ik wel dacht. Hij zei dat de meeste mensen zelfs bang waren om mij aan te kijken. Hij had gelijk. Dat was negentien jaar geleden, toen hij me in huis nam.

Ik liep de gang door, passeerde een tweetal klapdeuren en wierp een blik in de werkruimte. Er waren zes werkplekken: bureau, telefoon, stapels papier en drie stoelen per bureau voor de cliënten. Een Amerikaanse vlag aan de ene muur, een Mexicaanse aan de andere, en verder posters van reisbureaus, van football en van stierenvechten.

Het was rustig.

Geen cliënten sinds de inval.

Geen medewerkers sinds de inval, behalve Jennifer, de assistent-directeur direct onder Jaime.

'Goedenavond, mevrouw Avila.' Ik nam mijn hoed af.

'Meneer Trona. Goedenavond.'

Ze kwam op me af en schudde me de hand. Ze is een zwartharige schoonheid van dertig jaar, gescheiden en met twee kinderen. Gladde vingers. Ze droeg een wit herenoverhemd dat ze in haar jeans had gestopt, ze had een smal middel, mooie rechte schouders en zwarte laarzen. Ze was een paar maanden geleden overgegaan op een appelrode lippenstift, na een jaar kaneelbruin.

'Dan zal Will er ook wel zijn.'

'Ze zitten in Jaimes kantoor.'

Ze keek langs me heen de gang in, een korte, peinzende blik, en liep toen terug naar haar bureau. Jennifer heeft een zwak voor de chef. Dat is een van de vele geheimen die ik niet word verondersteld te weten. De wereld is ermee geplaveid.

Ze zei: 'Die spullen voor jou staan daar bij mijn stoel.'

'Ik pak ze wel, bedankt.'

Het was een tennistas van de U.S. Open, een groot zwart geval met een felgele bal erop. Zwaar. Ik nam hem mee naar de auto en zette hem op het asfalt, waarna ik het alarm uitschakelde en de kofferbak opendeed. Vervolgens zette ik de tas er in en legde er een deken overheen, deed de kofferbak weer dicht en reactiveerde het alarm.

Weer binnen pakte ik een tijdschrift uit de lobby, rolde een stoel de gang in en ging voor het kantoor van Jaime Medina zitten.

Medina: *Je moet met Phil Dent praten, man...*

Will: *Ik ken hem, Jaime. Maar daar houdt het ook mee op.*

Medina: *Precies... dat is niet jouw werk, mijn... vriend...*

Jennifer liep langs me heen, een en al geuren, en stak zonder kloppen haar hoofd naar binnen.

'Koffie, bier? Hoi, Will.'

'Koffie graag.'

Ze schoot zonder ook maar één blik langs me heen, om enkele minuten later terug te keren met in de ene hand een paar bekers en in de andere een pak melk.

Ze ging het kantoor binnen. Will mompelde iets en ze lachten alledrie. Ze kwam naar buiten, deed de deur achter zich dicht en keek me aan of ik net was gearriveerd.

'U ook iets, meneer Trona?'

'Nee, dank u, ik red me wel.'

Ze liep langs me heen en terug naar haar bureau.

Ik sloeg het tijdschrift open op mijn knieën, maar keek er niet in. Mijn taak is om te kijken en te luisteren, niet om te lezen. *Mond dicht, ogen open.*

Ik hoorde het verkeer op de boulevard. Ik hoorde het gebrom van de airco. Ik hoorde een auto voorbijkomen met een geluidsinstallatie die je tot in je borst voelde. Ik had nog steeds een beetje akelig voorgevoel, maar ik wist niet waarom. Misschien werd ik gewoon beïnvloed door Wills stemming. Ik merk wel vaker dat ik zijn gevoelens overneem. Dat komt waarschijnlijk omdat hij mij als zoon geadopteerd heeft. Ik hoorde Jennifer een telefoonnummer draaien.

Medina: *We hebben al dat geld van de tabaksplantage, man... meer dan een miljard –*

Will: *Dat miljard is niet van mij, dat is van het district, Jaime. Ik kan je dat niet zomaar in een koffertje overhandigen. Hebben die negentig niet geholpen?*

Jennifer: *Geef me Pearlita.*

Medina: *Alle beetjes helpen. Maar wat moet ik als het op is? Zitten toekijken hoe deze tent naar de verdommenis gaat? We hebben geld nodig voor onze activiteiten, Will. We hebben het nodig voor onze cursussen, voor advocaten, voedsel, man, we hebben het nodig voor...*

Jennifer: *Oké, oké. Ja, die is op dit moment hier.*

Medina: ... *we kunnen zelfs niets uitrichten als een arme zwangere Latino wordt overreden en twee straten van haar woning sterft. We kunnen niets uitrichten als een jongen uit Guatemala wordt doodgeschoten door fascistische politieagenten uit Newport Beach. Onze handen zijn geboeid, man, we zijn volkomen machteloos.*

Will: *Het is verschrikkelijk wat er gebeurd is, Jaime. Ik weet het.*

Medina: *Help ons dan een manier te vinden om hen te helpen, Will.*

Ik hoorde Jennifer de hoorn weer op de haak leggen. Ze draaide zich in mijn richting, maar ik keek niet op van mijn tijdschrift.

Will: *Jij hebt me geholpen om Savannah te vinden, dus misschien dat Jack je helpt. En de dominee zal een goed woordje doen voor jou en het Front. Ik heb dat al gedaan.*

Medina: *Een goed woordje is niet genoeg, Will.*

De deur van het kantoor ging open. Medina ging ons met een strak gezicht voor door de gang en schudde ons bij de achterdeur beiden de hand. Jennifer liep met ons mee naar buiten en liet de deur openstaan.

Will gaf me een knikje. Ik liep naar de auto, startte de motor en deed de airco aan. Ik kon hen in het zijspiegeltje zien staan, Will in zijn donkere pak en Jennifer in haar jeans en laarzen en kraakheldere witte overhemd, beiden in het licht van de openstaande deur. Ze praatten even met elkaar. Will zette zijn aktetas op het asfalt.

Toen schudde hij haar de hand zoals Will al miljoenen handen had geschud: geopende palm en stevige greep, terwijl de linkerhand naar voren komt om de jouwe te omvatten en hij iets achteroverleunt in een houding van welkom en bezitterigheid, met een brede glimlach op het gezicht.

'Ik hou van je,' zei ze.

Ik kon dankzij de airco niets horen, maar het was niet moeilijk om haar appelrode lippen te lezen.

Will stak zijn hand in zijn zak en gaf haar het geld dat ik had geteld, opgerold en van een elastiekje voorzien, een bundeltje ter grootte van een half opgerookte havanna: gewoon wat pegels om een paar van haar vrienden uit de problemen te helpen.

'Ik hou ook van jou,' zei hij.

We reden Santa Ana uit en Tustin in. Will dirigeerde me naar Tustin High School en liet me daar langs de tennisbanen stoppen. Er was niet veel actie; slechts twee van de banen waren in gebruik.

'Joe, haal die tas uit de achterbak en breng hem naar de middelste baan. Zet hem daar op de bank.'

'Ja, meneer.'

Toen ik terugkwam, bleven we enkele minuten zwijgend zitten. Will keek op zijn horloge.

'Wat zit er in die tas, pa?'

'Zwijgen.'

'Is dat een antwoord of een bevel, meneer?'
'Dominee Daniel in de Grove,' zei hij.

De Grove Club wordt door de leden nooit de Grove Club genoemd, alleen maar de Grove. Hij ligt verborgen in de heuvels in het zuiden, niet ver van Tolweg 241. Je komt er via een door de heuvels slingerende eigen weg en na een hek te zijn gepasseerd waar twee gewapende bewakers staan, meestal zwartwerkende agenten. Vanaf de openbare weg is de Grove niet te zien. Een koepel van enorme palmen, platanen en gombomen maakt het terrein ook vanuit de lucht moeilijk zichtbaar. Het is nooit in beeld geweest, niet in de krant en ook niet op de tv.

Ik legde de eerste paar kilometer op de 241 af met een snelheid van ruim honderdveertig per uur. Het elektronische bord zei: 'Neem de Tolweg – Want het leven is te kort!' Het elektronische mededelingenbord vormde het enige licht in kilometers donkere heuvels. Er waren maar een paar andere auto's op de weg.

Will had tegen alle vier de tolwegen geprotesteerd, want hoewel de gemeenschap ze onderhoudt en exorbitant hoge tolgelden betaalt, zijn ze privé-bezit. De winst verdwijnt in de zakken van de Toll Roads Agency. TRA klinkt als een openbaar lichaam, maar dat is het niet – het is een consortium van schatrijke projectontwikkelaars dat nog voor het asfalt droog is de eerste gebouwen langs de tolwegen neerzet. In het zuiden van Orange County kun je in één nacht een halve stad opgetrokken zien worden.

En er is meer. Die knapen van de TRA hebben de staat zo ver gekregen dat ze bepaalde snelwegen in Orange County niet meer onderhouden. Tot aan 2006 worden er aan die wegen geen reparaties of verbeteringen aangebracht, hetgeen de klandizie voor de tolwegen garandeert, want de niet onderhouden snelwegen zijn gevaarlijk en het is er zes uur per dag file.

Helaas verloor Will die strijd, maar hij was daar niet eens zo ongelukkig mee, want je kunt op de splinternieuwe tolwegen echt hard rijden We nemen ze altijd, dit vanwege Wills afkeer van verkeersdrukte en zijn hartstocht voor snelheid.

Toen ik eenmaal de eerste tolpoort voorbij was, trapte ik de auto pas echt op zijn staart en Will leunde opzij om op de snelheidsmeter te kijken, die inmiddels op honderdnegentig stond.

Hij grinnikte. 'Mooi zo, Joe.'

Zes maanden geleden hadden Will en de andere supervisors hun auto-onkostenvergoeding met tweehonderd procent verhoogd, en dat had hem in staat gesteld een BMW 750IL te leasen. Dat model haalt standaard 330 pk uit zijn twaalf cylinders. Het is een goede auto, snel maar niet echt pittig, komt pas bij de negentig echt tot leven, is ook met tweehonderdvijftig nog stabiel en heeft voor zo'n grote wagen een uitstekende wegligging. Bij het optrekken zal hij je niet tegen de rugleuning drukken – een Saleen Cobra reed me er vorige week uit bij het stoplicht.

'Ah,' zei hij zacht. 'Dat voelt lekker.'

Ik trapte het gaspedaal nu helemaal in en de auto aarzelde een fractie van een seconde, schoot toen door naar de tweehonderdvijftien en vervolgens naar boven de tweehonderdvijfentwintig. Dit model heeft een snelheidsbegrenzing op tweehonderdvijftig kilometer per uur, maar Will liet me er een Dinan-chip in installeren, die ook het vermogen op 370 pk brengt. Will luistert graag naar het doffe gegrom als die motor op volle toeren draait, en dat geldt ook voor mij. Als de Duitse paarden er echt de vaart in zetten, is het genieten geblazen.

'Jongen, af en toe zou ik willen dat deze weg tienduizend kilometer lang is. Ik kan uren zo rijden. Weg van de Grub. De Grub kan me gestolen worden.'

De Grub, voor Grove Club – Wills afkorting. Hij keek weer op zijn horloge.

'Ik weet het,' zei ik.

Ook al heeft hij dan een hekel aan de Grove Club, de chef is er wel lid van geworden, want dat moet nu eenmaal in zijn positie. Als een man die er niet voor terugdeinst om in het vreugdevuur van het vrije ondernemersschap te pissen als dat voor het district goed uitkomt, is Will Trona niet echt het ideale clublid.

Maar als een politicus die zichzelf een onzinnig dure auto gunt, waarin hij ook nog eens met misdadig hoge snelheid rondrijdt op ritjes die maar ten dele zakelijk zijn, past hij er toch wel weer bij.

Natuurlijk steunt hij als supervisor van het machtige eerste district de overheid, en de overheid kan de zakelijke belangen van de clubleden beïnvloeden, en dus heeft de Grove Will ook nodig.

Will heeft me een keer verteld dat hij twee mille per maand aan contributie kwijt is, hetgeen allemaal wordt opgehoest door begunstigers. De kosten voor ambtenaren zijn 'nominaal' omdat niemand die zijn geld eerlijk verdient de lidmaatschapskosten kan betalen. Het grootste deel van dat geld verdwijnt in de Grove Trust, en vervolgens in het Research & Action Comittee, een niet op winst beluste organisatie die los van de FEC en de RS opereert.

Het fonds hoest elk jaar een niet nader genoemd bedrag van enige miljoenen op ter behartiging van de belangen van de leden. En die belangen zijn winst en macht. Maar ze zijn in nog meer dingen geïnteresseerd. Vorig jaar bijvoorbeeld doneerde de Grove Trust 60.000 dollar aan het Hillview Kindertehuis. Dat is voldoende om een jaar lang twee leden van het middenkader te bekostigen. Ik heb het Hillview hoog zitten en weet hoe ze steeds weer het geld bij elkaar moeten schrapen, want in het Hillview heb ik de eerste vijf jaar van mijn leven doorgebracht.

Twee in hun vrije tijd werkende agenten noteerden onze komst en deden de slagboom omhoog. De Grove stond nog eens anderhalve kilometer verderop, weggedoken in een vallei tussen de heuvels. Het is een gebouw in haciendastijl, opgetrokken rond een grote patio die het aan alle kanten omsluit. De ronde bogen van de colonnades zijn van baksteen en adobe en overgroeid met bougainville. De tuinen van de patio en de fontein worden verlicht door vernuftig opgestelde schijnwerpers en van een afstand lijken ze te gloeien als een in een lap gewikkelde smaragd. Het gebouw zelf is aan de buitenkant vrijwel geheel in het duister gehuld.

Ik parkeerde de auto en volgde Will naar de ingang, waar een andere bijklussende agent onze namen op een vel papier noteerde. Hij wilde net mijn naam vragen toen ik mijn hoed iets naar achteren schoof om hem te laten zien wie ik was. Ik geniet bekendheid vanwege mijn gezicht. Vergissing is uitgesloten. Wat ermee gebeurd is, is een lang verhaal uit de tijd dat ik nog een baby was.

Will ging me voor naar de eetzaal, schudde wat handen. Ik hield me gedeisd, mijn handen voor mijn lichaam gevouwen. Een doorsnee avond in de Grub: aan de helft van de tafels zaten stellen, de meesten al wat ouder, veel grijs haar en diamanten op smokingjasjes en avondjurken. Drie grote projectontwikkelaars – eentje commercieel en twee van het district. Een lobbyist voor de aannemers die vroeger districtscontroleur was geweest. Twee gemeenteraadsleden, een senator, de belangrijkste assistent van de waarnemend gouverneur. Een kwartet heel belangrijke kapitaalverschaffers. Een tafel met late dertigers die in eenennegentig miljardair waren geworden dankzij de NASDAQ.

We gingen de trap op naar de lounge, een groot vertrek met een bareiland, biljarttafels en loges langs de randen.

Will liep naar zijn vaste loge. Ik koos een keu uit en liep naar de biljarttafel het dichtst bij de loge, zodat ik kon meeluisteren zonder Wills gasten nerveus te maken.

Ik wierp een blik omhoog naar de tweede verdieping. Ik zag de brede, gepolitoerde trap en de gesloten deur naar een van de gastenverblijven. Een ober klopte aan. Een hoop geritsel in die vertrekken. Rijke mannen en hun saaie geheimen. Ik ben in allemaal wel een keer binnen geweest.

Mijn afstoot was goed en ik zag drie ballen in de zakken verdwijnen.

Dominee Daniel bestiert een enorme 'televisiekerk'. De programma's worden gemaakt in zijn peperdure Kapel van het Licht hier in Orange County en worden wereldwijd uitgezonden. U heeft hem misschien wel eens op tv gezien. Daniels preken zijn heftig, maar optimistisch. Hij verkoopt tijdens zijn show christelijke producten – van cd's en stichtelijke video's tot sleutelhangers van de Kapel van het Licht die daadwerkelijk oplichten. Het geld dat binnenstroomt is belastingvrij en niemand weet waar het blijft, zelfs Will Trona niet. Althans, dat zegt hij.

Dominee Daniel: *Hier is het.*

Will: *Goed, goed.*

Dominee Daniel: *De spelersbank nekt ons.*

Will: *Zorg dan dat je meer runs scoort. Ik heb de tas van Jaime gekregen.*

Dominee Daniel: *Heb je haar ook?*

Will: *Ik weet waar ze is. Maar ik weet niet of ik die mensen om haar heen wel kan vertrouwen.*

Dominee Daniel: *Wat zou je daar nu mee kunnen bedoelen?*

Will: *Dat merk je nog wel.*

Dominee Daniel: *Je hebt prachtig werk verricht, Will. En Jack heeft ook zijn deel geleverd. Het zal allemaal wel goed komen.*

Een lange stilte, terwijl ik de twee-bal in de tegenoverliggende hoekzak stootte.

Dominee Daniel: *Ik reken op je. Moge God dit wonder voor mij via jou bewerkstelligen.*

Will: *Ik geloof niet dat jouw God nog wonderen voor jou wil verrichten, Daniel. Je hebt er al wat al te veel gehad, lijkt me.*

Dominee Daniel: *Niet zo chagrijnig, Will. Ik heb jou toch niets misdaan?Is alles rond?*

Will: *Het is geregeld, Dan. Maak je geen zorgen.*

Dominee Daniel: *Weet je, Will, de wegen van de Heer zijn werkelijk ondoorgrondelijk.*

Toen schoof dominee Daniel het gordijn open en stapten ze beiden naar buiten. Daniel wierp een blik op de tafel en keek me toen met zijn bekende, flauwe glimlach aan.

'Ik zou je de zes aanraden,' zei hij. 'Dat geeft je een opening naar de rest.'

Will gaf hem een klap op zijn schouder en Daniel vertrok richting bar.

Will keek op zijn horloge.

'Laten we gaan, Joe. We halen even iets op, leveren iets af en dan houden we het voor gezien. Het is een zware dag geweest.'

Toen we de lounge verlieten, zat de dominee aan de bar naast een vrouw met glanzend zwart haar en keek ons na.

Het werd koeler en de mist kwam opzetten, dikke flarden die vanuit de Pacific landinwaarts wolkten. Vaste prik in juni. Aan de kust noemen ze het de juninevels. Toen we de heuvels uit reden en weer binnen gsm-bereik waren, ging Wills telefoon.

Hij zei: 'Trona,' luisterde toen even. 'Je hebt haar dus.'

Luisterde weer en klapte toen de gsm dicht.

'Joe, we hebben een klusje op zeven drieëndertig Lind Street,

Anaheim. Trap dit pompeuze stuk blik op zijn staart en breng me erheen. Tsjonge, ik zal blij zijn als deze dag er op zit.'

'Ja, meneer.' Ik keek in de spiegels en zat binnen enkele seconden op honderdzestig. 'Wat houdt dat klusje in, chef?'

'We proberen een goeie daad te verrichten.'

Toen we de bebouwde kom van Tustin binnenreden, ging Wills telefoon opnieuw. Hij nam op en luisterde. Toen zei hij: 'Er komt schot in de zaak. Ik zal doen wat ik kan, maar ik kan nog steeds geen ijzer met handen breken.'

Hij klapte de telefoon dicht en slaakte een zucht.

We waren bijna in Anaheim toen hij zelf belde.

'Het ziet er naar uit dat we op tijd zijn,' was het enige dat hij zei.

Het was een appartement naast een steeg in het lelijkste deel van Anaheim. Will zei me in de steeg te parkeren. Die was zo smal dat er geen auto meer door kon als wij niet vertrokken. Links van ons bevond zich een rijtje carports en rechts een betonnen muur vol graffiti. Geen enkel teken van leven, alleen de voorbijtrekkende flarden mist.

'Doe maar onaardig,' zei hij. Dat was wat hij zei als hij problemen verwachtte, of als hij alleen maar wilde dat ik mensen intimideerde.

Will stond achter me toen ik met mijn linkerhand aanklopte; mijn rechter zat onder mijn jas en lag op de kolf van een van de twee .45 Automatic Colt-pistolen die ik meestal bij me draag.

'Ja? Wie is daar?'

'Doe die deur open,' zei ik.

De deur ging piepend open. Een vrouwengezicht, vet, met samengeknepen ogen, tot ze mijn gezicht zag, waarna haar ogen zich opensperden.

Ik duwde haar opzij en stapte naar binnen. Haar handen waren leeg en achter haar was geen beweging, alleen maar het geluid van een tv.

Ze keek naar mijn gezicht, tot ik haar een blik gunde op wat er onder mijn jas zat. Haar blik ging van het wapen naar mijn gezicht en weer terug. Klem tussen twee griezelfilms. Langzaam stak ze haar handen in de lucht en besloot naar de vloer te kijken.

Het appartement rook naar gebakken spek en sigaretten. Beddenlakens als gordijnen, een tot op de draad versleten vloerkleed, waar doorheen de vloerdelen te zien waren.

'Ik weet hier verder niets van, meneer. Ze zeiden kom hier heen en houd dat meisje in de gaten, en dat heb ik gedaan. Ik weet niet –'

Will bemoeide zich ermee. 'Rustig maar, *señora.* Ze is oké, jongen. Waar zijn ze?'

Ze knikte naar de slaapkamer. 'Zij daar. Hij niet hier. Ze kijkt televisie.'

'Hier blijven,' zei ik tegen haar. 'Wat doe ik nu, chef?'

'Ga haar halen.'

Het meisje kwam overeind van de vloer toen ik binnenkwam. Ze was klein, blond, bleek. Een spijkerbroek en een T-shirt van het Cirque du Soleil, witte gympen. Twaalf jaar oud, hoogstens.

Ze bestudeerde mijn gezicht. Kinderen doen dat wel vaker, alleen maar staren. Vaak trekken ze een gezicht, soms beginnen ze te huilen. Soms rennen ze weg. Ik zag de angst in haar blik kruipen en haar kin begon te trillen.

'Ik ben Joe.'

'Ik ben Savannah,' zei ze, heel zacht.

Toen deed ze een stap naar voren en stak haar kleine, trillende hand uit. Ik schudde hem. Ik trok de rand van mijn hoed nog iets dieper over mijn ogen. Misschien hielp het.

'Hoe maakt u het?' vroeg ze.

'Dat weet ik niet precies. Maar kom toch maar met me mee.'

Ze gooide een Pocahontas-rugzak over haar schouder en ging me voor naar buiten.

Op de trap omlaag naar de steeg hield ik de kolf van mijn wapen vast. Will hield het meisje bij de hand.

Ik deed de portieren aan de passagierskant open en wachtte terwijl Will haar rugzak afdeed, haar de veiligheidsgordel omdeed en liet zien hoe ze de armleuningen omlaag kon doen.

Bij alle dingen die hij is – echtgenoot, politicus, agitator, manipulator, dromer – vergeet ik wel eens dat hij ook een vader is. Een adoptievader, misschien wel de liefste vaders van allemaal.

Zijn hand lag op haar schouder en hij sprak op rustige toon, een voet bungelend uit het geopende portier.

Er kwamen koplampen op ons af en ik hoorde een automotor in

de steeg voor ons. Geen haast, geen bedreiging, waarschijnlijk een huurder op weg naar zijn carport.

'Meneer, we kunnen nu beter gaan.'

'Ik ben in gesprek.'

Ik hoorde van achter ons nog een auto aankomen, zag de koplampen omhoogkruipen langs de glanzend zwarte kofferbak van de BMW.

Ik ging wat dichter bij het geopende achterportier staan. 'U kunt nu beter instappen, chef.'

'Ik praat met Savannah.'

Ik keek achter me, en toen voor me. Ze reden met gelijke snelheid op ons af, geen haast, geen groot licht. Geen probleem?

Toen hielden beide auto's halt. Dertig meter voor ons, dertig meter achter ons. Ze verdwenen in een deken van mist, om even daarna weer te verschijnen. Ik kon niet zien wat voor merk ze hadden, om over de nummerplaten maar helemaal te zwijgen.

'Mogelijk moeilijkheden, meneer.'

'Waar?'

'Overal.'

Ik schopte Wills bungelende voet naar binnen, smeet het portier dicht en pakte de afstandsbediening uit mijn jaszak.

Portieren werden geopend. Geschuifel van voeten op asfalt.

In het door de mist vertroebelde schijnsel van de koplampen voor me zag ik drie bewegende gestalten die alsmaar groter werden. Eén lang, de andere twee wat kleiner. Lange jassen, kraag omhoog, gezichten nauwelijks te zien.

Ik trok mijn portier open en knipte de koplampen aan, smeet de deur achter me dicht en sloot alles af met de afstandsbediening.
Ik stopte mijn rechterhand onder mijn jas en legde hem op de kolf van de .45. Ik draaide me om en keek achter me: nog twee jassen die opdoemden in de rokerige lichten van hun auto. Ik legde mijn linkerhand op mijn andere pistool, zodat ik nu met mijn armen gekruist voor mijn borst zat, alsof ik het koud had.

Toen klonk er een diepe, resonerende stem van voor ons. Hij weerkaatste tegen de muur en de garages, was moeilijk te lokaliseren maar goed te verstaan.

'Will! Ah, Will Trona! We moeten praten.'

Will stond al buiten nog voor ik hem kon tegenhouden.

'Houd een oogje op Savannah,' zei hij. 'Ik reken wel af met dat stuk stront.'

Ik deed het portier achter hem dicht en stapte ook uit, maar hij draaide zich om en siste me recht in mijn gezicht.

'Ik zei dat je een oogje op dat meisje moest houden, Joe! Dus doe dat dan ook!'

Ik bleef bij de auto, maar keek hem wel na, bleek oplichtend in het spervuur van koplampen.

De Lange stapte op hem af. Ik kon zijn gezicht nauwelijks zien, kon zelfs zijn leeftijd niet schatten. Zijn handen zaten in zijn jaszakken.

De twee kerels achter me weken uit naar links, zodat ik tussen hen en onze auto gevangenzat. Ze hadden elk een automatisch wapen dat ze met de loop naar beneden tegen hun jas gedrukt hielden.

Ze bewogen niet meer.

Ze hadden ons in de tang en ik wist het en ik kon voorlopig niets anders doen dan blijven staan en toekijken.

Will bleef op ongeveer twee meter van de man staan, zette zijn handen in zijn zij en spreidde zijn voeten enigszins.

Woorden vermengd met motorgeruis zweefden op me af. Ik deed de portieren van het slot, reikte naar binnen en knipte het binnenlicht uit.

'Wat is er, Joe?' vroeg het meisje. 'Ik kan niets zien.'

'Niets meer zeggen. Helemaal niets.'

'Oké.'

'...taaie rakker, die Will Trona...'

De stem had een vreemde cadans, een bijna opgewekte nadruk op de lettergrepen. De uitspraak zat er net iets naast, als bij een op latere leeftijd aangeleerde taal.

Will: *Wie ben jij, verdomme?*

...het meisje in de auto?

Will: *Hoor jij bij Alex?*

Hoor jij bij Alex. Gelach. *Dat onderdeurtje is dus te schijterig om zijn gezicht te laten zien, hè?*

Will weer: *We hadden een afspraak. Maak dat je hier wegkomt, verdomme.*

Nu is dit de afspraak.

De Lange boog iets voorover en een scherpe knal echode door de steeg. Will viel op zijn knieën en klapte dubbel.

Ik rukte het achterportier open, sprong naar binnen, maakte Savannahs riem los en schoof haar over de bank naar het portier.

Toen ik door de voorruit keek, zag ik de Lange een stap naar voren doen. Ik duwde het verste portier open, wurmde me om Savannah heen en trok haar aan haar arm naar buiten.

'Wat gebeurt er allemaal. Is alles goed met Will?'

'Ssst.'

Terwijl ik het meisje met me meetrok, draaide ik me om en zag het glanzende uiteinde van de hand van de Lange op Will gericht. Opnieuw een scherpe knal, Wills hoofd dat nog één keer schokte, rook die in het licht van de koplampen opsteeg in de mist.

'Savannah,' fluisterde ik. *'Zet je schrap om te gaan rennen! Twee keer toeteren, dat ben ik. Twee keer toeteren.'*

Ik pakte haar beet en tilde haar tot boven de betonnen muur, waarna ik haar losliet. Ik hoorde haar neerkomen, gevolgd door snelle voetstappen. De voetstappen van de mannen achter me werden nu ook luider.

Ik liet me op het asfalt vallen, trok een van mijn wapens en kroop op de achterbank van de verduisterde wagen. De twee achter me naderden snel, machinegeweren in de aanslag. Ze tuurden naar de muur, waar ze me het laatst hadden gezien.

Toen ze dichtbij genoeg waren, schoot ik ze beiden neer. De linker sloeg hard tegen de grond. De rechter huiverde en bleef staan en vuurde een wild salvo af, waarbij zijn wapen tegen zijn eigen gezicht stootte. Vervolgens gekletter en gegrom.

Laag blijvend kroop ik de auto weer uit en drukte me tegen het asfalt. Op knieën en ellebogen kroop ik naar de voorkant van de auto, dicht bij het plaatwerk blijvend, mijn pistool voor me uit.

Zelfs in de koplampen kon ik alleen maar gestalten ontwaren: de Lange, de twee anderen die langzaam op me af kwamen. En Will op de grond. Afstand en diepte waren nauwelijks te zien. Het was één bleekgrijze massa.

Shit, wat was dat?

De diepe stem weer: *Er op af.*

Ik richtte mijn .45 op de stemmen, keek naar de mist voor mijn vizier.

Volgens mij liggen er twee op de grond bij de wagen.

Er op af!

Ik richtte mijn vizier iets naar links, in de richting van de stem.

Toen naderden er voetstappen, twee paar, vlak bij elkaar. Vormen die samensmolten in de koplampen.

Ik zie geen flikker, verdomme!

De voetstappen hielden op.

Shit... het zijn Nix en Luke. Morsdood, man. Ik ga daar niet heen...

De mist trok even op, verdikte zich toen weer. Vreemd uitziende kerels.

Ik hoorde de Lange achter hen, en zijn heldere stem sneed dwars door de mist heen.

Terugkomen. Nu!

Het geluid van rennende mannen, gestalten in het diffuse licht van de koplampen.

De Lange: *Hierheen.*

Nix en Luke zijn dood, man...

Ik hoorde twee scherpe knallen en twee doffe bonken. Toen nog twee schoten, terwijl uit de hand van de Lange oranje kometen omlaag flitsten.

Enkele tellen later schoot de auto met gekrijs van banden achteruit en de koplampen veegden over het asfalt. Ik zag de twee mannen achter Will, de een nog bewegend, de ander doodstil. Toen de auto achteruit de steeg uitreed en brullend wegscheurde, begon ik te rennen.

Will zat ineengedoken op zijn knieën, het voorhoofd tegen de grond gedrukt, de armen rond zijn middel. Bloed op zijn hoofd en zijn kleren en het asfalt. Ik legde mijn hand op zijn rug.

'Oeps,' fluisterde hij.

'Rustig, chef. Het komt wel goed.'

Ik rende terug naar de auto en reed hem naar voren. Ik tilde Will op de passagiersstoel. Hij bleef overeind zitten. Nat en zwaar. De geur van metaal. Bloed op mijn gezicht waar zijn hoofd had geleund toen ik hem naar binnen sleurde.

Een van de mannen die door de Lange was neergeschoten, bewoog nog toen ik de grote wagen om hem heen stuurde. Ik reed Lincoln Boulevard op en gaf plankgas, alle stoplichten negerend, mijn hand zweterig op de claxon, terwijl flarden mist langs de voorruit schoten.

'Het komt wel goed, Will. Je redt het wel.'

Zijn hoofd leunde tegen de hoofdsteun en zijn blik was op het plafond gericht. Een dof licht in die ogen. Schouder en overhemd en schoot vol bloed.

'Houd vol, pa. Alsjeblieft, houd vol. We zijn er bijna.'

'Mary Ann.'

Ik reed met honderdzestig zuidwaarts. De andere auto's leken achterwaarts weg te schieten. Wills hoofd knikkebolde toen ik over de scheiding tussen de rijbanen reed. Toen leunde hij voorover, zoals hij altijd deed, om naar de meters en naar mij te kijken.

'Iedereen.'

'Iedereen *wat,* pa?'

Hij hoestte rode troep tegen de voorruit en hing voorover in zijn veiligheidsriem. Achterlichten schoten voorbij.

Ik schoof zijwaarts de afrit naar Chapman af, reed door drie rode stoplichten en scheurde met gierende banden de oprit naar de Eerstehulp van het UC Irvine Medisch Centrum op, waar ik voor de ambulance-ingang tot stilstand kwam.

Will lag ineengezakt tegen het portier. Toen ik om de auto heen rende en het portier opendeed, viel hij in mijn armen, en ik droeg hem het ziekenhuis binnen in het besef dat hij geen dokter nodig had. Ik zakte op mijn knieën, maar hield hem in evenwicht, want dat was het enige dat ik voor hem kon doen en ik wilde het goed doen. Twee knapen van de Eerstehulp kwamen op me af rennen met een draagbaar.

De hel, dat is wachten.

Ik ijsbeerde door de wachtkamer en over de paden buiten, pleegde de telefoontjes die nodig waren – eerst naar mijn moeder, Mary Ann, toen naar de broertjes Junior en Glenn.

Het waren verreweg de moeilijkste telefoongesprekken die ik ooit had gevoerd. Ik kon hen niet zeggen dat Will op sterven lag. Ik kon hen ook niet zeggen dat hij in leven zou blijven. Ik brabbelde alleen maar dat hij was neergeschoten, bijna stikkend in mijn eigen stem.

Ik reed de auto van het platform voor de Eerstehulp en parkeerde hem op de daarvoor bestemde plaats. In het interieur hing de geur van bloed en leer en de afschuwelijke stank van menselijke paniek.

Twintig minuten later kwam een arts van de Eerstehulp me vertellen dat we Will verloren hadden.

Verloren.

Dat woord was als een kogel door mijn hart. Het vertelde me dat Will weg was, en voorgoed. Het vertelde me dat ik tekortgeschoten was jegens de man van wie ik het meest hield, dat ik mijn allerbelangrijkste opdracht had verprutst. En in het kielzog van de kogel die zich een weg door mijn hart brandde, vertelde het me dat ik de mensen zou vinden die Will dit hadden aangedaan en dat ik met hen af zou rekenen.

Ik slaagde erin mijn moeder en broers weer te bellen. Om ook hun de kogel te geven.

Te laat, natuurlijk. Ze waren al op weg naar het ziekenhuis.

Ondanks de protesten van een arts en twee assistenten van de sheriff stapte ik in Wills auto en reed terug naar het appartement aan Lind Street.

Rode zwaailichten, geel lint, overal omwonenden en drie dekens met lichamen eronder. De politie van Anaheim was gearriveerd. Een agent kwam met een zaklamp op mijn auto af lopen en gebaarde dat ik hier weg moest.

Ik trok op en reed door de donkere straten en over de brede, lege boulevards op zoek naar het meisje. Ik kroop voort met vijftien kilometer per uur en toeterde zachtjes twee keer, steeds opnieuw. Heen en weer, heel langzaam, groot licht en alle vier de ramen open. Kom tevoorschijn, kom tevoorschijn, waar je ook mag zitten. De mist was nog steeds heel dicht en soms kon ik nog geen straat ver kijken. Om de paar minuten stopte ik, toeterde en luisterde. Keek.

Ik kreeg eindelijk ma te pakken op mijn gsm en ze klonk alsof ze op het punt stond in te storten. Ze was in het ziekenhuis. Ze wilden haar niet bij hem laten. Ik deed mijn best haar aan de praat te houden en haar een beetje te kalmeren, zei haar dat ze dominee Alter moest bellen, keerde toen mijn auto om naar het ziekenhuis te gaan, en op dat moment werd ik tot stoppen gedwongen door een patrouillewagen van de politie van Anaheim. Beide agenten waren gespannen en hielden hun vingers op hun wapen terwijl ik hun mijn penning liet zien.

'Wat moet u hier in vredesnaam, hulpagent?'

'Ik zoek naar een meisje.'

'Is dat bloed in die wagen?'

'Ja, inderdaad.'

'Wilt u heel langzaam uitstappen? Handen weg van het lichaam, meneer Trona.'

2

De daaropvolgende drie uur bracht ik door op het politiebureau van Anaheim, samen met twee rechercheurs – de lange bleke was Guy Alagna en de gedrongen donkere Lucia Fuentes.

Toen ik hun over Savannah vertelde, verliet Fuentes de verhoorkamer en bleef een half uur weg. Alagna, wiens neus als een scherpe, witte snavel uit zijn gezicht stak, vroeg me voor de derde keer of ik de lange schutter kon beschrijven.

'Te donker,' zei ik voor de derde keer. 'Te veel mist. Ze droegen allemaal lange jassen.'

Ik begon het zat te worden. Het begon tot me door te dringen wat er was veranderd. Wat er zou veranderen. De rest van mijn leven zonder hem. Voor altijd. De wereld was splinternieuw voor me, en ik verafschuwde het.

'Nog even die jassen, Joe. Hoe zagen ze eruit?'

Ik beschreef de lange overjassen voor de derde keer. Ik keek omlaag naar mijn hoed, die balanceerde op mijn knie.

'Kleur?'

'Avond, rechercheur Alagna. Mist. Geen kleuren.'

'Oké, laat maar.'

Toen zweeg hij enkele momenten. Ik kon zijn blik op mijn gezicht voelen. Vroeg of laat gaan de meeste mensen toch staren.

Ik nam een slok slechte koffie uit een plastic beker en keek in de doorkijkspiegel, terwijl ik me de mannen in de mist voor de geest haalde. Will die op hen af liep. Een juninevel waarin het lemmet van moord schuilging. Ik deed mijn uiterste best een glimp van het gezicht van de Lange op te vangen – al was het maar één gelaatstrekje, iets waar ik verder mee kon. Niets. Mist. Beweging. Opstijgende uitlaatgassen, stemmen. De bijna beledigende korte knal van het wapen. En nog een keer.

Om de paar minuten zwol er gebrul aan in mijn oren. Het begon laag, als golven op een afgelegen kust, maar dan werd het luider en luider, tot mijn hoofd zich op vijf centimeter van een straalmotor bevond. Maar het was geen straalmotor, het was een stem, en de stem zei slechts vier woorden, steeds weer opnieuw en steeds luider: *jij hebt hem vermoord jij hebt hem vermoord jij hebt hem vermoord...*

Alsjeblieft, houd op. Ben je het dan vergeten? Ogen open, mondje dicht.

Ik reken wel af met dat stuk stront.

Hoe wist Will dat hij een stuk stront was?

Will! Ah, Will Trona! We moeten praten.

De diepe, welluidende stem bleef me maar achtervolgen. Ik hoorde weer de vreemde, bijna vrolijke intonatie.

Kende de moordenaar hem, of deed hij maar alsof?

...hoor jij bij Alex?

'En je weet zeker dat ze niets van hem weg namen?' vroeg Alagna weer.

'Ze namen zijn leven, meneer.'

Ik zag uit mijn ooghoeken hoe hij me opnam. Toen draaide ik me naar hem om en keek hij weg. Mensen schamen zich als ik hen betrap op staren, maar pas als ik hen betrap.

'Je weet best wat ik bedoel, Joe.'

'Mij is het niet opgevallen, rechercheur.'

'De auto dan nog maar een keer. Hebben ze iets uit de auto gehaald?'

'Ze hebben die auto met nog geen vinger aangeraakt.'

'Oké, goed. Nog één keer recapituleren – de moordenaar noemde Will bij naam. En Will vroeg of hij bij Alex hoorde. En Will zei: afspraak is afspraak, of iets dergelijks, en toen schoot die kerel hem neer?'

'De moordenaar zei: "Dit is dus de afspraak".'

En toen vroeg hij me opnieuw naar de twee mannen die ik had neergeschoten, allebei dood toen de politie arriveerde. Ik vertelde hem opnieuw nauwgezet wat er was gebeurd. Hij gaf me geen namen of andere informatie over hen.

'Je kon dus niet genoeg zien om de man te beschrijven die je vader heeft vermoord, maar je kon wel goed genoeg zien om met slechts twee schoten twee bewegende kerels uit te schakelen.'

'Zoals ik al zei, meneer, ze waren vlakbij – hoogstens zes meter.'

'Je bent kennelijk een goede schutter.'

'Dat ben ik, ja.'

Alles wat ik tegen Alagna en Fuentes vertelde, klopte, hoewel ik wel een paar dingetjes vergat.

Ik vergat bijvoorbeeld iets te zeggen over Wills aktetas. Hij ging zelden zonder op stap, dus hij bevatte de contouren van zijn leven. Meer dan dat. Zijn agenda en afsprakenboek zaten er in, zijn brieven en aantekeningen, zijn rapporten en opzetjes daartoe, zijn lijstje met nog af te werken zaken, zijn krabbels. Alles wat hij op een dag nodig kon hebben – van een kleine taperecorder tot een tandenborstel en tandpasta – droeg Will bij zich in die oude leren aktetas. Ik had hem meegenomen de verhoorkamer in en hem naast me neergezet alsof hij van mij was. Niemand die ernaar vroeg.

En ook de tennistas die we bij het HACF hadden opgehaald, leek me niet iets wat ik Alagna aan zijn neus moest hangen.

Ik had geen zin al te veel los te laten tegen een smeris die ik niet kende, een of andere bleekscheet die drie keer moest vragen hoe een overjas eruitzag.

Ik vergat ook melding te maken van Wills gift aan Jennifer Avila die avond, de tweeduizend dollar die ik had geteld en opgerold. En dat gold ook voor de woorden die ze hadden uitgewisseld.

Ik vergat dat ik nog wel iets meer hoorde dan hallo en tot ziens tussen Will, Jaime Medina en dominee Daniel Alter.

Ik vergat Wills korte gesprekjes via zijn gsm, slechts enkele minuten voor hij stierf. En ik vroeg me af hoe ik een telefoonmaatschappij zover kon krijgen dat ze mij een uitdraai van die gesprekken gaven. Voor een rechercheur van Moordzaken zou dat geen probleem zijn, maar voor een vierdejaars hulpagent? Dat zou nog niet meevallen.

En ik vergat te vermelden dat Mary Ann, mijn adoptiefmoeder, de laatste tijd depressief was en dat Will zijn uiterste best deed 's avonds om tien uur thuis te zijn.

Dat waren allemaal Wills zaken; dat ging Alagna niets aan.

Lucia Fuentes kwam de kamer weer binnen struinen. 'Een van de schutters is nog in leven. Geen ID, maar hij komt er waarschijnlijk bovenop.'

Alagna keek naar mij. 'Misschien dat hij een paar van meneer Trona's nogal aanzienlijke lacunes kan invullen.'

Ik knikte maar zei niets. Ik keek in plaats daarvan omlaag naar Will Trona's aktetas en zag de druppel opgedroogd bloed bij het handvat. Ik was even bang dat Alagna het ook zou zien, maar nee, zo alert was hij niet.

'Wat dat meisje betreft zit ik op dood spoor,' ging Fuentes verder. 'Niets, maar dan ook niets over een vermist meisje van twaalf, genaamd Savannah. Het Nationale Centrum, de FBI, Sacramento – zelfs de sheriff van Joe hier – niemand is naar haar op zoek. Misschien een alias.'

Alagna keek me aan. 'Het lijkt me sterk dat haar vader haar zomaar 's avonds met vijftig jaar oude kerels opscheept.'

'Misschien is dat wel precies wat haar vader doet,' snauwde Fuentes.

'Joe, weet jij misschien of de districtscontroleur interesses in die richting had?'

Ik staarde Alagna aan en er verscheen een blos op zijn wasachtige huid.

'Rechercheur Alagna, het was een goede man,' zei ik. 'En ik zal maar net doen of u die stomme vraag niet gesteld heeft.'

'Grote woorden voor een man die al vier jaar in de gevangenis werkt.'

'We kunnen onze geschillen bijleggen op welke manier u maar wenst, meneer.'

'Er valt niets bij te leggen.'

'Hé, hou eens op, stelletje kleuters,' zei Fuentes. 'Wat is er met je aan de hand, Guy?'

Alagna wendde zijn blik af en zijn oren werden rood. Dat was nogal een contrast met zijn witte snavel van een neus.

Wat er met Guy aan de hand was, was dat hij bang van me was, en dat hij daar kwaad over was. Niets in de wereld lijkt gezonde, stoere agenten kwader te maken dan een vierentwintigjarig monster dat zich niet laat intimideren.

Ik heb niet alleen een gezicht als van iemand die in de hel gemaakt lijkt te zijn, maar ik ben ook lang en sterk. Ik kan met de meeste wapens overweg en ik ben vrijwel mijn hele leven bezig geweest mezelf te verdedigen – ik ken zo langzamerhand elke methode, elke techniek die je maar kunt verzinnen – om te voorkomen dat nogmaals zou gebeuren wat me op de leeftijd van negen maanden is overkomen.

Maar mijn beste wapen is dat mensen voelen dat ik nergens bang voor ben. Misschien komt het door het littekenweefsel. Mijn ogen. Mijn stem. Ik weet het niet.

Er zijn in feite maar twee dingen waar ik echt bang voor ben. Het ene is mijn vader, mijn echte vader, de man die me dit heeft aangedaan toen ik negen maanden was. Zijn naam is Thor Svendson en hij loopt ergens vrij rond. Mocht ik hem ooit nog tegenkomen, dan ben ik voorbereid. Ik heb vijf zwarte banden, ben twee keer regionaal bokskampioen geweest en heb een onderscheiding als scherpschutter om aan te tonen dat ik er klaar voor ben.

Het andere dat me doodsangst aanjoeg – hoewel ik het tot op dat moment nog niet wist – was een leven zonder Will. En van die twee was leven zonder Will verreweg het ergste.

Maar goed, met mijn verminkte gezicht en kennelijke onbevreesdheid zijn de meeste mensen bang voor me. Dat is al zo sinds mijn prille jeugd. Toen ik eraan gewend raakte dat mensen bang voor me waren, probeerde ik goede manieren aan te leren, ter compensatie. Ik begon te geloven dat die verplicht waren voor een man met een gezicht als het mijne. Ik heb bijna even hard aan mijn goede manieren gewerkt als aan mijn ken-po of het terugslaggedrag van mijn Colt .45 ACP.

'Oké, Joe,' zei Lucia Fuentes. 'Kun je me nog een keertje vertellen over dat meisje? Als je vader niet zo was, wat moest hij dan met haar?'

'Dat weet ik niet precies. Hij zei dat hij probeerde een goede daad te verrichten.'

Ze keken elkaar aan.

Toen begon de stem weer in mijn binnenste te razen: *je hebt hem vermoord je hebt hem vermoord je hebt hem vermoord…*

Ik had het gevoel of ik me weer in die mist bevond, de mist die de vorige avond landinwaarts was gerold. Verraderlijke mist. Moordende mist. Ik wilde dat ik het allemaal weg kon blazen en in iets klaarlichts en zonnigs en echts kon stappen. Dat kon niet natuurlijk, maar ik had wel een rustig plekje waar ik heen kon. Ik kan daar heen wanneer ik maar wil. Dus ging ik erheen.

'Ik heb u alles verteld wat ik weet,' zei ik, overeind komend, mijn hoed in de hand. 'U kunt me te allen tijde bellen. Ik zou dolgraag weten waar dat meisje is, rechercheurs. Ik zou haar dolgraag helpen. Sorry, maar ik moet nu aan het werk, anders kom ik te laat.'

Alagna keek naar Fuentes, alsof zij me moest tegenhouden. Fuentes keek naar mij als iemand die haar bus mist. Toen ik buiten kwam, begon net de zon op te komen.

De verslaggevers dromden op me af en ik was blij om hen te zien. Ik gaf hun slechts de grote lijnen, maar ik zorgde er wel voor dat ze wisten dat een meisje met de naam Savannah gisteren door de nacht was opgeslokt. Ik beschreef haar heel nauwkeurig, tot aan haar kleding en rugzak en goede manieren en mooie blonde haar toe. Ik tekende zelfs zo goed en zo kwaad als het ging een schets van haar gezicht op mijn notitieblok. Het was net iets beter dan niets.

De verslaggevers vonden het prachtig: het gaf hun de kans te helpen haar te vinden, eindelijk eens iets goeds te doen. Het zijn de meest cynische mensen die er bestaan, op smerissen na.

Zonsopkomst op het platteland, en ik in mijn eentje in Wills auto, de snelwegen al propvol, en iedereen die zich gedraagt of Will nog gewoon in leven is. Wat mankeerde die idioten? En wat mankeerde Alagna en Fuentes dat ze me lieten vertrekken in een auto die deel uitmaakte van de plaats van delict, in plaats van hem in beslag te nemen?

Ik wist via mijn gsm mam te bereiken. Dominee Daniel Alter was haar tegengekomen in het ziekenhuis en ze was nu in het heiligdom van de Kapel van het Licht. Ze had een licht kalmeringsmiddel ingenomen en ze klonk wat onthecht. Een van de hulpdominees zou haar naar huis brengen, want ze voelde zich te licht in het hoofd om zelf te rijden. Ik zei dat ik haar zelf wel naar huis zou rijden, maar ze drukte me op het hart om aan het werk te gaan, scherp te blijven, me nuttig te maken. Ik zei haar dat ik langs zou komen zodra mijn dienst erop zat.

Ik douchte me in de sportzaal van het bureau van de sheriff en trok mijn uniform aan, waarna ik over het complex naar mijn werk liep.

De gevangenis van Orange County. In grootte de zesde van het land. Drieduizend gedetineerden, drieduizend oranje overalls. Zeventig procent is zwaar crimineel. En wij gevangenisbewaarders zijn met honderd, voor het merendeel jonge mensen, bewapend met niet meer dan pepper spray, waarmee we de orde moeten zien te bewaren. Er komen elke dag honderden nieuwe gevangenen binnen, een totaal van zeventigduizend per jaar. Honderden worden ook elke dag weer losgelaten op de maatschappij. Erin en eruit. Erin en eruit. Wij noemen het de Achtbaan. De gevangenis is een enorme draaikolk, een werveling van mislukking, woede, geweld en verveling.

Overdag is Mannen Centraal mijn wereld. Het is een wereld van strikte regels en, gewoonlijk, stille overgave. Macht en onderwerping. De goeien in het groen, de slechten in het oranje. Handen in je zakken, blik naar voren, geen geluid. Haal je zakken binnenste buiten, laat je sokken zien. Zij en wij. Het is ook een wereld van stokken die van het bed zijn losgerukt, knuppels gemaakt van in knopen gelegde T-shirts verzwaard met stukken zeep, van zelfgestookt bocht gemaakt van restjes fruit en brood die zijn meegesmokkeld uit de kantine, van drugs en tatoeages en vliegertjes – briefjes – die van de zware gevallen in Module F of van de mensen in voorlopige hechtenis in Module J naar de minder streng bewaakte gevangenen worden gesmokkeld, die de briefjes weer kunnen doorgeven aan vrienden en maten in de buitenwereld. Het is een wereld van zwijgen. Het is een wereld van vaag verlichte bewakersstations, zodat de gevangenen niet zien hoe wij hen in de gaten houden. Een wereld van raciale gangs, van respect en wraak, van eindeloos gelieg en gekonkel.

Ik houd ervan. Ik houd van mijn vrienden en collega's, en van het wankele, roofdierachtige evenwicht tussen ons en de gedetineerden. Ik ben zelfs op sommige gedetineerden gesteld. Ze zijn enorm uitgekookt en komen weg met dingen die me verbazen. Maar wat me het meest aanstaat is de ordelijkheid: de zoemers en bellen en schema's en regels, de zware sleutelbossen, het voedsel dat wij in onze eigen kantine krijgen opgediend. Het is de regelmaat van een instituut en mijn vier jaar in het Hillview Kindertehuis hebben ervoor gezorgd dat dat voorgoed in mijn bloed zit.

Die ochtend stond ik ingepland voor Module J, de afdeling voor voorlopige hechtenis van mensen die uitzonderlijk gevaarlijk zijn, die berucht zijn, de kinderverkrachters en de mensen met seksuele aberraties, de mensen die onrust brengen onder de rest. Het is soms zelfs de afdeling voor gezagshandhavers die aan de verkeerde kant van de tralies terecht zijn gekomen.

Mod J is opgedeeld in vier sectoren, met in totaal honderdzeventig gevangenen. Het is één grote cirkel, met ons bewakersstation in het midden. Tussen de cellen en het bewakersstation bevinden zich de dagverblijven, uitgerust met een soort picknicktafels en een tv. Zittend in het vaag verlichte interieur van onze post hebben wij via het glas zicht op iedere cel. Camera's in de cellen maken elke gedetineerde zichtbaar op de console in ons vertrek en elke cel heeft ook afluisterapparatuur.

Het is heel rustig in Module J en de gedetineerden behandelen ons met net iets meer respect dan op de andere afdelingen. Misschien komt dat door de zwaarte van hun misdaden, of misschien omdat ze veelal nog berecht moeten worden en hen heel lange straffen, of misschien wel de doodsstraf, boven het hoofd hangen. Wat de reden ook is, de mannen in Mod J amuseren zich in ieder geval ook iets minder vaak met opmerkingen over mijn gezicht.

Gedurende mijn eerste twee jaar hier roteerde ik tussen de afdelingen in Mannen Centraal en kreeg daar mijn deel aan 'puskop', 'Frankenstein' en weet ik wat niet al over me heen. De scheldwoorden kregen me er niet onder, maar de herhaling bijna wel. Ik brak echter niet, werd nooit woedend en bleef altijd beleefd. Ik leerde me terug te trekken op onze post, om vandaar de gevangenen te bekijken met de onpersoonlijke interesse van een vogelaar.

Wat is er met jou gebeurd?

Niets, hoezo?

Omdat je een gezicht als een hoop stront hebt, schijtekop!

Van die dingen dus.

Natuurlijk zijn mannen achter tralies dapperder dan de meeste anderen. Jij bent tegen hen beschermd, maar zij zijn ook tegen jou beschermd. Zelfs mijn meest moordzuchtige blik maakt vaak alleen maar dat ze nog harder gaan schreeuwen: *O jee, moet ik nu bang worden, Frankenstein!* Als je als bewaarder eenmaal door die zware gevangenisdeuren naar binnen gaat, werk je daar niet alleen, maar zit je er ook *in*. Dat vergeet je soms wel eens. Je krijgt soms het gevoel dat je daar al eeuwen zit en er ook voor eeuwig zal blijven. Dat valt niet mee voor een knaap die zijn goede manieren wil bewaren.

Maar dan haal je eens diep adem en herinnert je dat jij dienst hebt en zij gevangenisstraf. Het is net zoiets als uit een nachtmerrie ontwaken.

Ik meldde me in de briefing room en ging zitten voor het appèl. Daarna gaf brigadier Delano ons het overdrachtsboek: gisteren kregen tien zwarten en tien Latino's het met elkaar aan de stok in de kantine. Het was snel weer voorbij, escaleerde niet, we kregen zelfs geen tijd om onze stokken en petten te pakken – onze wapenstokken en oproerhelmen. Een paar blauwe plekken, een paar snijwonden. Geen wapens. Als gevolg daarvan hadden we nu wel de opdracht om vandaag om 13.00 uur de cellen van Module F te doorzoeken. Zo'n verrassingsinval noemen we een schoonmaakactie. Agent Smith had een steekwapen gevonden, verborgen in de zool van een doucheslipper. Er gingen geruchten over moeilijkheden verderop in de staat. Ze zeggen dat geweld onder gedetineerden doorsijpelt van de staatsgevangenissen naar de regionale gevangenissen en eerst had ik dat als een mythe gezien. Maar na drie jaar hier weet ik dat het waar is, dus geruchten over moeilijkheden in Pelican Bay of Folsom of San Quentin worden altijd serieus genomen. We hielden een collectie voor een barbecue ter ere van de promotie van onze chef en gingen aan het werk.

Ik controleerde mijn radio en mijn sleutels en liep toen door de tunnel naar Mod J. Eenmaal in het bewakersstation wierp ik een blik op de videomonitors om mijn gevangenen te controleren. Het zag er allemaal goed uit. Gary Sargola, de Diepvriesmoordenaar, lag met zijn ene been omhoog te slapen, want hij lijdt aan aderontsteking.

Dave Hauser, een assistent van de openbare aanklager die zich als drugshandelaar had ontpopt, keek naar *Good Morning America.*

Dr. Chapin Fortnell, een kinderpsychiater die wachtte op een veroordeling wegens het molesteren van zes jongens gedurende de afgelopen tien jaar, zat rechtop en alert op zijn brits en schreef iets op met een vetkrijtje, het scherpste instrument dat we hem toestaan sinds hij twee maanden geleden probeerde met een viltstift een ader open te maken.

Serieverkrachter Frankie Dilsey, veroordeeld wegens drie aanrandingen en wachtend op nog eens drie veroordelingen, trok rare gezichten in de stalen spiegel boven zijn wasbak. Hij trommelde met zijn lange vingers op de rand en zwaaide met zijn heupen op de maat van een lied dat alleen in zijn eigen hoofd te horen was.

Sammy Nguyen, een jonge Vietnamese gangster aangeklaagd wegens de moord op een politieagent tijdens een verkeerscontrole, lag op zijn matras en staarde naar een foto van zijn vriendin die hij aan zijn plafond had mogen ophangen. Hij wierp een blik op de videocamera, alsof hij wist dat ik keek, glimlachte, en richtte toen weer zijn aandacht op de foto van Bernadette. Een intelligente jongen, die Sammy. Meestal heel rustig, tamelijk beleefd, heeft zijn eigen erecode en houdt zich daar ook aan. Hij zit behoorlijk hoog in de Vietnamese gangsterwereld, heeft waarschijnlijk vijftig knapen onder zich.

Will en Sammy kenden elkaar. Ze hadden elkaar slechts één keer ontmoet, ongeveer twee maanden geleden in de Bamboo 33, een nachtclub. Will was daarheen gegaan om een paar van zijn Vietnamese vrienden te helpen. Het was de officiële opening van de club en de eigenaars wilden Will erbij om zo hun eigen belangrijkheid te benadrukken en misschien wat foto's in de krant te krijgen. Will had Mary Ann meegenomen en zelf gereden, en dat was ook de reden dat ik er niet bij was.

De opening verliep prima, zei Will, maar die knappe boef Sammy Nguyen en zijn vriendin Bernadette bleven hem maar lastigvallen met gekeuvel over het oprichten van een hypotheekbank in Little Saigon. Will zei dat hij nog contact met hen zou opnemen en probeerde hen van zich af te schudden, maar Sammy en Bernadette bleven om hem heen hangen tot hij Mary Ann mee troonde naar een ander tafeltje.

Hij zat nog niet of die Sammy ging voor hem staan en begon hem

strak aan te staren. Dat is bij gangsters niet ongebruikelijk en het is de bedoeling dat je respect toont door je blik af te wenden.
Will kende zijn pappenheimers. Hij was tenslotte meer dan twintig jaar bij de politie geweest. Dus staarde hij terug en dook diep in zijn geheugen op zoek naar gedachten waarmee hij dat gestaar vol kon houden. Hij vertelde me dat hij aan 'Nam dacht en aan sommige vrienden die daar gestorven waren opdat klootzakken als Sammy in dit land konden leven'. Maar er kwamen hier ook heel veel goede mensen heen en hij vroeg zich af wat die hele oorlog nu eigenlijk waard was geweest. Will zei dat hij min of meer in gedachten verzonken raakte en dat de tijd ongemerkt verstreek. En het volgende dat hij merkte was dat Sammy zijn blik had afgewend. Dat betekende dat Sammy nog steeds zijn respect niet had verkregen en volgens de regels in gangsterland was hij gerechtigd Will Trona te vermoorden om er zodoende toch nog iets van te verkrijgen.

Alleen maar stoer gedoe, had Will het genoemd. Hij vergat het voorval, tot de volgende dag, toen Sammy Nguyen werd opgepakt omdat hij een agent uit Westminster, genaamd Dennis Franklin, zou hebben neergeschoten. De schietpartij had plaatsgevonden slechts enkele uren nadat Will en Sammy elkaar in de Bamboo 33 hadden gesproken.

Will trok het zich nogal aan. Hij kende Franklin niet, maar hij vroeg zich af of hij Sammy niet anders had moeten bejegenen. Als hij wat serieuzer was ingegaan op dat plan over die bank en niet had meegedaan aan dat stomme staarspelletje, was Sammy misschien in een hoopvolle in plaats van een moorddadige stemming uit de Bamboo vertrokken.

Het enige dat Franklin had gedaan, was Sammy aanhouden omdat hij te hard reed. Will en Mary Ann stortten vijftigduizend dollar in een fonds voor Franklins weduwe en tweejarig kind. De kranten vonden dat fantastisch en wilden weten waarom de Trona's juist Dennis Franklins gezin hadden uitgezocht. Will zei omdat hij een goede agent was geweest en repte verder niet over het voorval met Sammy Nguyen.

Ik verliet de bewakerspost en liep naar Sammy's cel. Vage verlichting, een bijna doodse stilte, het verstilde decor van een droom. De hij-zij's – mannen in verschillende stadia van geslachtelijke transformatie – staarden me na. Clarkson, een massamoordenaar van kinderen, negeerde me. Ik liep achter de bezorger aan – een gevangene met speciale privileges – toen hij het blad met Sammy's ontbijt door de daarvoor bestemde opening naar binnen schoof.

'Hallo, hulpagent Joe. Het spijt me van je vader.'

In de gevangenis verspreiden de nieuwtjes zich met de snelheid van het licht.

'Dank je.'

Sammy ging zitten en zette het blad op zijn knieën. 'Ik heb hem een keer ontmoet, weet je dat?'

Ik keek hem aan, maar zei niets. Hij had me die informatie al eens eerder gegeven.

'En hij beledigde mij en Bernadette. Ik had hem kunnen laten vermoorden voor zijn gedrag van die avond en dan had ik volkomen in mijn recht gestaan.'

'Ja, dat heb je me al eens verteld. Heel kinderachtig, Sammy, die manier van denken.'

Daar dacht Sammy even over na. Hij zette zijn bril af en legde die op zijn kussen.

'Maar ik heb het niet gedaan. Ik had hier niets mee te maken.'

Ik geloofde hem, want we openden Sammy's in- en uitgaande post sinds hij hier vastzat. Ik wist dat hij zijn zaakjes regelde via Bernadette. Zij was zowel zijn linkerhand als zijn vriendin en hij vertelde haar alles in die brieven. Sammy zat hier vanwege een moordaanslag, oké, maar hij zat tot aan zijn ellebogen in de wapenhandel, fraude, inbraak en gestolen goederen. Hij had het in al zijn brieven niet één keer over Will gehad, of over de belediging. Als hij Will had willen laten vermoorden, had hij dat gedaan via de post naar zijn vriendin.

Het verbaasde me dat een knaap zo slim en achterdochtig als Sammy niet vermoedde dat zijn post werd gelezen.

'Heb je het zien gebeuren?'

'Ja. Vijf man.'

'Het was in opdracht, Joe.'

'Daar zag het wel naar uit, ja.'

'Heb je hen van dichtbij gezien?'

'De mist was heel dicht. Ze droegen allemaal lange jassen, met de kraag omhoog. De leider was lang.'

Achterdocht gleed over Sammy's brede, arglistige gezicht. Ik lieg routinematig tegen Sammy en de andere gevangenen – sommige leugens zijn te opzichtig om te geloven, andere te miniem om zelfs maar onwaar te klinken. Als de gevangenen alleen maar de waarheid horen, vreten ze je als een piranha kaal. Je hebt bluf nodig om hen op afstand te houden. Je moet je verhaaltje klaar hebben. Zij doen hetzelfde jegens ons en dus krijgen ze het terug.

Dus zelfs al vertel je hun de waarheid, zoals ik nu, dan denken ze nog dat je liegt. In de gevangenis klinkt zelfs de waarheid niet oprecht.

'De Cobra Kings,' zei Sammy. 'Zij dragen lange jassen, kleden zich goed. Dat is niet zo vanzelfsprekend, Joe, want ze zijn van gemengde afkomst. Vietnamees en Amerikaans. Vietnamees en zwart Amerikaans. Vietnamees en Mexicaans-Amerikaans. Soldaten neuken nu eenmaal graag en dan krijg je – hoe noemen de kranten het ook weer: 'kinderen van de oorlog'? Bastaarden. Iedereen heeft een hekel aan hen. Ze groeien op, vinden elkaar, vormen een bende in Saigon. En nog steeds heeft iedereen een hekel aan hen. Dus komen ze hierheen, naar het land van de onbegrensde mogelijkheden. Je kent het wel.'

'Vrienden van jou?'

Hij schudde van nee.

'De moordenaar kende Will bij naam,' zei ik. 'Maar ik geloof niet dat Will hem kende.'

Hij schonk me een stralend witte glimlach.

'Jouw vader had misschien wel een paar vrienden die niet zo goed voor hem waren. Dat gebeurt in de politiek. Die mensen helpen je, maar ze zijn niet goed voor je.'

'Vertel eens wat nieuws.'

Weer die glimlach, rimpeltjes in zijn ooghoeken. 'Heb je het gezicht van de moordenaar gezien, Joe?'

'Moeilijk te zien.'

Nu was Sammy's gezicht een en al cynisme en achterdocht. 'Je hebt hem de naam van je vader horen noemen, maar zijn gezicht heb je niet gezien?'

'De mist,' zei ik.

Hij bekeek me en probeerde in te schatten in hoeverre ik hem bedroog. Ik liet hem zijn gang gaan. Er gleed iets van triomf over zijn gezicht en ook dat vond ik best.

'Ik hoorde dat drie knapen het loodje hebben gelegd. Eentje is nog in leven. Heb jij dat op je geweten?'

Ik knikte. 'Twee ervan.'

'Hoe voelde het?'

'Niet slecht. Vergeleken met het zien sterven van mijn vader.'

'Heb je ooit eerder iemand vermoord?'

'Nee.'

'Dit is triest, Joe. Een heel trieste zaak. Wie heeft die andere twee neergelegd?'

'De Lange probeerde de lijst met getuigen enigszins uit te dunnen.'

Sammy dacht even na. 'Slecht leiderschap. Heel kil. Heel erg Cobra King. Volgens mij is het eerder een geldkwestie, Joe – minder mensen om mee te delen.'

'Er was ook nog een meisje,' zei ik.

'Wat voor meisje?'

'Savannah.'

'Hebben ze haar ook koud gemaakt?'

'Nee. Ken je haar?'

'Nee, ik ken haar niet.'

'Iets over dat meisje Savannah zou me kunnen helpen, Sammy. Misschien in verband met een of andere Alex. Ook geen achternaam.'

Sammy kan vol overtuiging en heel duidelijk emoties uitdrukken, als een acteur. Ik heb hem tijdens ondervragingen gezien en hij is er een meester in om verrassing, woede, onschuld, bedreiging te spelen. En hij overdrijft graag.

Maar wanneer hij niets wil loslaten, wordt zijn verraderlijke gezicht leeg en zwijgzaam als een bloem. Hij is dan niet te doorgronden, hoe je ook je best doet. En dat gebeurde ook nu.

Toen brak zijn lege blik en veranderde in een optimistische uitdrukking.

'Heb je mijn rattenval al geregeld?'

'Je kunt hier geen rattenval hebben.'

'Er zit hier anders een enorme rat. Hij komt en gaat als het hem belieft. Via de leidingen.'

We hebben al heel wat ratten, muizen en kakkerlakken gehad. Maar ik had het idee dat hij de val ergens anders voor wilde gebruiken, hoewel ik niet precies wist wat. Sammy is gek op speeltjes, gereedschappen. Bij een celdoorzoeking vorige week vonden we een nagelknipper voor honden, splinternieuw, nog in de verpakking. Het was er zo eentje met een klein, scherp blad dat door een ovalen gat glijdt, en met zware, gebogen handvaten om kracht te kunnen zetten. Hij had er een goed wapen van kunnen maken, maar ik geloof niet dat hij zoiets laags in de zin had. Sammy is niet zomaar een crimineel – daar vergiste Will zich in. Hij is veel intelligenter en gevaarlijker, en ook veel onvoorspelbaarder.

Zoals ik al zei controleren we alle post van Sammy, inkomend zowel als uitgaand, en de nagelknipper was dus niet via de post gekomen. Misschien dat hij hem van Frankie Dilsey had gekregen, die in de cel naast hem zat, of in het dagverblijf. Misschien in de sportzaal, die zich op het dak bevindt. Of misschien van een van de bewakers. Hij kan hem ook van een bezoeker gekregen hebben, of van zijn advocaat, die dan wel het risico liep om uit zijn ambt gezet te worden.

Ik keek in Sammy Nguyens donkere ogen, die mij aanstaarden. Zijn opvliegendheid is alom bekend. Nog afgezien van agent Dennis Franklin verdenkt onze afdeling Moordzaken Sammy ervan hoogst persoonlijk acht moorden te hebben gepleegd. Zeven daarvan worden gezien als afrekeningen in het circuit. De andere betrof een jonge man van wie ze vermoeden dat hij met Bernadette Lee aanpapte. Hij werd drie keer in het gezicht geschoten op een parkeerplaats in Garden Grove.

Ik dacht aan de moordenaar in de mist en vroeg me af of Sammy nog op een andere manier opdracht kon hebben gegeven tot de moord op Will, behalve via een brief aan Bernadette. Sammy mocht vijftien minuten per dag een van de telefoons in Mod J gebruiken – misschien had hij het op die manier gedaan.

Toen hoorde ik weer de stem in mijn hoofd, een tergend gefluister: *jij hebt hem vermoord jij hebt hem vermoord...*

Ik had de cel binnen kunnen stappen om de waarheid uit Sammy te dwingen – als er al enige waarheid in hem school. Het was een slimme man en een moordenaar, maar tegen mij zou hij geen enkele kans hebben.

Wat ik op die manier uit hem kreeg, zou niet volgens de regels zijn en niet als bewijs kunnen dienen, maar het ging me ook niet om een rechtszaal. Ik zou met de andere hulpagenten hier kunnen regelen dat niemand ooit zou weten wat er nu precies in Sammy's cel was gebeurd, of waarom. Dergelijke dingen gebeuren, hoewel veel minder vaak dan je misschien zou denken.

Maar in gedachten klom ik omhoog en bereikte de rustige plek en ik keek naar buiten en hield mezelf voor dat als ik niet uitgekookt genoeg was om een vent als Sammy te slim af te zijn, dat ik misschien ook maar geen hulpagent moest zijn.

Alsof hij mijn gedachten kon lezen, glimlachte Sammy en opende zijn handen, de palmen naar boven gekeerd. 'Het spijt me dat je vader is doodgeschoten, Joe. Dat meisje, Savannah – misschien dat ik iets te weten kan komen. Als jij me nu die val bezorgt, zal ik zien wat ik kan doen.'

In de briefing room verwarmde ik een van de sandwiches die ik daar in de diepvries bewaar. Terwijl de magnatron knisperde, staarde ik naar de vloer. Er drupten tranen uit mijn ogen en ik voelde ze op mijn wangen en op het grote litteken, waar tranen altijd koeler aanvoelen, en in mijn geest begon de mist weer te rollen en probeerde het geluid te verstikken.

Het was me te veel geworden.

Jij hebt hem vermoord jij hebt hem vermoord…

Door het geschreeuw heen probeerde ik na te denken. En dit was wat ik bedacht: ik geloofde niet dat Sammy achter het gebeurde zat. Ik geloofde niet dat Sammy wist dat dit stond te gebeuren. Ik denk dat het hem al evenzeer verraste als Will.

De echte verrassing was Savannah. Sammy's lege blik toen ik naar haar vroeg, maakte me duidelijk dat hij iets voor me verborgen hield. Iets wat hij me niet direct aan mijn neus wilde hangen. Iets wat waardevol voor me zou kunnen zijn.

Het ging mijn verstand te boven. Een lief, klein meisje ziet verschrikkelijke dingen, rent het donker in en een knaap als Sammy Nguyen wil via haar aan een nieuwe rattenval komen.

De aard van het beestje? Vertelt u het maar, ik geef het op.

3

Lunchtijd in de kantine van de Centrale Gevangenis. Tweehonderdvijftig gedetineerden en drie bewakers met niet meer dan pepper spray om de orde te handhaven. Ik stond met mijn rug tegen de muur en keek hoe de mannen binnenkwamen. De regels zijn: achter elkaar aan, handen in de zakken, van links naar rechts achter de tafels aanschuiven, niet praten tot je met je dienblad zit. Geen gepraat met gedetineerden aan andere tafels.

Het is rustig. De meeste knapen kunnen goed met elkaar overweg. En degenen die dat niet kunnen, worden opgesloten in de voorwaardelijke afdeling, of krijgen administratieve afzondering in Mod F, en ze eten in hun cellen. Toch, als er rotzooi dreigt, gebeurt het hier. Het geweld is meestal van korte duur. Niemand die iets ziet.

Vorige week stak een jonge Mexicaan een grote, zwarte man neer – wilde respect. De zwarten zullen vroeg of laat vergelding zoeken. Als er veel geweld in de lucht zit – van het soort dat van San Quentin of Folsom hierheen overwaait – kunnen wij bewakers dat voelen. Het wordt dan nog rustiger dan normaal. Gedetineerden doen dan dingen die niet bij hen passen: een slokop laat zijn maaltijd staan; een normaal meegaande kerel is ineens kribbig; niemand wil naar de douche of het dagverblijf. We weten dan dat er iets is.

De gedetineerden krijgen vijftien minuten om te eten en weer in de rij naar buiten te gaan. De ogen zijn meestal neergeslagen. Veterloze, speciaal voor de gevangenis vervaardigde gympen kletsen in kalme regelmaat op de vloer. Ze keren hun zakken binnenstebuiten bij het passeren van de bewaker.

In de kantine lopen de gedetineerden in zelf gevormde groepjes, bekend als wagens. Wij zijn een 'bruine' gevangenis – voornamelijk Latino's. We hebben twee Latino-wagens – eentje voor Amerikaanse staatsburgers, eentje voor illegalen. Dan is er de Aziatische wagen, de zwarte wagen. De witte wagen wordt de Schetenwagen genoemd, van Bleekscheet. De chauffeur is de knaap achter in de wagen. Hij is de zwaargewicht, de leider. Als we problemen met iemand hebben, gaan we naar die leider, laten hem enige discipline uitoefenen. Anders straffen we de hele wagen. In de gevangenis kan de druk van je maten immens zijn.

Ik wist me door de lunch heen te slepen voordat brigadier Delano me vertelde dat ik naar huis kon en daar voorlopig moest blijven.

'De zielknijpers nemen contact met je op, Joe – brigadier Mehring en Norm Zussman. Maak je maar geen zorgen, je deed wat je moest doen. Ze zijn er niet op uit om jou te grazen te nemen. Trouwens, je ziet er naar uit dat je wel wat rust kunt gebruiken.'

'Kan ik niet gewoon aan het werk blijven, meneer?'

'Je krijgt betaald verlof, Joe. Neem het. Ga naar het strand. Versier een meid. Ga vissen.'

'Ik zou liever gewoon doorwerken.'

Probleem was dat ik niets beters te doen had dan werken. De gevangenis was mijn wereld, net zoals Hillview mijn wereld was geweest totdat Will Trona me er weghaalde.

'Wegwezen.'

Ik ging er dus maar niet verder tegenin. Ik was zo moe dat ik nauwelijks de parkeerplaats haalde. De stem in mijn hoofd begon me weer te tarten, maar zelfs mijn geweten was te moe om nog te reageren.

Ik zette gewoon de ene voet voor de andere en hield mezelf voor dat Will dood was, maar dat het leven verderging, dat het leven verderging, dat het leven verderging.

Toen ik eindelijk bij Wills auto was, stond een van de knapen van de FBI naar de BMW te kijken. Zijn naam was Steve Marchant. Een jaar of vijfendertig, slank maar sterk.

'Ik wou dat ik deze moordzaak kreeg,' zei hij.

'De politie van Anaheim heeft hem gekregen.'

'Mis – hij is nu van jullie. Birch en Ouderkirk hebben hem. De sheriff heeft hem binnengesleept omdat jij een van hen bent.'

Ik wist niet wat ik moest zeggen. Ik vroeg me af hoe het verder zou gaan, nu mijn directe collega's de moord op mijn vader onderzochten. Rick Birch van Moordzaken had een goede reputatie. Ik had hem wel eens ontmoet – hij was oud en verweerd en slim. Ouderkirk kende ik niet.

'Joe, dat meisje dat je gisteravond met Will zag?'

Hij liet me een foto zien, laag en een beetje besmuikt, alsof hij me gestolen waar probeerde te verkopen.

Het antwoord was echter niet moeilijk.

'Ja,' zei ik. 'Dat is Savannah.'

'Bingo,' zei hij, terwijl hij de foto weer opborg. 'Beschrijf haar kleren eens.'

Dat deed ik. 'Is ze in veiligheid, Steve?'

'Ze wordt vermist.'

'Wat kun je me over haar vertellen?'

'Helemaal niets. Kijk maar naar het nieuws van half zes.'

'Maar is ze veilig?'

'Het nieuws van half zes. Meer kan ik je niet vertellen.'

Hij deed een stap naar me toe en keek me in de ogen. 'Joe, heb jij de moordenaar gezien, gisteravond?'

'Niet echt.'

'Trek het je niet te veel aan, Joe. Je kunt niet overal zijn, niet alles zien. Hou je taai. Wij krijgen die klootzak wel te pakken en dan gaat hij onverwijld naar San Quentin.'

'Bedankt, meneer. Dat waardeer ik zeer.'

'Kom morgen naar mijn bureau, acht uur, oké? Na het nieuws zul je begrijpen waarom. Je moet me dan alles vertellen wat je je over dat meisje herinnert. Alles.'

Ik belde vanuit de auto mijn moeder. Haar stem klonk krachtiger, maar ik kon de ondertoon van verdriet horen. 'Will Jr. en Glenn zijn over een uur in Orange County, Joe. Hun gezinnen volgen later.'

'Ik pik hen wel op, mam.'

'Ik ben al onderweg.'

'Ik zie je bij het standbeeld.'

Ze gaf de luchtvaartmaatschappijen en de aankomsttijden door, zei dat ze van me hield en hing op.

Ik ontmoette haar bij het standbeeld van John Wayne, een enorme bronzen dubbelganger van de acteur in zijn cowboy-outfit. Ik omhelsde haar en ze viel snikkend in mijn armen. Ik had haar eerder zien huilen, maar nog nooit zoals nu: diepe, trillende zuchten die helemaal uit haar tenen leken te komen. Ik troonde haar mee naar een bank, waar een paar attente mensen opschoven zodat we konden gaan zitten.

Toen ze zichzelf weer enigszins onder controle had, keek ze me aan, streek met haar handen over mijn gezicht en vroeg me hoe het met me was. Zij is de enige ter wereld die ik dat toesta – beide kanten van mijn gezicht aanraken. Ik zei haar dat het prima met me was en we respecteerden die leugen allebei voldoende om op te staan en op weg te gaan naar de aankomstbalie van Will Jr.

Een uur later reden we met zijn vieren, in twee auto's, langs de hordes verslaggevers en camera's de lange, beschaduwde oprijlaan naar ons oude huis in de Tustin Hills op. We stonden op het bordes terwijl mam haar sleutel zocht. Ik rook de eucalyptus en de rozen die ze altijd met zoveel toewijding had verzorgd. Ik keek naar de oude voordeur van sequoiahout met het raam erin en realiseerde me dat dit dezelfde deur was die twintig jaar geleden voor mij was geopend en me toegang had gegeven tot de mooiste, gelukkigste tijd van mijn leven. *Een thuis.*

Maar toen ik naar binnen ging, voelde ik me alsof ik in een parodie op geluk stapte, een zeepbel die uiteen was gespat. Wills huis, maar geen Will.

Ik deed de deur achter me dicht en keek naar mijn broers en mijn moeder, en ik durfde ze geen van allen recht aan te kijken.

Jij hebt hem vermoord jij hebt hem vermoord.

'Ik heb hem niet vermoord,' zei ik.

'Wat zeg je daar, Joe?' vroeg Will Jr. Hij sloeg zijn arm om me heen en troonde me mee naar de woonkamer.

Van de volgende paar uur herinner ik me maar weinig, maar het waren de ergste van mijn leven.

*

Thuis. In mijn eigen huis. Ik reed mijn Mustang uit de garage en parkeerde Wills BMW erin. Liet de ramen open. Zat daar een minuut of wat, peinzend.

Toen pakte ik Wills aktetas en nam hem mee het huis in. Ik heb drie grote, staande brandkasten – eentje in de slaapkamer, eentje in de tweede badkamer en eentje in de hobbykamer. Het huis was in 1945 op een betonnen fundament gebouwd en dat maakte dat ze goed verankerd konden worden. Ik opende de brandkast in de hobbykamer.

Om ruimte te maken, haalde ik er eerst de Smith .357 magnum en een van mijn houten juwelenkistjes uit. De kistjes bevatten dingen die ik in mijn leven waardevol heb gevonden – stenen, schelpen, veren, snuisterijen, briefjes, kleine geschenken. Daaronder is ook het eerste dat ik van Will kreeg: een boek over de buffel. *Shag, de laatste buffel.* Ik was een bibliotheekexemplaar van dat boek aan het lezen toen hij voor het eerst met me sprak in Hillview. Ik was toen bijna vijf. De volgende keer dat hij langskwam, gaf hij me mijn eigen splinternieuwe exemplaar.

Ik staarde lange tijd naar de aktetas, omdat hij me zo aan Will deed denken. Ik raakte een bloedspat aan en die liet een donker korstje op mijn vinger achter. Maar goed dat Alagna het bloed niet had gezien, maar als hij al zo slordig was om Wills BMW zo maar te laten vertrekken, zou hij met die aktetas waarschijnlijk ook verder niets nuttigs hebben gedaan. Ik maakte hem open en bekeek elk prozaïsch voorwerp erin alsof het van grote betekenis voor Wills leven was geweest: zijn laatste paperclip, zijn laatste agenda, zijn laatste aspirientje. Toen deed ik hem weer dicht en legde hem onder in de brandkast. Het juwelenkistje zette ik er bovenop.

Ik controleerde het wapen, nam het af met het oliedoekje waarin het verpakt zat, altijd geladen, altijd klaar voor gebruik, sloot toen de brandkast en draaide aan het cijferslot.

Ik liep naar de woonkamer en alles zag er anders uit. Precies hetzelfde, maar toch heel anders. Ik bekeek de glanzende, essenhouten vloer, de zwarte bank en de zwarte stoel en het zwarte rustbankje, de tijdschriften die netjes in hun rek lagen, de chromen leeslamp. Ik keek naar de witte muren met de ingelijste posters van raceauto's, de goedkope reproductie van Michelangelo's 'God schept Adam' en de vele ingelijste foto's die ik had gemaakt van Will, Mary Ann, Will Jr. en Glenn.

Ik ging in de keuken zitten en keek naar de zwart-wit geblokte tegelvloer, de witte muren en kastjes, het aanrecht en de kranen. De eethoek was van chroom, met wit gepolsterde stoelen en een wit, kunststoffen tafelblad. Een beetje als van een inrichting. Ik had de ruimte zelf geschilderd en ingericht. Ik hield het schoon alsof het een operatiekamer was. Het leek nu allemaal zo onbeduidend, zo absoluut betekenisloos.

Om half zes die middag werd op alle vier de televisiestations een persconferentie uitgezonden met Savannahs vader.

Haar naam was Savannah Blazak, ze was elf jaar oud en ze was drie dagen geleden, op maandagmiddag, ontvoerd.

De vader van het meisje was Jack Blazak, uit Newport Beach. Ik herkende hem direct, want hij was een van de rijkste en machtigste mannen van Orange County. En een kennis van Will. Zijn vrouw, Lorna, stond tijdens de persconferentie naast hem. Behalve de Blazaks was ook speciale agent van de FBI, Steve Marchant, aanwezig om vragen te beantwoorden. Ze hadden drie recente foto's van Savannah bij zich. Haar vader omschreef haar als 'heel intelligent, heel gevoelig, heel vindingrijk'.

Ze was drie dagen geleden uit hun huis verdwenen – ergens in de ochtend, zei Jack – en hij had kort daarna een eis tot losgeld ontvangen. Hij stotterde even, zuchtte, en gaf toen toe dat hij en zijn vrouw, uit vrees voor het lot van hun dochtertje, in eerste instantie hadden toegestemd. Deel van de eis was dat als ze naar de autoriteiten zouden gaan, Savannahs hoofd in 'een diepvriesverpakking van USP' naar hen zou worden opgestuurd.

Blazaks adamsappel schoot heen en weer toen hij bekende dat na 'bijna drie dagen in een hel' zijn poging om zijn dochter vrij te kopen 'geen succes had gehad'. Maar hij had reden te geloven dat hij vanavond, donderdag, Savannahs kidnappers zou kunnen betalen en zo haar veilige terugkeer kon waarborgen. Toen hij vanochtend op het nieuws hoorde dat een meisje genaamd Savannah, wier signalement overeenkwam met dat van zijn dochter, de avond ervoor was weggevlucht bij een moordaanslag, had hij direct contact opgenomen met de FBI.

Blazak smeekte iedereen uit te kijken naar zijn dochter. Hij stelde een beloning van vijfhonderdduizend dollar in het vooruitzicht voor eenieder die met informatie kwam die leidde tot Savannahs veilige terugkeer. Er zouden geen vragen gesteld worden.

Steve nam het over en legde uit wanneer en waar Savannah voor het laatst was gezien en wat ze aan had. Hij beantwoordde vragen en vermeldde een alarmnummer. Hij benadrukte dat het Bureau de zaak de hoogste prioriteit gaf en dat het belangrijkste was dat Savannah Blazak veilig naar huis terugkeerde.

Steve keek gretig, enigszins kwaad. Jack Blazak zag eruit alsof hij tien kilometer achter een schoolbus was aangesleept. Lorna Blazak was mooi en fragiel en leek zich nauwelijks bewust van haar omgeving.

Het volgende nieuwsitem was aan Will gewijd. 'Bloedbad in Anaheim. Orange County kleurt rood.' Beelden van de steeg bij Lind Street, het UCI-ziekenhuis, de gesloten deur van zijn kantoor in het provinciehuis, opnames van hem tijdens vergaderingen van de Raad van Districtscontroleurs. Ze hadden ook een paar seconden met ons samen, op weg naar huis in de Tustin Hills, en nog wat opnames van achteren, terwijl we naar de voordeur lopen.

Zelfs een foto van mij, met 'welingelichte bronnen binnen het bureau van de sheriff' die bevestigden dat ik twee van de moordenaars dodelijk had getroffen in een poging mijn vader te beschermen. Nog een derde werd ook als dood opgegeven, een vierde als zwaargewond.

Dode verdachten nog niet geïdentificeerd.

Motieven vooralsnog onduidelijk.

Om de paar minuten ging de telefoon. Vrienden van de academie, de afdeling, oude vrienden, verwanten. Bij mijn familie nam ik op, maar de anderen liet ik op het antwoordapparaat inspreken: Bruce, een krantenjournalist uit New York; Seth, een regisseur van een nieuwsprogramma in Los Angeles; June Dauer, presentatrice van een talkshow op de radio; dr. Norman Zussman, de psychiater die me zou begeleiden om mijn trauma te verwerken.

Ik warmde drie tv-diners op en zette ze op tafel, samen met een pak melk. Ik vind de gaarkeukensmaak van dergelijke maaltijden prettig, en ook de in vakjes ingedeelde schotels – weer een overblijfsel van mijn dagen in Hillview.

Ik stond op het punt aan de maaltijd te beginnen toen er iemand aanbelde. Het was Rick Birch, die er oud en vermoeid uitzag. Ik liet hem binnen, bood hem een van de warme diners aan. Hij sloeg het af.

'Eet maar rustig verder,' zei hij. 'Ik heb maar een paar vragen voor je.'

Ik zette de maaltijden weer in de oven en ging tegenover hem zitten. Hij keek de kamer rond alsof hij de inventaris opnam. Hij droeg een montuurloze bril met dunne, getinte glazen.

'Hoe oud ben jij, Joe?'

'Vierentwintig, meneer.'

'Hoe lang woon je hier al?'

'Drie jaar.'

'Keurig opgeruimd allemaal.'

'Dank u. Ik vind het prettig zo.'

'Die twee kerels die jij hebt neergeschoten, waren Cobra Kings.'

'Ik heb over hen gehoord.'

'Ray Flatley van de afdeling *gangs* kan je er meer over vertellen. Maar globaal gesproken zijn het schoften die er niet voor terugdeinzen een moord te begaan als hun dat zo uitkomt.' Hij haalde een klein aantekenboekje uit zijn jaszak, dat kennelijk al op de juiste bladzij was opengeslagen. 'Jij hebt Luke Smith en Ming Nixon te grazen genomen. Leeftijden zevenentwintig en eenendertig. Luke heette eerst Loc. Nixon is de naam die de andere knaap kreeg aangemeten toen hij als bastaard in Saigon opgroeide. De derde overledene is nog niet geïdentificeerd. Degene die nog in leven is, heet Ike Cao – negentien en een Cobra King met een visitekaartje.'

Hij keek me over zijn bril heen aan, zijn hoofd enigszins gebogen. Ik wist niet hoe ik moest reageren. Ik vond het erg dat ik hen gedood had, maar ook weer niet zo erg.

'Ik neem aan dat je een paar vrije dagen hebt gekregen,' zei hij.

'Tegen mijn zin.'

'Koester dat verlof maar. Zoiets als wat jij hebt meegemaakt, gaat je niet in je koude kleren zitten. Norm Zussman is een goede psych.'

'Toch zou ik het liefst gewoon blijven werken.'

'Ja, daar kan ik inkomen.'

Birch knipperde met zijn bleekblauwe ogen. Hij zag eruit als een boer: verweerd gezicht, grote handen, een innerlijke rust die ontstaat door naar groeiende gewassen te kijken.

'Joe, vertel eens over je vader en Savannah Blazak.'

'Ik weet er maar weinig van.'

'Echt?'

'Echt, meneer. Will heeft het met mij nooit over dat meisje gehad. Ik ben zijn zoon. Ik was zijn chauffeur en lijfwacht. Soms vertelde hij waar hij mee bezig was, soms ook niet. Tot vorige avond tegen negenen had ik nog nooit van Savannah gehoord. Toen we naar Lind Street reden om haar op te halen. Over die ontvoering hoorde ik pas vanmiddag, bij het nieuws van half zes.'

Birch dacht even na. 'Nog even voor de goede orde: het meisje werd op maandagochtend ontvoerd. De familie lijkt het losgeld niet te kunnen betalen, ook al hebben ze het bedrag bij elkaar en zijn ze ertoe bereid. Woensdagavond heeft Will Trona haar gevonden. Leg dat eens uit.'

'Dat kan ik niet.'

'Heb je de moordenaar gezien?'

'Niet goed. De mist verborg hem.'

'Zou je hem herkennen in een identificatierij?'

'Wel als hij iets zei.'

'Leg eens uit.'

Dat deed ik – het karakteristieke van zijn stem, de vreemde intonatie.

'Met een stem-ID schieten we niets op. Dat is niet eens voldoende om iemand voorlopig vast te houden.'

Dat wist ik. Dus ik zei verder niets.

'Weet je wie het gedaan heeft, Joe?'

'Nee, meneer. Natuurlijk niet.'

Hij keek me kalm aan. 'Er is van alles mis aan deze zaak.'

'Ja, dat denk ik ook.'

'Kun je morgen een volledige verklaring afleggen? Ik heb Alagna's bandopname, maar ik wil mijn eigen vragen stellen.'

'Prima.'

Hij knikte, keek weer om zich heen en vervolgens naar mij. 'Heb je al met Marchant gepraat?'

'Morgen.'

Birch trommelde met zijn vingertoppen op de tafel, snel. 'Heeft hij dat meisje ontvoerd?'

'Will?'

'Ik ben niet de enige die je deze vraag zal stellen. Ze is gekidnapt en ze is voor het laatst samen met hem gezien. Tussen die twee gegevens kun je een behoorlijk rechte lijn trekken.'

'Ik weet zeker dat hij dat niet gedaan heeft, meneer.'

'Van de meeste andere dingen ben je anders minder zeker.'

Ik vroeg me af hoe ik Birch zover kon krijgen een uitdraai van de telefoonmaatschappij op te vragen zonder dat hij het idee kreeg dat ik iets voor hem achterhield. Ik wist dat er een moment zou komen dat ik Rick Birch alles moest vertellen, maar ik vond dat nu nog te vroeg.

Hij wachtte of ik nog iets zou zeggen, maar dat deed ik niet. Hij gaf de indruk dat hij in staat was eeuwig te wachten.

'Hoe was Wills financiële situatie?'

'Prima, meneer. Wills salaris was niet slecht en mijn moeder is welgesteld. Hij hield niet van geld over de balk smijten.'

Hij wachtte opnieuw, maar ik zei niets.

'Blazak zei niet hoe hoog het losgeld was.'

Mijn beurt om te wachten. Ik kan ook eindeloos wachten.

'Oké, Joe. Morgen gaan we wat dieper op de zaak in. Doe me een plezier en schrijf op wat er gisteravond gebeurd is. Alles wat je je kunt herinneren. Dat zal ons beiden helpen.'

'Oké.'

Hij stond op. 'Het spijt me. Het spijt me heel erg voor je.'

'Bedankt.'

We spraken een tijd af en Rick Birch keek nog één keer mijn keuken rond, gaf me een hand. Ik liet hem uit.

Na het eten belde Jack Blazak. Hij wilde mij de volgende ochtend vroeg in zijn huis in Newport Beach hebben. Hij vroeg me niets over zijn dochter. Hij gaf me zijn vrouw Lorna om me uit te leggen hoe ik bij 'het Newport-huis' moest komen.

Dat deed ze. Toen: 'Niet ophangen, meneer Trona. Ik moet het u gewoon vragen – hoe was het met haar? Leek ze in orde? Was ze van streek of gewond of zo? Ik heb mijn kind al drie dagen niet gezien.'

'Ze zag er goed uit, mevrouw Blazak. Ze zag er goed uit toen ik haar zag.'

4

Zes uur in de ochtend en de zon kwam net boven de heuvels in het zuiden van Newport Beach uit. Mijn auto draaide stationair onder de hoog oprijzende marmeren poort die de entree vormde tot de omheinde woonwijk Pelican Point. Een bewaker schreef mijn naam, kentekennummer, het nummer van mijn politiepenning en mijn rijbewijs op. Hij staarde naar mijn gezicht alsof hij het elk moment kon aanraken. Toen zwaaide het hek open en reed ik naar binnen.

Tien dagen geleden had de politie van Newport net buiten het hek een zestienjarige jongen doodgeschoten. Twaalf schoten, negen treffers, dood ter plekke. De jongen was gewapend met een machete en een gepunte schroevendraaier en hij gilde in het Spaans. Zijn naam was Miguel Domingo. Jaime Medina's HACF was in alle staten over het incident en eiste een onderzoek. Hij had er die avond trouwens met Will over gesproken. De schietpartij betekende al de tweede gewelddadige dood van een Guatemalaanse arbeider zonder papieren binnen een maand. Een week voor de schietpartij was een jonge werkster, Luria Blas, aangereden en gedood door een auto toen ze over straat 'zwierf', niet ver van haar appartement in Fullerton. Het werd afgedaan als een ongeluk. De vrouw in de Suburban die haar doodde, stapte uit en probeerde te helpen.

Rondrijdend in een wijk als Pelican Point zag je de schoonheid en de rijkdom en moest je de duizeligmakende oneerlijkheid erkennen, het feit dat sommige mensen in herenhuizen bij het strand wonen en dat anderen bij het hek overhoop werden geschoten of werden doodgereden door sportief bedoelde terreinwagens. Een knaap die ook zijn deel probeerde te krijgen, gebruikmakend van een machete en een schroevendraaier. Een vrouw die dat probeerde door schoon te maken in andermans huizen.

Nieuw asfalt in de oude heuvels. Herenhuizen, paleizen, landhuizen – sommige af, andere nog niet. Oud-Engels, Toscaans, Romeins, Frank Lloyd Wright, postmodern glas en beton. Een grijze lucht met één enkele zeemeeuw erin. Bruinige heuvels en een bataljon gele Cat D-9-bulldozers, gereed om weer wat stukjes van de horizon af te knabbelen. Een heuveltop meer of minder, wat maakte het uit.

Het volgende hek had zijn eigen kleine wachthuisje, maar geen bewaker. Een bewakingscamera volgde mijn gezicht toen ik stilhield. Ik kon vanuit de auto bij de intercom. Ik drukte op de bel en wachtte. Twee hekken per huishouden, dat was tegenwoordig kennelijk standaard in de heuvels van Newport.

'Ja.'

'Joe Trona voor de Blazaks.'

'Kom binnen, Joe.'

De Blazaks hadden voor Grieks-Romeins gekozen: een glinsterend zwembad aan de voorkant, omzoomd door olijfbomen, vervolgens een brede marmeren trap die naar een bordes met zuilen en twee immense, raamloze voordeuren leidde. Het huis was van wit marmer, rechthoekig en met een plat dak. Bougainville en ocotillo kropen langs een van de zijmuren omhoog en wierp schaduwen en felpaarse bracteeën tegen het bleke marmer. Beelden, een leuk klein veldje druivenranken met hun armen over ijzeren draden en reikend naar de zon, een groepje sinaasappelbomen met donkere, wasachtige bladeren en fel opkleurend fruit.

Ik parkeerde naast een glimmend gepoetste, roodwitte Corvette uit '63 met een spijltje in de achterruit en met nummerplaten met daarop 'BoWar'. De garage er achter stond open en was gevuld met een Silver Cloud, een Lexus SUV en een Jaguar met de naam van de dealer nog op de plek van de nummerplaat.

Jack Bazak kwam het bordes af om me te ontvangen. Hij schudde vol overtuiging mijn hand. Golvend donker haar, lichtbruine ogen, zwaar en gedrongen.

'Bedankt dat je gekomen bent.'

'Geen dank, meneer.'

'Lorna en Bo zijn binnen.'

Zijn stem klonk schor en hij sprak de woorden bijna op blaffende toon uit, alsof hij tijd wilde besparen.

De hal was ruim, met een hoog koepelplafond met bovenin een daklicht. Ik zette mijn hoed af. Witte muren, het vroege zonlicht dat naar binnen viel, nog meer wit marmer onder mijn voeten. Blazaks gezicht zag net zo bleek als de muren.

Hij ging me voor de woonkamer in, die aan de westkant een en al glas was, met uitzicht op de heuvels en daaronder de oceaan.

Lorna Blazak zat aan de ene kant van een grote, leren bank, een knaap die ik nog nooit had gezien aan de andere kant.

'O, meneer Trona,' zei ze, 'ik ben zo blij u te zien.'

Ze stak haar hand uit, die benig en koud was. Haar ogen stonden dof en ze zag er uitgeput uit.

'En dit is Bo Warren – hij is het nieuwe hoofd beveiliging van de Kapel van het Licht.'

Warren stond al. Het was een kleine, pezige man met een heel kortgeknipt hoofd en blauwe, achterdochtige ogen onder prominent aanwezige wenkbrauwen. Camel blazer, zwart poloshirt, tot bovenaan dichtgeknoopt, zwarte, meer dan glimmend gepoetste schoenen. Zijn handdruk was kort en bestraffend en hij keek me strak aan.

BoWar, dacht ik.

'Aangenaam kennis te maken, meneer. Ik ben Joe Trona.'

Hij zei niets, dus maakte Lorna een eind aan de stilte.

'Joe, wil je misschien iets drinken?'

'Nee, dank u.'

Jack ging op de bank zitten en gebaarde naar een stoel tegenover hem. Tussen ons in stond een glazen salontafel. Hij had de vorm van een kustlijn en de maker had golven in het glas geëtst. Ik ging zitten en legde mijn hoed op de golven.

'Eerst even dit, Joe,' zei Blazak. 'We zijn blij dat je onze dochter hebt gelokaliseerd. Daar willen we je voor bedanken. We zijn uiterst dankbaar dat ze nog in leven is. We hebben je hierheen geroepen om je een paar dingen te vertellen en jou uit te horen.'

Opnieuw kwamen zijn woorden er snel en agressief uit, een man die gewend is dat er naar hem wordt geluisterd.

Ik knikte. 'Ik wist niet dat ik verhoord zou worden, meneer.'

Warren hinnikte. Jack keek me kregelig aan en wendde zich toen tot zijn vrouw.

'Jack is dezer dagen wat kortaf, meneer Trona,' zei Lorna. 'Sinds Savannah is verdwenen, heeft hij niet meer dan enkele uren per nacht geslapen. En dat geldt ook voor mij. Vergeef ons als we wat... bot overkomen.'

'Ik begrijp het.'

'Hulp,' zei Jack. 'Een beetje hulp, dat is het enige dat we verlangen.' Stilte, tot Jack opzij naar Warren keek. 'Neem jij het verder over, Bo.'

Warren schoof naar het randje van de bank alsof hij klaar zat om te springen.

'Graag,' zei hij. 'Joe, ergens tussen negen- en elfhonderd uur op maandagochtend, elf juni, werd Savannah Blazak ontvoerd.'

Semper fi, dacht ik. 'Nam. Zijn stem was veel dieper en luider dan je zou verwachten, alsof er ergens binnen in hem een luidspreker zat.

'Jack was aan het werk. Lorna was uit. Marcie, dat is de meid hier, deed wat licht schoonmaakwerk en hield een oogje op Savannah. Savannah werd verondersteld op haar kamer te spelen. Toen Marcie om vijf voor elf ging kijken, was Savannah niet op haar kamer. Marcie riep haar en controleerde de rest van het huis – geen meisje. Riep haar en zocht in de tuin – geen meisje. Ze belde de buren, die een meisje van Savannahs leeftijd hebben – niemand thuis. Om tien over elf belde ze Jack op zijn werk en vervolgens – op Jacks bevel – negen een een. Daarna belde ze mevrouw Blazak op haar gsm. Jack was binnen zeventien minuten thuis. De politie van Newport was toen al ter plekke.'

Warren keek me aan, zijn ogen blauw en hard. 'Kun je me tot zover volgen?'

Ik knikte.

'Toen, om kort te gaan: een hoop poespas van die agenten, ze doorzoeken de kamer van het meisje –'

'Noem haar Savannah, Bo. Niet *het meisje*.'

'Sorry, meneer Blazak. Savannah. Ze kijken in Savannahs kamer. Ondervragen Marcie. Ondervragen Jack. Maken proces-verbaal op. Zeggen dat volgens hen Savannah wel weer boven water zal komen. Negenennegentig van de honderd keer, zeggen ze, duikt een jong kind ongedeerd weer op. Ze hadden waarschijnlijk graag Marcie de les gelezen omdat ze negen een een had gebeld terwijl het geen noodgeval was, maar ja, het ging wel om Jack Blazaks dochter.'

'Houd je aan de feiten, Bo,' zei Blazak. 'Je bent een loopjongen, geen profeet.'

Warrens glimlach verscheen en verdween, aan en uit, als een knipperlicht. Hij schraapte zijn keel.

'Ja, meneer. Oké. Goed, Joe, ongeveer drie uur nadat de meid de politie had gebeld, werden de Blazaks zelf gebeld. De beller had zijn stem vervormd – met een zakdoek of een handdoek of zoiets. Hij zei dat hij Savannah had. Hij liet haar 'Dag pappa en mamma' zeggen om het te bewijzen. Het was Savannah. Vervolgens eiste hij een half miljoen in contanten voor haar behouden terugkeer. Hij gaf Jack en Lorna zesenveertig uur om het losgeld te betalen. Als ze niet betaalden, zou hij Savannah doden. Als ze contact opnamen met de autoriteiten, zou hij Savannah doden. Hij zei dat hij woensdag voor het middaguur weer contact met hen zou opnemen. Dit was op maandag, om twee uur 's middags, weet je nog.'

'Ja.'

'Hier is de eerste verrassing: Jack herkende de stem van de kidnapper. Verrassing nummer twee: de kidnapper is zijn zoon, Alex, bij zijn vrienden bekend als Gekke Alex.'

Hoor je bij Alex?

'Verdomme, Bo,' zei Lorna klagend. 'Moet dat nu echt zo bot?'

Warrens stem was een en al verontschuldiging. 'Ja, sorry, maar ik probeerde Joe hier een idee te geven waar we mee te maken hebben. Ik denk dat die bijnaam een goede indicatie is voor het gedrag dat hij *af en toe* tentoonspreidt, Lorna. Ik probeer echt niet de naam van je zoon door het slijk te halen, ook al is hij dan een veroordeelde misdadiger, een langdurig geesteszieke en nu, kennelijk, opnieuw een kidnapper.'

'Beschuldigd van misdaad. Hij is nooit veroordeeld,' zei Lorna vermoeid.

'Opnieuw een kidnapper?' vroeg ik.

Hij nam Savannah mee uit het ouderlijk huis toen ze drie was,' zei Warren.

'Hij was *dertien*, Bo,' siste Lorna. 'Ze liepen weg.'

'Ga door, Warren,' snauwde Blazak. Hij leunde met zijn hoofd tegen de bank en tuurde naar de onbekende verten van zijn kamerplafond. 'Je bent weer eens ieders tijd aan het verdoen.'

'Oké, Jack, je hebt gelijk. Goed, Jack en Lorna wilden Savannah niet nog meer in gevaar brengen dan ze al was. En ze wilden begrijpelijkerwijs ook hun zoon niet in gevaar brengen, ook al dreigde die dan zijn eigen zus om te brengen als hij geen zak met geld kreeg. Jack en Lorna beraadslagen. Jack en Lorna lijden. Ze gaan door een hel. Ze besluiten tot God in de hemel te bidden voor raad. Ze gaan naar dominee Daniel Alter en vertellen hem wat er is gebeurd. Hij gaat hen voor in een reeks gebeden en bijbellezingen die bijna een half uur duren. Als ze klaar zijn met de Heer om hulp smeken, geloven Jack en Lorna beiden dat Alex betalen voor de veilige terugkeer van Savannah en hulp zoeken voor hun zoon – liever dan gevangenisstraf – de juiste christelijke aanpak is. Dominee Alter is het daarmee eens.'

Warren leunde achterover en zuchtte. 'Ik denk dat je het verder zelf wel kunt invullen.'

'Dominee Alter stemde er in toe het losgeld over te dragen, omdat u het zo buiten de openbaarheid kon houden.'

'Precies.'

'Maar er ging iets mis met de uitwisseling op woensdag, want anders zouden wij hier nu niet zitten.'

'Lijkt me duidelijk, ja. En dan komen we bij Will Trona. Dominee Daniel had hem gevraagd te helpen Savannah en Alex te zoeken, dit vanwege de connecties van jouw vader hier in de streek. Je vader belde Jack woensdagochtend en zei dat hij met Alex had gepraat en Savannah had gezien. Hij liet geen woord los over hun verblijfplaats of hoe hij hen had gevonden. Will zei dat Alex nu een miljoen dollar wilde voor zijn zus. Will zei dat hij zodra hij dat geld had Savannah zou ophalen en haar bij ons zou terugbrengen. Dat zou allemaal op woensdagavond gebeuren. Jacks geld werd aan Will overhandigd, zoals gepland. Niet gepland was dat je vader werd vermoord en dat Savannah verdween.'

Ik probeerde Warrens verhaal te vergelijken met wat ik had gezien en gehoord. Het leek allemaal aardig te kloppen. Wat me een nogal leeg gevoel gaf, was dat Will al op woensdagochtend wist waar Savannah was, maar dat niet aan mij had willen vertellen. Hij vertelde me zelfs niet dat hij naar een ontvoerd meisje op zoek was. Hij had me al eerder in het ongewisse gelaten – voor mijn eigen bestwil, zei hij dan achteraf altijd. Maar het deed pijn omdat Wills zaken 's avonds ook mijn zaken waren.

'Ik begrijp het,' zei ik. 'Toen Savannahs naam gisteren op het nieuws kwam, bedacht u dat het nu misschien tijd werd om de politie en de FBI in te schakelen, in het openbaar te treden en te proberen haar terug te krijgen voor Alex haar weer zou vinden.'

'Precies,' zei Warren. 'Je begrijpt nu dus ook wat onze problemen zijn.'

'Ja, meneer. Het eerste probleem is dat dit al twee avonden geleden was en dat Savannah nog steeds zoek is. Het tweede is, dat meneer en mevrouw Blazak nog steeds van hun zoon houden. Jullie overtuigden de FBI ervan dat een grootscheepse, in de publiciteit komende jacht op Alex tot zijn zelfmoord of op zijn minst tot een grote zenuwinstorting zou leiden. En dan was het nog maar de vraag of jullie daarmee Savannah terugkregen. Steve Marchant kwam jullie daarin een paar dagen tegemoet, maar ze hebben noch uw zoon noch uw dochter gevonden, dus nu staan ze op het punt het gezicht van Alex plus zijn naam bekend te maken, zoals dat ook met Savannah gebeurd is. Dat betekent een arrestatie wegens ontvoering en geen therapie voor zijn afwijking.'

'Zo liggen de zaken,' zei Warren. 'Marchant zegt dat ze een publiekelijke jacht op Alex nog tot maandag uitstellen. Drie dagen. En dat brengt ons bij jou. Want we hopen dat aangezien jij haar al een keer gevonden hebt, je dat misschien nog een keer lukt.'

'Dat dacht ik al.'

'Ja, je bent een slimme knaap,' zei Warren, met een glimlach. Hij grinnikte.

'Joe,' zei Jack, met zachte stem. 'We willen nog een paar andere dingen van je ook.'

'Wat voor dingen, meneer?'

'We moeten precies weten wat er die avond gebeurd is. Alles wat Will mogelijk heeft gezegd. Alles wat jij hebt gezien of gehoord over mijn dochter. Alles wat je tegen de politie in Anaheim hebt gezegd, tegen de mensen van de sheriff, tegen de FBI, tegen de media – ik wil het opnieuw horen, en nu van jou. Ik wil de hele toestand op band hebben. Tot in het kleinste detail, Joe. Begrijp je me?'

'Ik begrijp het.'

Bo Warren stond op en deed een stap in mijn richting. Tot dan toe had hij geklonken als een kolonel die de pers voorlicht, nu sprak hij als een generaal die bevelen uitdeelt.

'Joe, we hebben een fantastische hypnotherapeut – werkt zonder drugs – die je in een zo diepe toestand weet te krijgen dat je je details van je eigen geboorte herinnert. Ze wordt hier over één uur en vijftien minuten verwacht. Tot die tijd willen we zelf een uurtje met jou, om jouw verslag te horen, alles wat jij je herinnert. Daarna hebben we nog een uur van je tijd nodig, maar dan onder hypnose. Wij denken dat jij weet hoe je Savannah kunt vinden, omdat jij en je vader haar al een keer gevonden hebben. Of je nu *weet* hoe je dat weet of niet. Wij vragen jou dat meisje te helpen. Ons te helpen. Jezelf te helpen. *Een miljoen dollar* als je er in slaagt haar te vinden, Joe. Of als je ons naar haar toe kunt leiden. Hoe dan ook. Misschien dat je de sleutel daartoe al in dat prima stel hersens van jou hebt zitten. Een miljoen dollar is niet slecht betaald voor een uurtje op de bank van de Blazaks en je die avond herinneren.'

Ik keek hen een voor een aan. Warren stond ongeveer twee meter bij me vandaan, opzij van de salontafel, zijn blik strak op mij gericht. Jack had zijn handen achter zijn hoofd gevouwen, de ellebogen naar buiten, en keek me aan.

Lorna keek me ook aan. Toen deed ze iets wat me verbaasde.

Ze schudde haar hoofd. Het ging heel snel en was nauwelijks zichtbaar, maar ik zag het en het gebaar was duidelijk. Ze keek me recht aan.

Ze deed het nog een keer en sloeg toen haar ogen neer.

'Dat is dus afgesproken,' zei Warren.

'Fantastisch,' zei Blazak. 'Laten we maar meteen aan de slag gaan.'

'Wat is uw antwoord, meneer Trona?' vroeg Lorna. De starende blik in haar ogen was verdwenen. Ik zag haar kaakspieren onder haar huid bewegen.

'Voorlopig een nee. Maar ik zal erover nadenken.'

In de stilte hoorde ik het *kioew, kioew, kioew,* van een havik buiten. Ik hoorde de airco zuchtend zijn werk doen.

'Wat zeg je daar, Joe?' zei Warren. 'Je hebt zojuist geluisterd naar twee ouders die je over de ontvoering van hun dochter hebben verteld. *Door hun eigen zoon.* Jij hebt die dochter kort gezien, woensdagavond, twee dagen geleden. Je weet dat ze in handen was van een nogal gevaarlijke psychopaat, broer of geen broer. Misschien is ze alweer *terug* in diens handen. En jij zit daar na alles wat wij jou verteld hebben en je zegt dat je ons niet wilt helpen?'

'Ik zal naar haar zoeken. Ik zal haar hierheen brengen als ik haar vind. Ik vertel jullie niet alles wat ik over die avond weet.'

'Waarom niet, maat?'

Warren deed twee stappen in mijn richting, hetgeen me binnen trapafstand van zijn schoenen bracht.

'Omdat,' zei ik, 'er die avond nog iets anders is gebeurd. Iets wat ik me heel erg aantrek, ook al doen jullie dat misschien niet.'

'We vinden het heel erg van Will,' snauwde Warren. 'Als je dat bedoelt.'

'Dat bedoel ik, ja. En Will Trona is jullie zaak niet.'

'Luister eens, klootzak – alles wat betrekking heeft op de dochter van deze man is zijn zaak. Help ons, help jezelf.'

Ik pakte mijn hoed en kwam overeind, keek Warren even aan en wendde me toen tot de Blazaks. 'Bedankt dat u me heeft uitgenodigd. Ik zal doen wat ik kan om Savannah te vinden. Ze lijkt me een fantastisch meisje.'

Jack staarde me aan. Lorna keek naar haar echtgenoot. Warren verdween plotseling uit mijn gezichtsveld en stond toen voor me. 'Hé, griezel, dat gaat zo maar niet –'

'Doe dat niet,' zei ik.

Maar hij greep me heel hard bij mijn bovenarm. Een sterke man. Ik pakte met beide handen zijn pols, zakte wegdraaiend door mijn knieën en gooide hem als een bijl over mijn schouder. Hij landde plat op zijn rug op het tapijt en ik hoorde hoe de lucht uit zijn lichaam werd geperst. Hij draaide zich naar adem happend om, zijn mond tegen de crèmekleurige wol gedrukt.

'O, mijn God!' schreeuwde Lorna.

'En dat moet dan het hoofd Beveiliging voorstellen,' zei Jack.

‘Het spijt me,’ zei ik.
Lorna liep weg. Jack kwam overeind en keek naar Warren.
Ik raapte mijn hoed op en keek ook naar Warren. Ik zou me niet moeten hebben verbaasd over zijn schouderholster, maar dat deed ik toch. Op de een of andere manier gingen een huis van vijf miljoen en een automatisch wapen niet samen, alsof je een vlieg in je slagroom vond.
Hij hapte nog steeds naar adem toen ik de hal inliep, tot buiten gehoorsafstand.
Lorna Blazak hield met één hand de deur voor me open en stak me met de andere een visitekaartje toe. Ik pakte het aan en las wat er op stond.

Alex Jackson Blazak
Zeldzame wapens
Oorlogsmemorabilia
Alleen op afspraak
(949) 555-2993

Aan de achterkant stond een adres, geschreven in het elegante handschrift van een vrouw.
‘Misschien dat Alex haar daar heeft vastgehouden. Het is eigenlijk geheim, want, nou ja... Alex is geen officiële handelaar. Misschien dat iets daar tot haar huidige verblijfplaats kan leiden. Jack kent dit adres niet, en de politie ook niet. Ik heb geprobeerd er binnen te komen, maar de zaak zat op slot.’
Voor de tweede keer die ochtend deed ze me versteld staan. ‘Waarom neemt u hem in bescherming?’
‘Omdat als u hem als eerste vindt, hij nog een kans heeft, en dat geldt ook voor mijn dochter.’
‘Ik zal hem moeten arresteren.’
‘Dat hoop ik. Jack is zo verschrikkelijk kwaad. Ik ben bang dat hij iemand iets aandoet.’
‘Is er nog iets dat ik zou moeten weten, mevrouw Blazak?’
‘Ik houd van mijn kinderen. Ga.’
Ik bedankte haar en ze sloot de enorme deur achter me.

Ik reed de heuvels uit en bedacht me dat het hier wel heel mooi was. Bruine heuvels en blauw water en landhuizen.

Ik vroeg me af waarom Savannah Blazak niet zelf de weg terug naar huis had gevonden. Ik vroeg me af of Alex haar gevonden had voor ze de politie had kunnen bereiken, of een of andere betrouwbare volwassene. Ik vroeg me af waarom Lorna iemand in bescherming nam die had gedreigd het hoofd van haar dochter in een diepvriespakket op te sturen.

En ik vroeg me voor de honderdste keer af hoe Will Savannah had gevonden. Hoe had hij geweten waar hij moest zoeken? Waarom had hij mij er buiten gelaten?

Savannah wordt op maandagochtend ontvoerd. Haar ouders vertellen het tegen niemand, met uitzondering van hun spirituele raadsman en zijn beveiligingsbeambte.

Woensdagochtend heeft Will Trona het raadsel opgelost, het meisje gevonden en geregeld dat ze veilig terug kan naar huis. Die avond, tien minuten nadat hij haar heeft opgepikt, is hij dood.

Toen ik door de marmeren poort reed, was een televisieploeg bezig wat opnamen te maken, misschien vanwege die Miguel Domingo, de zestienjarige Guatemalaan met de machete. Maar net als Jaime Medina betwijfelde ik of de media erg veel aandacht aan het verhaal zouden schenken. Misschien dat die cameraploeg gewoon bezig was een reclamefilmpje voor Pelican Point te maken, waar je met één miljoen dollar niet ver komt trouwens.

De bewaker probeerde hen met alle geweld weg te sturen, maar ze bevonden zich op de openbare weg.

5

Ik liep de trap op naar het bureau van de FBI in Orange County. De deur van de publieke ingang was verstevigd met kogelvrij glas en ijzergaas en er stond een videocamera op gericht. In de lobby liep ik langs de Wand van de Martelaren – foto's van FBI-personeel dat was omgekomen tijdens de uitoefening van hun plicht.

Steve Marchant ging me voor naar de afdeling Operaties, die geheel in het teken stond van Savannah. Indrukwekkend: tien agenten, zes computers, een telefooncentrale met opname- en afluisterapparatuur, een grote radioconsole. Aan een van de muren was een groot vel papier geprikt met daarop schematisch het verloop van het onderzoek, zodat je in één oogopslag kon zien wat er tot nu toe was gebeurd. Erboven hingen foto's van Savannah en Alex Blazak.

Enkele agenten draaiden zich naar me om, anderen gingen gewoon door met hun werk.

'Ik wilde je eerst dit even laten zien voor we verder praten,' zei Marchant. 'Joe, we hebben tweehonderd agenten klaarstaan als dit eenmaal aan het rollen gaat. We haten ontvoeringen en we zullen elk middel aangrijpen om ze tegen te gaan.'

Hij nam me mee naar een kleine vergaderzaal. Daar stonden een bandrecorder en een videocamera, beide klaar voor gebruik.

'Maak het je gemakkelijk, Joe. We gaan woensdagavond nog eens tot in details doornemen. Koffie?'

'Nee, bedankt.'

'Hoe is het met je geheugen?'

'Heel goed.'

Marchant ging tegenover me zitten en testte de bandrecorder. Hij sprak het nummer van deze zaak in, datum en tijd, mijn naam, en vroeg me of ik hier uit vrije wil was en vrijwillig informatie verschafte. Ik zei dat dat het geval was, maar hij wees me toch op mijn rechten.

'Oké, laten we beginnen, Joe. Vertel me over woensdagavond.'

Twee uur en twee banden later had ik bijna alles verteld wat ik me herinnerde. Marchant was vooral geïnteresseerd in de auto, Wills relatie tot Savannah en mijn gesprek met Jack Blazak eerder die ochtend. Hij maakte aantekeningen op een computeruitdraai die veel weg had van een uitdraai van een telefoonmaatschappij, maar misschien ook niet. Hij was niet bepaald scheutig met informatie – ik hoorde niets wat ik al niet wist. De Feds zijn beroemd om hun terughoudendheid als ze dat willen.

Wat mij betreft, ik zei niets over Lorna Blazaks visitekaartje en over Alex' 'zakenadres'. En ook niets over Wills woorden tegen Jennifer Avila, of het geld dat hij haar gegeven had, of over Mary Ann, die die avond depressief was. Die dingen waren mij toevertrouwd en ik vond het niet juist ze door te vertellen aan een man die ik nauwelijks kende.

Nadat Marchant de band- en videorecorder had afgezet, ging hij achterover zitten en keek me aan. 'Wat vind jij van haar vader, Jack?'

'Gespannen. Bang.'

Hij knikte. 'En Lorna?'

'Verdwaasd.'

'Ja. Als ze weer contact met je opnemen, wil ik dat weten, onmiddellijk.'

Ik knikte.

'Toen je op die tennisbaan het losgeld achterliet – heb je toen de mensen gezien die daar bezig waren?'

'Op de ene baan een dubbel – een ouder viertal. Op de andere baan stonden twee tieners, jongens, behoorlijk goed, sloegen hard.'

'Besteedden die jonge mannen nog aandacht aan je?'

'Niet dat me is opgevallen.'

'Joe – hadden je moeder en vader een goede band?'

'Ik denk dat die heel hecht was. Ze hielden van elkaar en losten samen dingen op.'

'Heb je ook maar enige reden te denken dat Will seksueel tot Savannah aangetrokken was?'

'Nee, totaal niet. Hij hield van vrouwen, meneer, niet van meisjes.'
Hij maakte een aantekening en sloeg toen zijn notitieboekje dicht. 'Joe, we zullen ook personeel van de sheriff inzetten. En van politiekorpsen hier in de buurt, mocht dat nodig zijn. Ik wil je laten weten dat we er zijn om te helpen, niet om met de eer te strijken.'
'Ik begrijp het.'
'Maar ik zal dat meisje veilig terugkrijgen. Daar zal niets me van kunnen weerhouden. Ik zal doen wat gedaan moet worden.'
'Het klinkt als een waarschuwing, maar ik begrijp niet goed waarom.'
Marchant stond op en glimlachte. Hij is een lange man, maar hij loopt een beetje gebogen, alsof hij het wil verbergen. 'Wat ik wil zeggen, is dat ik je hulp waardeer. Ik sta aan jouw kant. Alle tweehonderd van ons staan aan jouw kant. Birch wil het onderzoek naar de moord leiden. Dat is wat ons betreft prima. Hij is soms wat... terughoudend. Maar ik wil je laten weten dat we je op alle mogelijke manieren willen helpen.'

Een half uur later vertelde ik Rick Birch alles wat ik al aan Marchant verteld had. Maar ook niet meer dan dat. Niets over mijn moeder, Wills minnares, zijn gespannen humeur. Misschien probeerde ik nog een laatste stukje privacy te redden. Misschien wilde ik ons pact van gezamenlijke avondklusjes in ere houden, ook al had Will me dan op flagrante manier buitengesloten van het duisterste zaakje van zijn leven.
Tegen de tijd dat hij klaar was met zijn vragen, had ik het gevoel dat ik mijn verhaal aan elke ordehandhaver in Orange County had verteld.

'Alex Blazak?' zei Sammy Nguyen, terwijl hij me onschuldig aankeek. 'Waarom zou ik Alex Blazak kennen?'
'Omdat jullie allebei in de wapenhandel zitten.'
'Ik niet meer. Maar mijn handel was legitiem. Hij verkocht desnoods machinegeweren aan kinderen als hem dat geld opleverde. Hij bezit een zwaard dat Hitler aan Goering heeft gegeven. Het is minstens drie miljoen waard.'
'Hoe goed ken je hem?'

Hij keek me aan en zette zijn bril op. 'Joe, wat moet jij hier eigenlijk? Je bent voorlopig op non-actief, toch? Rouwverwerking, een schietpartij waarbij een hulpagent betrokken is, noem maar op.'

'Vertel liever over Alex.'

'Mooie hoed, Joe. Hij verbergt je gezicht enigszins.'

'Kom op, Sammy. Help me een beetje op weg.'

Het was vroeg in de middag. Rust in Mod J. Ongeveer een uur na de lunch verloren de gedetineerden hun kwaadaardigheid en energie en hielden ze voor een tijdje hun mond, sliepen wat, lazen misschien een boek. Zo tegen drieën begon de ellende weer.

Sammy lag op zijn brits en staarde omhoog naar de foto van Bernadette.

'Ze noemen hem Gekke Alex, en hij is ook gestoord. Idioten irriteren me, Joe. Slecht voor de handel.'

'Als jij hem zou willen vinden, waar zou je dan zoeken?'

Hij keek me aan alsof het idee hem interesseerde.

'Ik heb gisteravond het nieuws gezien. Zijn zus is ontvoerd en jij kunt *hem* niet vinden?'

'Precies.'

'Dan zal hij haar wel ontvoerd hebben.'

Sommige gedetineerden waren snel van begrip. Ons kent ons.

'Ik betwijfel het. Hij heeft iemand belazerd.' Ik dacht dat ik hem uit zijn tent kon lokken als ik het over zijn handel had.

'Wie is de koper?'

'Gaat je niets aan.'

'Waarschijnlijk een of andere rijke gozer aan de kust. Zo iemand die roze *nunchuks* wil om zijn vriendje mee te kietelen. Dat soort zaakjes is Gekke Alex wel toevertrouwd.'

'Het ging om klein kaliber handwapens, splinternieuw, nummers weggevijld.'

Daar dacht Sammy even over na. Misschien zat hij zelf ook in dergelijke handeltjes. Misschien zou hij hier graag een graantje van meepikken.

'Hoe kan ik hem vinden, Sammy?'

'Je vraagt mij om informatie over een vroegere collega en ik heb nog steeds mijn rattenval niet.'

'Zoiets als deze?'

'Ik haalde een rattenval uit mijn zak en stak hem door de tralies heen. Het was er eentje met plakband, zodat het dier vast kwam te zitten en stierf. Ik had hem uit het magazijn, een van de weinige exemplaren die nog niet achterovergedrukt waren. Hij sprong van zijn bed en kwam naar me toe.

'Dat is niet wat ik zoek. Ik wil zo'n ouderwetse, waarin ze hun nek breken.'

'Dat heb je niet gezegd. Dit zijn de enige die in een cel zijn toegestaan.'

Hij keek me met zijn donkere ogen aan. Aftastend. Nadenkend.

'Ik heb met wat mensen gepraat, weet je, via de telefoon, maar niets over dat meisje. Ik denk dat je meer hebt gehad aan die persconferentie van gisteren.'

'Ik moet haar vinden.'

'Daar kan ik je niet mee helpen, niet zolang ik hier zit.'

'Dan heb ik dus zonet een goede rattenval verspeeld.'

'Dat soort dingen doe ik niet, Joe. Als ik zeg dat ik ergens mee kom, dan kom ik ergens mee. Maar alles binnen mijn mogelijkheden natuurlijk. Dat meisje is ontvoerd, de FBI kan haar niet vinden en dan zou ik het wel kunnen? Nee. Niet vanuit deze cel. Ja, haar broer, die misschien wel. Misschien dat me dat wel lukt. Ik ken mensen die Alex kennen.'

'Ik zou je hulp zeer op prijs stellen.'

Sammy ging zitten met zijn rattenval en keek me met nadrukkelijke sympathie aan.

'Het is heel erg als je vader sterft. De mijne is vermoord in San Jose – ik was toen elf. Wist je dat?'

'Ja.'

'Ze schoten hem neer terwijl hij zijn nachtclub afsloot.'

'Roofoverval.'

'Ze pakten de winst van die avond – achthonderd dollar en achtenveertig cent. Die achtenveertig cent maken me woedend.'

Ik had zijn dossier gelezen, en het verslag van een psychiater, waarin ook Sammy's versie van de dood van zijn vader werd vermeld.

Sammy's versie van wat er na die moord gebeurde, interesseerde me. Een deel van het verhaal vernam ik door in de onderhoudsbuis in Mod F van de oude gevangenis te kruipen en achter de cel van een van Sammy's luitenants te hurken. Via de roosters kun je hen afluisteren. Wij hulpagenten worden aangemoedigd om op alle mogelijke manieren informatie te vergaren en rondhangen in de onderhoudsbuis was er een van. Een andere manier is om, liggend op een monteurswagentje, stilletjes door de gang te rollen die langs de cellen in het oudere deel van de gevangenis loopt. De betonnen muren reiken daar tot heuphoogte en daarboven bestaan ze uit plexiglas. Als je als bewaker normaal door die gang loopt, roept de gedetineerde in de eerste cel 'Bewaker!' en alle andere gedetineerden houden onmiddellijk op met waar ze mee bezig zijn. Maar als je geluidloos op het wagentje van de onderhoudsmonteur door die gang rolt, kunnen ze je niet zien en dan kun je overal stoppen en over de muur heen gluren. Wij noemen het 'sleetjerijden'.

De rest van het verhaal haalde ik uit het door de psychiater opgestelde rapport. Hij had brieven gelezen die Sammy aan een dertienjarig meisje, Bernadette Lee, had geschreven, maar nooit op de post had gedaan.

Volgens Sammy zat hij op zijn veertiende tot over zijn oren in de Aziatische onderwereld, waar hij trouwens zo ongeveer zijn hele leven in heeft doorgebracht. Hij kwam er uiteindelijk achter wie zijn vader hadden vermoord en wist op zijn zestiende met hen in contact te komen. Het waren rondtrekkende inbrekers, hetgeen een goede bron van inkomsten vormde in de begintijd van de Vietnamese vluchtelingen, want die mensen vertrouwden geen Amerikaanse banken. Er zat dus veel rijkdom weggestouwd onder bedden, in brandkasten en wat dies meer zij.

Hoe dan ook, Sammy wist die knapen zover te krijgen dat hij een keer met hen mee mocht doen. Hij deed het goed en werd uitgenodigd voor een volgende klus. Misschien vonden ze dat grappig, de zoon gebruiken van een kerel die ze hadden vermoord. Misschien probeerden ze hem wel te helpen – Sammy wist het niet en vroeg er kennelijk ook niet naar. Ook de volgende klus ging prima. Een tip leverde Sammy en zijn bazen bijna 65.000 dollar in contanten en juwelen op, plus een doodsbange familie die ze met proppen in hun mond in de garage hadden vastgebonden.

Maar net toen ze naar buiten wilden gaan, gebruikte de jonge Sammy zijn twaalfschots jachtgeweer met afgezaagde loop om een van zijn bazen te dwingen de ander vast te binden en naast het gezin te zetten. Toen bond Sammy ook de ander vast. De eerste sneed hij de keel door, liet de ander toekijken hoe hij dood bloedde, en sneed toen ook de tweede de keel door. Hij gebruikte daarvoor een keramisch mes dat hij in een kalfsleren schede droeg. Het gezin deed hij geen kwaad, maar hij zorgde er wel voor dat ze precies zagen wat hij deed. En hij droeg hun op tegen iedereen behalve de smerissen te vertellen dat Sammy Nguyen een goeie jongen was, maar dat je hem niet moest tegenwerken, want dan was het met je gedaan. In een wat ridderlijker versie schonk hij het gezin tien mille van het gestolen goed – voornamelijk juwelen.

Dat stond althans in zijn brieven aan Bernadette.

'Je hebt nog steeds geen idee wie je vader heeft vermoord?'

'Nog niet.'

'Laat me hieruit en ik lever je binnen vierentwintig uur de moordenaar. Praat met de openbaar aanklager, Phil Dent. Hij kan me vrij krijgen.'

'Je hebt een agent gedood, Sammy.'

'Ik ben onschuldig. Ik zal bewijzen dat ik onschuldig ben.'

'Misschien kun je in de tussentijd zien uit te vinden waar Alex uithangt.'

'Daarvoor heb ik meer telefoontijd nodig.'

'Om vier uur heb je een half uur.'

'Ik word verondersteld maar vijftien minuten te krijgen.'

'Ik zorg dat je een bonus krijgt, Sammy. Kom alsjeblieft met iets aan.'

'Ik heb wat informatie over de Cobra Kings,' zei brigadier Ray Flatley. Ray had de leiding over de eenheid die zich met de bestrijding van gangs bezighield, de Gang Interdiction Unit, GIU. Ik zat in zijn kantoortje en keek uit het smalle raam naar de stad Santa Ana, die zich onder ons uitstrekte.

'Ik waardeer het zeer dat u tijd voor mij vrijmaakt, meneer.'

Flatley is een tengere man met grijzend haar dat er zo verzorgd uitziet dat het net niet echt lijkt, maar dat is het wel. Hij heeft twee jaar geleden zijn vrouw aan kanker verloren en dat achtervolgt hem nog zichtbaar. Hij speelt piano en zijn vrouw was zangeres en in hun vrije uurtjes traden ze op als de Sharp Flats – in restaurants, op feestjes, dat soort werk. Ze speelden ook op een van de afstudeerfeestjes op mijn academie. Ray imiteerde populaire zangers – hij kon echt iedereen nadoen – en dat was altijd weer een feest. Maar zijn vrouw had echt een stem als een engel. Ik herinner me nog dat ik zijn ogen vochtig zag worden toen hij haar begeleidde in 'When a Man Loves a Woman', hoewel hij dat liedje al minstens duizend keer had gehoord. Acteurs kunnen huilen op bevel, maar dat geldt niet voor politieagenten.

'Het is me een genoegen,' zei hij. 'Ik heb Will altijd graag gemogen. We hebben samen nog bij Inbraken gezeten toen we jong waren.'

'Hij gaf ook altijd hoog van u op, brigadier.'

Hij keek me even aan. 'Oké, de Cobra Kings zijn een losvaste groep, over het hele land verspreid, met een min of meer symbolisch hoofdkwartier in Houston. Hier bestaan de Cobra Kings uit ongeveer veertig mannen en vrouwen. Gelijke kansen voor iedereen. De ouderen zijn van gemengde komaf – Vietnamees en Amerikaans – en ze zijn direct na de oorlog in Vietnam begonnen. Sinds die tijd is er van alles bijgekomen, maar vooral jongeren die raciaal gezien nergens bijhoren. Het zijn slechte mensen, Joe. Ze zijn moeilijk te doorgronden, moeilijk te infiltreren ook. Ze hebben het zakeninstinct van de Aziaten – ze stalen al jaren geleden chips en andere hardware, hier en in Silicon Valley. Er gaan ook geruchten dat ze smokkelwaar aan de Chinezen verkopen, die het dan zonder patent kunnen namaken. Ik kan dat niet bevestigen. Ze vertonen het machogedrag van de Amerikaanse gangs. Hun handelsmerk zijn de overjassen, soms ook petjes van Amerikaanse honkbalteams. Er wordt beweerd dat hun recruten eerst een scalp moeten nemen – een leven – alvorens ze worden toegelaten.'

'Hebben we wel eens mensen van hen gearresteerd?'

'Was het maar waar. Dat zou Rick Birch ook graag willen. Het dichtst bij komen nog die twee in Pelican Bay – de huurmoordenaars die vorig jaar die Mexicaanse maffioso te grazen namen.'

'Met machinegeweren.'

'En natuurlijk hebben we de vierde man van de moord op Will, die op dit moment in het ziekenhuis ligt – Ike Cao. Hij is ooggetuige van de hele toestand. Als hij het haalt, kunnen we hem misschien aan het praten krijgen. De Kings zijn moeilijk te grijpen – niemand weet iets.'

Ik herinnerde me de vier korte knallen toen de Lange zijn mannen in de mist het zwijgen oplegde.

'Goed, hier in Zuid-Californië is John Gaylen de sterke man. Zesentwintig jaar, geboren vlak na de val van Saigon. Deels zwarte Amerikaanse soldaat en deels Vietnamese prostituée, zo heb ik gehoord. Hij is drie keer gearresteerd voor verkrachting en aanranding, maar geen strafblad. Hij is ook een keer opgepakt voor het doorverkopen van gestolen waar, maar wederom geen veroordeling. En dan nog een keer voor samenzwering tot moord, maar toen was hij ons in de rechtszaal te slim af. Het probleem is dat niemand tegen hem durft te getuigen. Ook infiltranten of verklikkers halen niets uit – hij lijkt hen te ruiken. We hebben een paar keer geprobeerd zijn mannen om te kopen, maar ze hapten niet.'

'Is Engels zijn eerste taal?'

Flatley keek me fronsend aan. 'Hoezo?'

'Ik heb die avond een stem gehoord. Die zal ik nooit vergeten en ik weet nog precies hoe hij klonk. Diep en heel helder, met een grappige... een bijna zangerige intonatie.'

'Klonk het als, eh, een beetje zoals dit, Joe?

'Exact, ja.'

Hij glimlachte. 'Vietnamees met Frans en Engels en hiphop en Zuid-Californische slang. Ik hoor dat heel vaak.'

Hij schudde zijn hoofd en zuchtte. Zeker een minuut lang dacht hij helemaal niet aan John Gaylen, zo kon ik zien. Misschien bedacht hij hoe lieflijk een vrouwenstem kan zijn.

'Joe, ik weet niet welke taal hij als eerste leerde. Vietnamees, lijkt me. Frans misschien. Hier, bekijk deze maar eens. Foto's van een surveillanceteam.'

Hij legde een map op het bureau en ik sloeg hem open. Gaylen zag er humorloos uit, een beetje gemeen ook. Het verbaasde me dat hij een overhemd en stropdas droeg en dat zei ik ook.

'Ja, de Cobra Kings zijn nogal op chic. Ze halen behoorlijk wat geld binnen en willen dat graag laten zien. Mooie spulletjes, snelle vrouwen.'

Foto nummer drie liet Gaylen zien terwijl hij het rechterportier van een tamelijk recent model vierdeurs-Mercedes opende. Zijn pak zat als gegoten, zoals dat alleen bij een goed pak kan. De ene hand lag op het portier, in de andere had hij een dikke sigaar.

De vrouw die op het punt stond in te stappen, was een wat stuurse, zwartharige schoonheid met een bleke huid en een halsketting die flonkerde in het licht.

Ik kende haar, want ik had nog geen uur geleden haar foto gezien. Bernadette Lee, de grote liefde in Sammy Nguyens leven. Misschien ook in dat van John Gaylen?

Ik bekeek de foto's, acht in totaal.

Flatley zat onderuitgezakt in zijn stoel. 'De mannen die Will hebben aangevallen, droegen die ook petten en overjassen?'

'Overjassen met de kraag omhoog.'

'Dat dragen de soldaten. We vermoeden de hand van de Cobra Kings in een stuk of zes onopgeloste moorden in de staat. Een ervan vond plaats in Orange County. Het ging voorzover wij weten steeds om een afrekening binnen het milieu. Maar het lijkt me niet dat jouw vader zaken deed met dit soort uitschot.'

'Ik heb hem met veel van zijn zaken geholpen,' zei ik. 'Hij vertrouwde me en we praatten veel. Nooit ook maar één woord over John Gaylen of de Cobra Kings. Maar die schutter wist wie hij was – hij noemde hem bij naam. Het was een executie, meneer. Geen twijfel mogelijk.'

Flatley trok zijn wenkbrauwen op. 'Het verbaast me dat hij jou niet ook heeft doodgeschoten. Hij heeft een ooggetuige achtergelaten. Misschien wel twee, dat hangt van Cao af. Maar een schot in de borst en eentje in het hoofd... het ziet er niet goed uit.'

'Als hij mij even slecht zag als ik hem, was ik een moeilijk doelwit.'

Flatley knikte. 'En die auto's?'

‘Ik kon niet zien wat voor merk het was, met die koplampen en de dichte mist.’

‘De soldaten prefereren de kleine, snelle Honda’s, je weet wel, die verlaagde Civics met de grote spoilers. De grote bazen, knapen zoals Gaylen, rijden uitsluitend Daimler-Benz.’

‘De koplampen leken op die van een Honda. Ze waren heel fel.’

Flatley zweeg. Hij zag er bezorgd uit, maar ook heel erg moe. ‘Rick Birch heeft al deze informatie ook al. Hij is een van de besten. Als iemand deze zaak kan oplossen, is het Rick wel.’

‘Dat weet ik.’

‘Hij doet zijn best. De Cobra Kings zijn moeilijk te traceren, want ze hebben geen eigen gebied. Ze zijn mobiel. Ze zijn net zoiets als die verdomde mist die op jou afrolde.’

Hij keek me opnieuw aan en er lag een sceptische blik in zijn ogen. ‘Ben jij soms overuren aan het maken; houd jij iets achter voor Rick?’

‘Overuren, ja, meneer. Iets achterhouden, nee.’

Hij knikte en haalde zijn schouders op. ‘Ik begrijp het wel. Ik wilde dat de artsen me bij de operaties van mijn vrouw toelieten. Ik dacht dat ik iets voor haar kon betekenen. Ze praatten me dat natuurlijk uit mijn hoofd. En misschien was dat maar het beste ook.’

‘Ik weet nu hoe u zich voelde.’

‘Maar je blijft je altijd afvragen of je niet toch meer had kunnen doen.’

‘Inderdaad, meneer.’

‘Vijf wapens tegen één, Joe, en je hebt er twee uitgeschakeld. Ik zou me daar dus maar niet al te veel het hoofd over breken.’

Ik zette mijn hoed op en kwam overeind.

‘Heb je het al gehoord van Savannah Blazak? Om tien uur vanochtend kreeg de FBI een melding binnen dat ze gezien was, helemaal in San Diego County – Rancho Santa Fe. Twee ooggetuigen. Beiden herkenden haar van de foto’s tijdens de persconferentie van gisteravond. Tegen de tijd dat Marchant ter plekke was, was ze verdwenen.’

‘Was ze alleen?’

‘Geen idee. Dat wilde Marchant niet zeggen.’

*

Ik haalde wat te eten bij een drive-in en ging op weg naar huis. Het eten rook goed.

Mijn oude Mustang schoot in het drukke verkeer grommend van stoplicht naar stoplicht, tot ik op de snelweg was. Het is een model uit '67, tamelijk zeldzaam, en ik heb er behoorlijk wat aan gesleuteld. De wagen heeft nu weer de originele snelheidsmeter en andere instrumenten. Ik heb ook nog wat modernere snufjes toegevoegd om het vermogen op te voeren. Fantastisch geluid als je hem op zijn staart trapt en in elke versnelling word je met je hoofd tegen de rugleuning gedrukt.

Maar auto's op snelwegen in Orange County rijden rond zes uur 's avonds ongeveer even hard als die in een showroom. Ik bleef slechts anderhalve kilometer op de snelweg en sloeg toen af om de sluipweg naar mijn huis te nemen, tezamen met duizenden medeweggebruikers.

Ik stalde mijn maaltijd uit op een van de in vakken verdeelde tv-dienbladen die ik voor dat doel in huis heb. Onder het eten luisterde ik mijn voice-mail af. Veel minder telefoontjes vandaag dan gisteren. De meeste mensen die ik wilde spreken, had ik al aan de lijn gehad. Verzoeken van de media had ik allemaal afgewezen, behalve dat van June Dauer van KFOC. Ze had inmiddels al haar derde boodschap ingesproken en vroeg me of ik binnenkort gast wilde zijn in haar middagprogramma.

Ik belde haar terug om nee te zeggen, zodat ze wist dat ze me niet meer hoefde te bellen.

Haar stem klonk trouwens niet slecht en ze bedankte me dat ik haar had teruggebeld. Ik probeerde uit te leggen waarom ik niet in haar programma kon optreden, maar ze onderbrak me en zei dat haar zender deel uitmaakte van het Public Broadcasting System en bedoeld was om het publiek te dienen. Ze legde uit hoe haar programma, *Real Live,* in elkaar zat: interviews die live werden uitgezonden, persoonlijk maar niet drammerig, informatief maar 'beslist niet ranzig'. Ze probeerde mensen te vinden 'die in het nieuws waren, maar niet noodzakelijkerwijs beroemdheden, echte mensen die een interessant moment in hun leven doormaakten'.

Ze vertelde me dat ze altijd al geïnteresseerd was geweest in mijn verhaal, al sinds het moment dat ze had gehoord van de baby die door zijn vader een bijtend zuur in het gezicht was gegooid. Ze had wat foto's van mij gezien in de plaatselijke kranten, toen ik zes was en honkbal speelde in de Little League. Ze herinnerde zich nog het grote artikel over mij toen ik twaalf werd en de kleurenfoto op de voorpagina van de wekelijkse bijlage van de *Journal*. Ze zei dat ze verschillende interviews met mij had gezien en zich nog heel goed het ABC-programma herinnerde toen ik achttien werd en bijna klaar was met mijn high school en politieke wetenschappen en geschiedenis zou gaan studeren op Cal State Fullerton.

'Het spijt me, maar ik moet u teleurstellen, mevrouw –'

'Dauer, June Dauer.'

'Een interview met mij zit er niet in, mevrouw Dauer.'

'U wilt het niet of hebt u er geen tijd voor?'

'Ik wil het niet.'

Stilte. Het speet me een beetje dat ik haar moest afwijzen. Ik houd er niet van om mensen teleur te stellen.

'Joe?'

'Ja, mevrouw, eh... Dauer?'

'Zeg maar gewoon June, Joe. *June*. Oké?'

'Goed dan, June.'

'Joe, luister. Ik wil je al ongeveer mijn hele leven interviewen. Ik heb een verslag over je geschreven toen wij beiden in de zesde klas zaten. Jij bent de perfecte gast voor *Real Live*. Kom op, Joe, geef me een kans! Je hebt die dame van Kanaal Zeven ook toestemming gegeven, je weet wel, die tante die de tranen van haar chirurgisch bijgewerkte gezicht veegde toen ze haar slotwoord brabbelde. Ik heb het gezien, Joe, en ze heeft je *gebruikt*.'

'O ja? Waarvoor dan?'

'Om medelijden bij haar kijkers op te wekken. Ik vond het walgelijk. En dat was een commerciële zender – wij zijn een *publieke* omroep. Wij zijn *arm!*'

Ik dacht daar even over na. 'Nou ja, in ieder geval bedankt voor de belangstelling.'

Ze zuchtte. 'Joe, je moet dit echt doen, en weet je waarom?'

'Nee.'

'Omdat er ergens een kleine jongen of een klein meisje hetzelfde doormaakt wat jij hebt doorgemaakt. Misschien zelfs nog wel iets veel ergers. En dat nietige persoontje zit in zijn of haar eigen kleine, donkere... *hel...* en vraagt zich af wat het voor zin heeft, wat het verdomme voor nut heeft om door te gaan. En, Joe, je kunt het natuurlijk niet zeker weten, maar er is een kans dat zo'n kind luistert als *Real Live* wordt uitgezonden. Het is mogelijk dat ze jou horen en zich realiseren dat er een toekomst voor hen is.'

Ook daar dacht ik over na. Ze had een aangename en oprechte en overtuigende stem. 'Is inspiratie beter dan medelijden?'

'Ik denk van wel, Joe! Inspiratie maakt dat de luisteraars zichzelf overstijgen. Medelijden maakt ze alleen maar blij dat ze niet in jouw schoenen staan.'

'Oké.'

'Je doet het?'

'Ja.'

'Ik begrijp dat het voor jou een opgave is, Joe. Maar ik ben er heel blij mee. En iemand anders misschien ook, iemand die jij niet eens kent.'

'Ik ben blij dat jij zo blij bent.'

Ik had er al spijt van op het moment dat we een dag en een tijd afspraken en ze me het adres van KFOC in Huntington Beach gaf.

Twee uur later parkeerde ik in de straat waar zich Alex Blazaks geheime zakenadres bevond. Het was een gebouw op een industrieterrein in Costa Mesa – hek van gevlochten ijzerdraad, geen licht, blaffende honden op een terrein enkele huizen verder.

Ik sprong over het hek en liep naar de deur. Vervolgens draaide ik het nummer van Blazaks bedrijf op mijn gsm. Ik forceerde het slot, ging naar binnen, vond de lichtknop. Ik hoorde mijn stem op Blazaks antwoordapparaat. Zag het alarmsysteem aan de muur. Zodra het apparaat mijn boodschap had opgenomen en met een klik afsloot, gebruikte ik zijn telefoon om de tijd te bellen en legde toen de hoorn naast het apparaat. Ik kon nu elk alarm activeren dat ik tegenkwam, maar ze konden niet naar buiten bellen.

Een receptie. Oud tapijt, gefineerde lambrizering, een balie van afbrokkelend vinyl. De glazen kast onder de balie was leeg en vies. Er waren ooit lampen in de kast aangebracht, maar daar was nu alleen nog de bedrading van over.

Het vertrek achter de receptie was groot, met een laag plafond en heel goede tl-verlichting. Geen ramen, muren van geperforeerd hardboard, één deur.

In een halve cirkel stonden zes ronde vitrinekasten opgesteld. De twee links van me bevatten geweren met lange loop. De twee in het midden toonden karabijnen en zadelgeweren. De twee rechts leken militaire wapens te bevatten. Langs de drie wanden stonden losstaande kasten: pistolen, volautomatische handwapens, machinepistolen, derringers, messen, bajonetten, zwaarden, dolken, wapens voor oosterse vechtsporten – *nunchuks*, werpsterren, werppijlen, werpmessen – ploertendoders, metalen boksbeugels. Zelfs een geopende kist met antipersoonsgranaten – de kleine, gevinde ovale bommen, ontworpen om door helmen en schedels heen te dringen als ze van bovenaf op je neerkomen.

Ik liep langs de kasten. Het zag er hier uit als iets waar een twaalfjarige, door de tv verpeste puber over droomde. Of een ontspoorde middelbare scholier. Meer dan tweehonderd vuurwapens, een stuk of honderd messen en exotische wapens. De munitie zat nog in kistjes, keurig opgestapeld langs de achterste muur.

Naast de munitiekistjes liep een trap omhoog naar de zolder. Op de zolder trof ik een bureau, twee banken met dekens en kussens er op, twee stoelen, een tv en een computer, een badkamer en een keukentje. Tussen de banken stond een bijzettafeltje, compleet met tijdschriften voor wapengekken en een asbak gemaakt van de bodem van een grote granaathuls.

In de asbak lagen twee half opgerookte sigaren. Eentje was een Macanudo, de ander had geen bandje. Er lag ook nog een wit stokje in met een klein, plat, paarsig cirkeltje aan het uiteinde. Naast de asbak lag een boekje lucifers van de Bamboo 33.

In het keukentje stond een kleine koelkast met daarin nog niet bedorven melk en sinaasappelsap, brood, appels. De melk was nog een week van de uiterste verkoopdatum af. De appels waren stevig en het brood zat nog in de verpakking. Op het aanrecht lag een tros bijna rijpe bananen en een pakje koekjes dat nog niet oudbakken was. Ik zette de tv aan: een tekenfilmzender.

In de badkamer lagen nog meer tijdschriften en op de plank naast de wasbak stond een fles luchtververser. Een vuile spiegel, een schone toiletpot, een ratelende ventilator.

Ik pakte wat toiletpapier en ging terug naar de asbak, waar ik de sigarenstompjes in het papier wikkelde en in mijn zak stak. Vervolgens het witte stokje. Toen ik het stokje oppakte, zag ik het sigarenbandje van Davidoff, keurig op de naad geopend, nog steeds in de ronde vorm. Ik haalde nog een velletje toiletpapier en pakte ook het bandje in.

Ik hoopte dat Melissa, mijn vriendin bij de technische recherche, in staat zou zijn een DNA-proef voor mij te doen. Menselijk speeksel zit er vol mee.

Iemand had deze plek gebruikt als tijdelijk onderkomen. Onlangs nog. Het voedsel en de drank waren nauwelijks een week oud. De tekenfilmzender leek me niet de eerste keus voor Gekke Alex Blazak. Hij was waarschijnlijk al aan de Power Rangers toe. En ik zag hem ook nog niet zo gauw op een lollie met grapefruitsmaak zuigen.

Laat op de avond klopte Bo Warren bij me aan. Toen ik opendeed, glimlachte hij naar me. Zijn ogen zagen er stralend uit in het licht van het portiek.

'Joe, ik moest je gewoon even komen vertellen dat niemand op aarde kan uithalen wat jij vandaag met me gedaan hebt zonder er een heel hoge prijs voor te betalen.'

'Dat lijkt me een eerlijke waarschuwing, meneer.'

'Je zult het nog wel merken.'

'Ik hoorde dat Marchant Savannah bijna te pakken had in Rancho Santa Fe.'

Warren schudde zijn hoofd. 'Stelletje zakkenwassers. Onze hoop is dus op jou gevestigd, Joe. Doe wat je vader deed: vind haar. Het aanbod staat nog steeds, één miljoen.'

'Mensen zoals jullie smijten met miljoenen zoals ik kwartjes uitgeef.'

'Dat heet *noblesse oblige*, ezel. En geheimhouding, vergeet dat niet.'

'Wat kan het jullie schelen als de FBI haar eerder vindt?'

'Jack wil niet dat ze per ongeluk wordt doodgeschoten, dat is één. En Alex ook niet. Hij wil geen hordes persmuskieten op zijn dak. Gewoon een rustige, leuke familiereünie, dat is de achterliggende gedachte bij dat miljoen voor jou.'

Ik dacht aan Gekke Alex en zijn stille, beleefde zusje. 'Ik ga haar toch wel zoeken, miljoen of geen miljoen.'

Hij keek me strak aan, en toen: 'Waarom zou je dat doen?'

'Ik vond haar aardig.'

Hij schudde meewarig zijn hoofd, alsof ik gestoord was. 'Je lijkt die Guatemalaan wel die door de politie in Newport overhoop werd geschoten.'

'In welk opzicht?'

'Proberen binnen te komen. Proberen op de plekken te komen waar de belangrijke mensen zich ophouden. Gebruikmaken van botte gereedschappen en botte methodes.'

'Ik denk dat je me verkeerd inschat.'

'Dat zullen we dan wel zien.'

Hij maakte van zijn vinger een pistool en schoot me in mijn maag en vervolgens door het hoofd.

'Trusten, Joe. Kijk uit dat de bedmijten je niet te grazen nemen.'

Die nacht droomde ik van klaprozen, want ik droom altijd van klaprozen, een fel oranje deken die zich uitstrekt over een berghelling, maar als ik er dan dichter naartoe ga, zie ik dat het geen bloemen maar vlammen zijn en dat ze niet tegen een berghelling liggen maar op een vele malen uitvergrote mensenwang, en die wang is van mij. Daarna droom ik de pijn.

Ik droomde van dikke kabels. Zwarte, kronkelende kabels die overal om me heen bungelden, me bedekten, me verstikten. Het enige dat ik kan doen, is proberen erin te klimmen. Ik grijp ernaar. Ik trek. Ik hou ze in mijn handen. Dan droom ik de pijn. En als ik wakker word, klauw ik naar de littekens op mijn gezicht, probeer ze er vanaf te trekken.

Ik droomde golven die stranden afkalven, botten onthullen. Van regen die bloedende rotsen schoonspoelt. Van een woestijnwind die het zand verteert en slechts kraakbeen, tandvlees en tanden achterlaat. Van dikke klimop die boomstammen gemaakt van mensenhuid wegvreet.

Ik herinner me de helse pijn zelf niet, alleen het bewust zijn van die pijn. Ik herinner me dat ik begreep dat me iets overweldigends en beslissends overkwam, iets wat te maken had met een van de twee belangrijke aanwezigheden in mijn leven. Ik herinner me plotselinge duisternis en plotseling licht. Ik herinner me, later, het geduldige kloppen van zich vormende littekens, de eindeloze uren die ze nodig hadden om zich te vormen. Voor mij nam die tijd geologische proporties aan. Chirurgen. Transplantaten. Stukjes huid. Gaasverband, spiegels, zalfjes. Half gezicht, half griezel.

En na al die tijd die inmiddels verlopen is, zijn die harde littekens nog steeds als een soort bedrading met het verleden verbonden, en als ik ze nu aanraak, brengen ze een moment in herinnering van drieëntwintig jaar geleden, een moment dat heftig, krankzinnig en moorddadig was. Het herhaalt zich nog steeds.

O ja, en ik droomde gezichten van mooie vrouwen.

Daar droom ik altijd van.

6

Op maandag lanceerde de FBI publiekelijk zijn jacht op Alex Blazak.

Het verhaal van Alex, de ontspoorde jongen van eenentwintig, stond die ochtend in de kranten en was die avond op tv. Veel goede foto's, een beschrijving van zijn gewelddadig gedrag, veel verwijzingen naar het feit dat hij 'handelaar in vuurwapens' was, hetgeen hij niet was, en dat hij verdacht werd van het handelen in illegale wapens, hetgeen wel waar was.

De volgende twee dagen werd Alex tweemaal gesignaleerd en het Reactieteam van de FBI ging er beide keren op af. Maar Marchant wist zijn mannen beide keren niet snel genoeg op pad te krijgen. Het leek wel of Alex een zesde zintuig bezat. Een van de meldingen betrof Big Bear, een vakantieoord in de bergen ten oosten van LA. Alex had er een ruim chalet met twee slaapkamers gehuurd, aan de noordkust van het bergmeer. De tweede melding kwam van een hotel op de Sunset Strip in Hollywood.

Volgens het nieuws hadden de getuigen gezegd dat ze in beide gevallen Savannah in zijn gezelschap hadden gezien. Ik dacht aan het verse voedsel in Alex' pakhuis, het nog in de verpakking zittende brood, de nog niet helemaal gele bananen en de uiterste verkoopdatum op de pakken melk en sinaasappelsap. En ik moest wel geloven dat Alex op de een of andere manier voor elkaar had gekregen wat mij die avond niet was gelukt. Hij had haar in de mist gevonden en in zijn auto gekregen. Na wat er bij Lind Street was gebeurd, was ze waarschijnlijk blij om hem te zien. Een kidnappende broer was hoe dan ook een verbetering ten opzichte van vijf moordenaars in lange jassen.

Ik plakte een landkaart op de keukenmuur en trok rode cirkels rond de drie plekken waar hij gezien was. Hij had haar dus weer bij zich en verplaatste zich snel en vaak, steeds één stap voor op de klappende kaken van het Bureau. Ik vroeg me af of hij, met al dat gereis, weer zou proberen losgeld voor haar te krijgen. Waarom gebruikte hij niet gewoon dat miljoen in de tennistas, liet zijn zus achter en verdween naar Mexico?

Ik belde twee keer per dag naar Marchant, maar hij belde niet terug. Zat waarschijnlijk uit te hijgen.

Een vriend van Will in het Medisch Centrum van Anaheim hield me tweemaal daags op de hoogte van de toestand van de van moord verdachte Ike Cao: niets veranderd, in extreem kritieke toestand, buiten bewustzijn in het ICU, dag en nacht bewaakt door mensen van de sheriff.

Dr. Norman Zussman belde me nog twee keer en beval me zo snel mogelijk terug te bellen om een afspraak te maken voor mijn therapie.

Met grote tegenzin deed ik dat.

June Dauer van KFOC belde om het interview te bevestigen. Het zou plaatsvinden op de dag van Wills begrafenis, maar ik bevestigde toch de afspraak, omdat haar stem zo hoopvol en prettig klonk.

We begroeven Will op de eerste dag van de zomer. Het was donderdag, acht dagen na zijn dood.

Dominee Daniel Alter ging voor in een uiterst drukbezochte rouwdienst die werd gehouden in zijn gigantische, van getint glas voorziene godshuis, de Kapel van het Licht. Maar er waren meer dan tweeduizend rouwenden en toen alle stoelen bezet waren, werd de rest naar een auditorium geleid waar aan alle vier de muren enorme monitors hingen.

Mijn broers, volbloedzonen van Will en Mary Ann, zaten tijdens de dienst aan weerskanten van mij.

Will Jr. huilde. Hij is tien jaar ouder dan ik, getrouwd, drie kinderen, advocaat in octrooizaken, woonachtig in Seattle. Glenn, twee jaar jonger dan Will Jr., is ook getrouwd, met een jonge tweeling. Ze wonen in San Jose, waar Glenn directeur is van een bedrijf dat glasvezelkabels aanlegt. Hij keek recht voor zich uit, alsof hij niets zag, of misschien wel alles.

Mary Ann zat het dichtst bij het middenpad en was geheel in het zwart gekleed. Tijdens de hele dienst hoorde ik haar zachtjes snikken en ze hield haar ogen voornamelijk op de grond gericht.

De kist was van mahoniehout met zilverbeslag. Hij was geschonken door vrienden van Will die eigenaar waren van de begraafplaats waar hij zou worden begraven. Mary Ann had na overleg met haar drie jongens en dominee Alter besloten de kist open te laten. Glenn wilde hem liever dicht hebben vanwege de pijn die zijn gezicht ons zou bezorgen. Daniel idem dito. Will Jr. wilde hem om diezelfde reden juist openlaten. Ik koos ook voor open, want ik wilde hem nog een laatste keer zien.

De verhoging waarop de kist stond, was bezaaid met witte rozen, duizenden. Ze hingen af tot op de grond, stroomden als een vloeistof over het paarse tapijt en de treden van het proscenium. Ze waren afkomstig van een van Wills vrienden, die een keten bloemenzaken bezat.

Wills begrafeniskostuum was geschonken door een vriend met zijn eigen lijn Italiaanse designkleding. Zijn vingers waren gemanicuurd door Mary Anns schoonheidsspecialiste, natuurlijk ook weer zonder betaling.

Met enige ophef riep de Grove Club Foundation een herdenkingsfonds in het leven dat ten goede zou komen aan het nieuwe Hillview Kindertehuis. Die ochtend had de *Journal* geschreven dat er in drie dagen al bijna twee miljoen was gedoneerd – een miljoen daarvan kwam van Jack en Lorna Blazak.

Dominee Alter was deze dag op zijn best. Hij is een van de meest emotionele evangelisten die ik ooit heb gehoord, maar zijn optredens zijn nooit luid of retorisch of theatraal. Ze zijn degelijk en gevoelvol. Ze komen in ieder geval zo over. Hij is misschien een heel goede toneelspeler, maar toen zijn stem oversloeg en zijn keel werd dichtgesnoerd en de tranen als regen over zijn gezicht stroomden, nou ja, toen kreeg ik het ook te pakken.

...en Gods barmhartige handen jou, Will Trona, hebben teruggenomen, jij die zovelen de helpende hand hebt toegestoken...

Ik staarde naar mijn eigen handen, de vingers verstrengeld, de hartslag in mijn rechterpols regelmatig en blauw. Om de een of andere reden ging mijn blik voortdurend naar de dikke gele elektriciteitskabel van de videocamera die vanaf links op het podium was gericht. Vreemd hoe je geest zich richt op dergelijke irrelevante zaken als er iets belangrijks plaatsvindt. Maar de gele kabel deed me denken aan de twee auto's die ons in de steeg hadden ingesloten. Bijna alles wat ik zag, deed me denken aan die auto's en de mannen erin. Ik vroeg me af of Rick Birch een lijst had opgevraagd van de telefoongesprekken die die avond via Wills gsm waren gevoerd.

...maar terwijl wij deze dode betreuren, mogen we niet vergeten het leven te omarmen...

De borst van Will Jr. schokte onophoudelijk. Hij is altijd al een emotionele knaap geweest. Toen hij een keer met een windbuks een spreeuw uit de bomen schoot, barstte hij in huilen uit. Ik zei tegen hem dat hij niet zomaar voor de lol ergens op mocht schieten. Dat nam hij ter harte. Mijn gezicht geeft mensen vaak de indruk dat ik een dieper inzicht heb, moreel gewicht. Leuk idee, maar niet waar. Het enige dat ik meer had dan Junior was dat ik wist hoe pijn voelde en ik nam aan dat dat ook voor de spreeuw gold.

Ik legde mijn hand op de knie van mijn broer. Ik gaf hem een van de van een monogram voorziene zakdoeken die ik volgens Will altijd bij me moest dragen om dames te hulp te schieten. Voor ik uit huis vertrok, had ik er vier in de diverse zakken van mijn zwarte colbert gestopt. Eentje had ik al aan mam gegeven. Nog twee te gaan.

... en laat vervoering over Gods glorie gevoeld worden in de vervoering van onze droefheid...

Ik draaide me slechts één keer om naar de mensen achter me, een zee van rouwende gezichten die helemaal doorliep tot aan de blauwglazen wanden die in duizeligmakende schuinte opstegen naar de bleke junihemel.

Net toen ik dacht dat de dienst er opzat, schoof het bovenste gedeelte van de glazen wanden van de Kapel van het Licht in het onderste deel en stroomde een grote golf warme lucht naar binnen. Geroezemoes alom. Duizenden witte duiven stegen op van achter dominee Alter. Hij hief zijn armen ten hemel en het leek net of ze uit zijn vingers kwamen gevlogen. Hun vleugels klapperden luid en toen ze opstegen uit de geheel verstomde kapel, kon je horen dat de paniek hen overviel. Maar toen realiseerden ze zich dat er overal om hen heen vrije lucht was en vlogen ze weg, de middag in. Het waren vogels die nog nooit gevlogen hadden. Witte veren dwarrelden omlaag terwijl we de kapel verlieten op weg naar de begraafplaats. Ik dacht aan Savannah Blazak, die ik over de muur had getild en verdween in de koele, mistige nacht.

Ongeveer de helft van de aanwezigen wilde nog een blik op Wills lichaam werpen. Het duurde een uur. Ik was de tweede, direct na Glenn. Ik had lijken in het lab gezien en slachtoffers van verkeersongelukken die nog bloedden. Ik had Luke Smith en Ming Nixon gezien. Maar dit was mijn eerste lijk*bezichtiging*. Niets had me voorbereid op de schok om de dood te zien in het gezicht van iemand van wie je houdt. Ik keek naar hem en besefte wat een grote kracht, een grote aanwezigheid, een groot *leven* hier was beëindigd. Ik kuste mijn vingertoppen, streek ermee over zijn harde wang en liep naar buiten.

Tranen zwollen op uit mijn hart en daarmee ook een kil gevoel van wraak. Ik trok mijn hoed diep over mijn ogen.

Wat ik me van de begrafenis herinnerde, waren de heldergroene gazons die zich over het heuvelachtige terrein uitstrekten en de lange, zwarte stoet van begrafenisauto's die tot vlak bij het gat in de grond kroop. Het gat was bedekt door een zwart kleed en de aanwezigheid ervan werd slechts verraden door de hoopjes oranje aarde er omheen.

Ik stond daar en keek hoe de auto's arriveerden, en ik vroeg me af hoe die moordenaars hadden geweten waar Will en ik zouden zijn.

Hadden ze ons gevolgd, of was hun verteld waar we heen gingen? Hadden de mensen die ons naar dat adres hadden gestuurd, ook de moord begaan? Was Will daarheen gestuurd om Savannah Blazak te redden of alleen maar om te sterven?

Ik hoopte dat die moordenaars op ons hadden staan wachten. Want als ze op ons hadden staan wachten, had ik hen gewoon niet gezien. Misschien dat ik mezelf op een dag kon vergeven dat ik me had laten verrassen. Maar als ze ons waren gevolgd, had ik Will op nog veel flagranter manier in de steek gelaten.

Mond dicht, ogen open.

Mijn gedachten dwaalden af, maar ik keerde steeds weer terug naar die auto's, die mannen, die avond. Ik wist dat ik medelijden zou moeten voelen met de mannen die ik had neergeschoten. En schuld omdat ik hun leven genomen had. Ik probeerde mezelf dergelijke gevoelens toe te staan, maar het lukte niet. Binnen in mij is een kille plek waar ik de slechte dingen wegstop. Het is zoiets als een ijskast, maar dan met een zwaardere deur. En als ik ze daar eenmaal in heb gestopt, is het moeilijk ze er weer uit te krijgen. Ik hield mezelf voor dat het slechte mensen waren, die mij beslist vermoord zouden hebben. Dat rechtvaardigde wat ik had gedaan en de deur van de ijskast zat nu dicht. Maar de deur naar alle 'als' kon ik niet dichtslaan: als ik hen eerder in de gaten had gehad, als ik sneller had nagedacht, als ik naar mijn gespannen zenuwen had geluisterd, als de mist niet was komen opzetten.

Ik keek van afstand toe hoe de rouwenden langs mijn familie trokken. Ik had alles al tegen iedereen gezegd; er viel niets meer te zeggen. Dus trok ik me terug onder een grote iep, alleen, ogen open en mond dicht, hoed over mijn ogen voor privacy en schaduw.

De meeste mensen daar kende ik. Ik zag Wills collega-districtscontroleurs; burgemeesters en raadsleden; rechters; hoge omes van het bureau van de sheriff; de gouverneur van Californië; twee congresleden. Sommigen waren vrienden en sommigen waren vijanden, maar ze waren allemaal gekomen.

De projectontwikkelaars waren er allemaal. Land is nog steeds het meest waardevolle bezit, de grootste geldmaker in Orange County. Will had stuk voor stuk onenigheid met hen gehad. En hij was op zijn eigen vreemde manier ook met een heleboel bevriend. Ik herkende het voetvolk – de welbespraakte mannen en vrouwen die elk jaar miljoenen voor hun bedrijf binnenhaalden – de Irvine Company, Philip Morris, Rancho Santa Margarita Company. Hun bazen waren er ook, de CEO's en CFO's, de voorzitters van de raden van bestuur – het soort mensen dat komt en gaat in hun eigen straalvliegtuigen en helikopters.

Vervolgens de ondernemers, de miljardairs die het helemaal op eigen houtje hadden gemaakt: computertechneuten, de jonge lievelingetjes van de NASDAQ, uitvinders, handelaars in van alles en nog wat. Jack Blazak, die zijn eerste fortuin had verdiend met gele gazonsproeiers die niet dichtslibden, was er natuurlijk ook. Hij zag er zo mogelijk nog slechter uit dan de vorige keer, alsof elke dag dat zijn dochter werd vermist weer een kubieke centimeter van zijn leven werd weggevreten.

De volgenden op de ladder van machthebbers waren de bureaucraten. Wills derde kolonne, de pitbulls van de overheid – het ene moment onderdanig en bescheiden, het volgende moment bezitterig en niet te vermurwen. Ze werken voor districten, instanties, bureaus, kantoren, gemeentehuizen, commissies, diensten, secties, departementen, raden, gemeentelijke bedrijven. Vergeleken met de projectontwikkelaars of ondernemers hebben ze nauwelijks geld, maar ze hebben wel macht over die mensen. Die macht kan op zijn tijd voor iedereen vriendelijk en behulpzaam en profijtelijk zijn. Hij kan maken en breken. De kosten zijn verwaarloosbaar.

Will was een bureaucraat. Misschien dat ik dat op een dag ook ben. Ik heb waarschijnlijk de beste opleiding die je als bureaucraat maar kunt hebben: mijn eerste vijf jaar in een inrichting.

Dan waren er zijn vrienden en familie en buren en bekenden; zijn dokter, zijn kapper, zijn tennisleraar. Zelfs onze oude vuilnisman was aanwezig, een jonge vader van drie kinderen toen ik zelf nog een kind was, en nu een man van middelbare leeftijd met grijs haar, een stram lichaam en groeven van droefenis rond zijn ogen. Will stond elke woensdagochtend om half zeven, als bij ons in de straat het vuilnis werd opgehaald, even met hem te kletsen voor hij mij bij de bushalte afzette en vervolgens zelf naar het bureau van de sheriff reed, waar hij toen werkte.

Ik keek naar hem en vroeg me af uit hoeveel levens een leven eigenlijk bestaat. Ik voelde me tegelijk trots en leeg. Ik voelde me verkracht en verslagen.

Ik voelde me verraden toen Jennifer Avila, stuitend mooi in het zwart, met mijn moeder sprak.

Verraden door Will en op de een of andere manier ook door Jennifer.

Mijn hart bonkte hard en leek toen bijna helemaal niet meer te kloppen. De dingen waarnaar ik keek werden wazig – mijn ogen werkten niet goed. Ik voelde dik, heet zweet op mijn rug. Hoe kon ik in vredesnaam over enkele korte uren met een radiopresentatrice praten? Ik huiverde, warm als ik het had in mijn zwarte pak.

De oude Carl Rupaski, hoofd van de Transport Authority van Orange County, de TA – politiek gezien een vijand van mijn vader – kwam naar mijn boom gewandeld en schudde me de hand. Zijn ogen waren vochtig. Ik rook tabak en alcohol. 'Ik wil een keertje met je praten, Joe. Misschien als we dit allebei een beetje verwerkt hebben. Wat dacht je van een lunch, volgende week maandag bijvoorbeeld?'

'Ja, meneer. Dat lijkt me prima.'

Hij legde een zware hand op mijn arm. 'Dit is echt klote, jongen. Echt klote.'

Daarna vervoegde Jaime Medina zich bij mij in de schaduw. Hij zag er normaal al verloren en uitgewrongen uit, maar nu leek hij nog vreugdelozer, leek hij nog meer gebukt te gaan onder het leven. We praatten een tijdje over Will en Jaime vertelde me hoeveel Will voor het HACF had gedaan, hoe moeilijk het nu zou worden, nu hun voorvechter binnen de regering er niet meer was en hen bovendien een officieel onderzoek boven het hoofd hing.

'Ik heb die kerels nooit verteld dat ze konden stemmen nog voor ze ingezetenen waren,' zei hij. 'Het is een misverstand. Meer niet. Wat stelt dat paar dozijn stemmen nou helemaal voor, trouwens.'

Ik haalde mijn schouders op. Mijn hoofd stond op dat moment niet zo naar problemen bij het HACF.

'Wil jij ons helpen?'

'Hoe, meneer?'

'Ik wil dat je met een bepaald iemand praat. Het is een groot schandaal. Jij kunt wat deining veroorzaken, beroemd worden.'

'Ik wil niet beroemd worden.'

'Dat ben je al. Dit zou jou tot de nieuwe kampioen van de gerechtigheid maken. Als je nu eens gewoon met die knaap praat. Het is de broer van Miguel Domingo, degene die door de politie is doodgeschoten. Hij heeft een verhaal te vertellen. Miguel Domingo had namelijk een *reden* om te proberen binnen te dringen in die ommuurde wijk in Newport Beach. Het heeft iets met een vrouw te maken.'

'Welke vrouw?'

'Luria Blas, die voor haar appartement werd doodgereden. Al belangstelling?'

'Nee, bedankt. Ik heb het op dit moment erg druk.'

'Waarmee dan wel, Joe?'

'Kijk maar eens om u heen, meneer.'

Dat deed Jaime. Hij zuchtte. 'Ik bel je nog. We moeten op een geschikter moment nog eens met elkaar praten.'

Een paar minuten later kwam Rick Birch langs kuieren. Hij bleef staan, meer naast dan voor me, hetgeen me niet onbelangrijk leek. Hij keek samen met mij naar de menigte. Ik vond het prettig dat hij de eerste minuten niets zei. Toen hij begon te praten, ging het over iets heel anders dan ik had verwacht.

'Mijn broer werd vermoord toen ik tien was,' zei hij. 'Hij was acht jaar ouder dan ik – stoere jongen, moeilijke buurt in Oakland. Ze vonden hem in een goot achter een bar. Geen arrestaties. Dat maakte dat ik bij de politie wilde, om de griezels te pakken die zoiets deden, hen achter de tralies te stoppen.'

'Dat lijkt me een goede reden, meneer.'

'Kun je het een beetje bolwerken?'

'Ja, meneer.'

'Hoor eens, ik krijg morgen John Gaylen langs voor een informeel gesprek. Ik zou graag willen dat jij er bij was, aan de andere kant van het glas.'

'Heel graag.'

Later, tijdens de wake, stonden wij, de drie broers, in een hoekje bij elkaar. We bevonden ons op de vijftiende verdieping van het Newport Marriott Hotel, in een restaurant dat ons gratis door de manager, ook weer een vriend van Will, ter beschikking was gesteld. Je kon van hieruit de oceaan zien, een rokerig grijze watervlakte onder de junihemel.

Will Jr. en Glenn waren dronken. Ik dronk ook veel, voor mijn doen dan. Gewoonlijk ben ik heel matig, want met drank voel ik me minder ad rem.

Mijn broers zouden de volgende dag weer naar huis vliegen, terug naar hun gezinsleven en hun baan, en ze voelden zich een beetje schuldig dat ze Mary Ann en mij hier achterlieten.

Will Jr. omhelsde me. 'Als ik je ergens mee kan helpen, Joe... Je hoeft me alleen maar te bellen.'

Vervolgens Glenn: 'Zorg goed voor mam. Ik wou maar dat ik wat dichterbij woonde om je daarbij te helpen. En zorg ook goed voor jezelf.'

Hun kinderen renden voorbij, zwaaiend met cocktailprikkers en parapluutjes.

Ik voelde me in de steek gelaten. Waarom konden ze niet stoppen met hun leven en terugkeren naar Zuid-Californië, om mij te helpen het wie en waarom te verklaren?

Omdat dat niet praktisch was. Het leven moest doorgaan. Zo zou Will het ook gewild hebben, en meer van die onzin.

We bleven nog even staan kijken naar de spelende kinderen en ik zag plotseling één prachtige, hartverscheurende waarheid: het leven ging al door.

Ik was dronken toen ik er aankwam. Meer dan ik dacht toen ik het hotel verliet. Ik had er spijt van. Het enige dat ik wilde, was vergeten en nu was ik hier en werd er van me verwacht me van alles te herinneren. Ten overstaan van duizenden verveelde luisteraars.

Ik herinner me dat ik in een koele ontvangstruimte zat, met een lila vloerbedekking en oranje stoelen met verchroomde poten. Ik kauwde op twee stukjes kauwgom met kaneelsmaak en dronk zwarte koffie. Ik keek naar het verfrommelde stukje kauwgompapier dat in mijn hoed rond rolde.

Toen kwam de producer van *Real Live* binnen, een glimlachende jongeman met lang haar en een sikje. Hij stelde zich voor als Sean.

'June is bijna zover,' zei hij. 'Water, frisdrank?'

'Meer koffie, graag.'

'Hier is de groene kamer. Ga zitten, dan haal ik een kop koffie. Wat dacht je van een scheut kahlua, om je een beetje te ontspannen?'

'Ik geloof dat ik dat maar beter niet kan doen.'

Ik ging zitten en keek naar de cabines van waaruit werd uitgezonden. Drie donker, eentje vaag verlicht. In de verlichte cabine stond een jonge vrouw met krullend zwart haar achter een van de statief-microfoons, het hoofd gebogen, kennelijk voorlezend uit iets wat op tafel lag. Ze werd weerspiegeld in het glas, maar onder een vreemde hoek. Ik keek naar de weerspiegeling in het glas.

Sean kwam terug met een kartonnen beker koffie en zette hem voor me op tafel. 'Heet,' zei hij. 'Dit uur zit er bijna op. Nog een paar minuten. O ja, nog gecondoleerd met je vader.'

'Bedankt.'

Hij aarzelde en liep toen weer naar buiten.

Vijf minuten later ging hij me voor de verlichte cabine in. De geluiden daarbinnen waren gedempt en het licht was zacht en zilverkleurig. De vrouw met het krulhaar liep om de tafel heen en stak haar hand uit.

'June Dauer.'

'Leuk u te ontmoeten, mevrouw Dauer.'

Ze glimlachte. Haar ogen waren donker en haar gezicht was heel aantrekkelijk. Een krachtige kaak. Kleine neus, kleine mond. Ze droeg een mouwloze denim bloes die in een gekreukte korte broek was gestopt. Daaronder omlaag gerolde sokken en blauwe canvas sportschoenen. Haar benen waren welgevormd. Ze schudde me de hand.

'Joe, het spijt me zo dat dit interview nu net moet samenvallen met de begrafenis van je vader. Als ik dat had geweten, had ik het anders gepland.'

'De begrafenis is pas na onze afspraak geregeld, mevrouw Dauer. Het is geen enkel probleem.'

Ze schudde haar hoofd en keek me met iets samengeknepen ogen aan. 'Ik heb je toch gevraagd die goede manieren thuis te laten, of niet soms?'

'Sorry, ik–'

'Ontspan, Joe. Ga hier zitten en zet die koptelefoon op. We doen even een stemcontrole en dan gaan we de lucht in.'

Ik ging op de draaistoel zitten, keek hoe ze om de tafel heen naar de andere kant liep en legde toen mijn hoed voor me op tafel. Ze ging ook zitten en rolde haar stoel naar voren. De studio was vrijwel geheel donker, met alleen een gedimd spotlight aan het plafond dat haar uit de vage schaduwen naar voren haalde. Ik keek omhoog en zag dat er ook op mij zo'n spotlight gericht stond. Mijn gezicht voelde heet aan en mijn boord leek te strak te zitten en mijn hart bonkte alsof ik de honderd meter had gelopen. Ik zette de koptelefoon op en haalde drie keer diep adem en voelde me toen nog beroerder. Op dat moment drong June Dauers heldere, lichte stem mijn schedel binnen.

'Tel tot tien, Joe, normale stem. Houd je mond op ongeveer tien centimeter van de microfoon. Spreek er een klein beetje langs heen, niet recht er in.'

Dat deed ik allemaal.

'Goed, goed. Heb je je gedronken, Joe?'

'Meer dan gebruikelijk.'

'Wat is gebruikelijk?'

'Vrijwel niets.'

'Kun je goed tegen drank, Joe?'

'Daar zullen we zo wel achter komen.'

Ze keek door het glas in het aangrenzende vertrek, waar Sean knikte.

'En drie en twee en één,' zei hij. 'En je bent in de lucht.'

Er was muziek, en een van tevoren opgenomen stem die de show aankondigde. Toen hield ze zelf haar introductie. Ze vertelde iets over mijn verleden en gebruikte de term 'zoutzuurbaby', hetgeen me zoals altijd de rillingen over mijn lijf joeg. Onder het spreken hield ze haar armen tegen haar lichaam gedrukt en staarde me aan alsof ik een beer in de dierentuin was. Haar stem was helder, met iets van een fluistering erin, alsof ze het tegen één bepaalde persoon had. De koptelefoon gaf haar hoofd een grappige vorm en haar krullen staken onder de platte band uit.

Van de eerste helft van het interview herinner ik me niet zoveel meer. Ik was nerveus. Ik herinner me nog dat mijn antwoorden in het begin uit twee, drie woorden bestonden en dat mijn stem ongebruikelijk iel en afstandelijk klonk. Ik beantwoordde de vragen die ik al duizenden keren beantwoord had. Ik had de antwoorden in voorraad, dankzij jarenlange oefening.

Wat gebeurde er. Pijn. Herinnering. Operaties. Hillview. Andere kinderen. Will en Mary Ann. School. Bekendstaan als de 'zoutzuurbaby'. Honkbal. College. Bureau van de sheriff. De gevangenis.

Maar toen bekeek June me van de andere kant van de tafel en ik concentreerde me op haar ogen, die het licht van boven opvingen op een manier die ze heel flonkerend maakten. En ik begon me ontspannen en op mijn gemak te voelen.

'Ik heb bewondering voor de manier waarop jij dit allemaal verwerkt hebt, Joe. Ik volg jou al jaren. Je hebt uit dat tragische begin toch een goed leven weten te maken. Andere mensen moeten weten dat *zij* dat ook kunnen.'

'Het waren vooral mijn ouders. Mijn adoptiefouders, bedoel ik.'

Ze vroeg me welk advies ik mensen met vergelijkbare problemen kon geven – vooral jonge mensen. Hoe hervind je het vertrouwen in jezelf? Hoe hou je de woede en het zelfmedelijden buiten de deur?

Ik gaf haar de antwoorden die ik voor dat soort vragen altijd in petto had: geloof in jezelf, wees niet bang om anders te zijn, bedenk dat er altijd mensen zijn die nog slechter af zijn dan jij.

Toen vroeg ze iets wat me nog nooit eerder gevraagd was.

'Joe – wat denk je als je een mooi gezicht ziet?'

Misschien dat het de nieuwheid van de vraag was. Misschien was het de begrafenis of de alcohol of de hitte in mijn pak. Misschien kwam het gewoon doordat mooie gezichten een van de weinige onderwerpen waren waar ik een mening over dacht te hebben. Ik weet niet precies hoe het kwam, maar plotseling wilde ik praten.

'Ik denk dat die persoon geluk heeft gehad. Ik houd van mooie gezichten, mevrouw Dauer. Er zijn zoveel variaties. Ik kan er uren naar kijken. Maar zal ik u eens wat vertellen? Dat is nog niet zo eenvoudig. Slechts weinig mensen staan je toe naar hun gezicht te kijken, tenzij je hen beter kent.'

'Je moet een heleboel mensen kennen.'

'Sommigen. Maar dan nog wil je niet alleen maar kijken.'

'Nee, wat dan nog meer?'

Ze leunde achterover en nam me aandachtig op. Ik zag het licht op haar haar vallen, en opnieuw die glinstering in haar ogen. Ik was me bewust van het schemerige licht in de geluidscabine, en van de gedempte akoestiek. Even leek het of June Dauer de enige andere persoon was in dit gebouw. Alsof we met zijn tweeën waren en ik het alleen tegen haar had.

'Ik ga naar de film of kijk tv, June. Ik lees tijdschriften. Ik houd van romantische komedies met perfecte gezichten erin. Soms ga ik naar drukke plekken in de stad, waar ik ongemerkt de mensen kan observeren. Maar het gaat allemaal zo snel. De films en tv-programma's zijn op een gegeven moment voorbij, de mensen op het strand lopen verder of wenden zich af, het winkelende publiek trekt voorbij en er is nooit voldoende tijd om echt van een gezicht te genieten, het te bewonderen.'

'Ik weet wat je bedoelt. Het is net of je in een andere wereld dan die anderen verkeert. Afgesneden, afgezonderd. Ik heb dat gevoel af en toe ook, als ik hier in deze studio zit en met mensen daar buiten in de echte wereld praat.'

Plotseling realiseerde ik me hoe prettig het was om met June Dauer te praten. Ze zag er zo eenzaam uit in die straal licht, omringd door het bijna donker. Ik vergat waar ik was en waarom en dat ik te veel had gedronken. En ik praatte alleen nog tegen haar.

'Precies, June. Alsof ze niet echt zijn. Ik bedoel, die gezichten zijn ook niet echt, niet in die zin dat je ze kunt aanraken, met name de gezichten in een menigte. Die kun je zeker niet aanraken.'

'Nee, dat lijkt me niet verstandig.'

'Niet dat ik dat wil. Ik wil niet aanraken of aangeraakt worden.'

June Dauer boog voorover naar haar microfoon. Ze fronste licht haar wenkbrauwen, alsof haar koptelefoon niet helemaal naar behoren werkte of zoiets.

'Je wilt niet aanraken of aangeraakt worden? Lijkt je dat wel gezond?'

'Daar denk ik nooit over na, mevrouw Dauer.'

'Ik heb dat nog nooit iemand anders horen zeggen. Iedereen hongert juist altijd naar contact. Maar weet je, het lijkt me dat er toch genoeg mooie gezichten te vinden zijn die met jou een kop koffie willen drinken, met je praten, je toestaan hen te bewonderen.'

'Ik heb ooit een fotomodel betaald om stil te zitten en me naar haar te laten kijken. Tracy heette ze. Ze was jong en nog maar net begonnen en ze had het geld nodig. Ze kwam nog een keer terug en liet me opnieuw naar haar kijken, drie uur voor driehonderd dollar. Wat een fantastisch gezicht had die meid. Onwaarschijnlijk knap. De tweede keer dronken we koffie en raakten in gesprek. Ik mocht haar erg graag. Ik dacht elke dag aan haar, vervolgens elk uur, elke minuut. Ik belde haar een tijdje niet, want ik wilde mezelf onder controle krijgen, wilde niet behoeftig lijken en haar afschrikken. Later, toen ik haar toch weer belde, zei haar kamergenoot dat ze naar Milaan verhuisd was. Ik schreef haar, maar heb nooit antwoord gekregen.'

Een pauze in het gesprek, terwijl June Dauer me aankeek. 'Een triest verhaal, Joe. Maar goed, nu we het er toch min of meer over hebben, hoe denk jij over afspraakjes, Joe? Heb je wel eens een afspraakje?'

'Nou, mijn ervaringen met meisjes zijn nogal beperkt, om eerlijk te zijn. Ik ben me bewust van het effect dat ik op vrouwen heb en het lijkt me niet juist iemand schrik aan te jagen, alleen maar om naar haar gezicht te kunnen staren.'

Ik besefte dat dat precies was wat ik op dit moment deed – naar het gezicht van June Dauer staren. Ik wendde mijn blik af, maar stootte daarbij met mijn wang tegen de microfoon. Het veroorzaakte een verschrikkelijk versterkte bons. Ze lachte. Ze had een prachtige lach, een van de mooiste die ik ooit gehoord had.

'Dat was ik, mensen,' zei ze. 'Ik viel van mijn stoel omdat Joe Trona me aanstaarde.'

Ik voelde mijn gezicht gloeien, maar wist toch te glimlachen. Ik probeer gewoonlijk zo min mogelijk te glimlachen, want het is niet iets waar de mensen plezier aan beleven.

'Joe, het is me opgevallen dat jij keurige manieren hebt. Hoe komt dat?'

'Om mensen op hun gemak te stellen. En jaren geleden dacht ik dat vrouwen goede manieren aantrekkelijk vonden.'

'Dat is over het algemeen ook zo. Dus...'

'Maar er is meer nodig dan goede manieren. Je moet ook... het is moeilijk uit te leggen. Kijk... je wilt ook niet gezien worden als een groot litteken onder een hoed dat alleen maar ja, alstublieft zegt. Of nee, bedankt. Of, mooi weertje vandaag, mevrouw Dauer. Je wilt niet overkomen als een pratende baviaan of een Engelse butler vermomd als Frankenstein. Begrijpt u wat ik bedoel?'

Heel even zweeg ze, alsof ik haar had verrast.

'Nee, niet echt, Joe. Maar daarom wilde ik je ook in mijn show. Hoe reageren vrouwen eigenlijk op je?'

'Ik heb één keer een afspraakje gehad. Ze gedroeg zich alsof het volkomen normaal was om met mij samen te zijn. Ze hield me voor de gek, tot op het moment dat we alleen in haar appartement waren en ze vroeg of ze mijn gezicht mocht aanraken. Ik zei dat ik dat best vond, want ik wilde haar niet teleurstellen. Ik sloot mijn ogen, spande mijn kaken en wachtte af. Het duurde een eeuwigheid. Ik kon haar ademhaling horen. Toen voelde ik een vingertop. Het was een kwelling. Ik probeerde zo stil mogelijk te blijven zitten, maar begon op een gegeven moment te rillen. Toen ik mijn ogen opendeed, huilde ze. Ik stond op, verontschuldigde me dat ik haar aan het huilen had gemaakt en vertrok.'

'Waarom ging je weg?'

Omdat ze huilde. Ik wil niet als een zielig geval beschouwd worden, mevrouw Dauer. Walging is acceptabel. Walging is een begrijpelijke emotie. Maar zielig gevonden worden, daar kan ik niet tegen.'

Weer die korte stilte voor ze sprak. En dezelfde frons als daarnet.

'Misschien een goed moment om op een ander onderwerp over te schakelen. Joe Trona – waar ben je het meest trots op in je leven?'

Daar moest ik even over nadenken. 'Dat Will en Mary Ann Trona mij in hun gezin wilden opnemen.'

Op het moment dat ik het zei, herinnerde ik me wat ik nog maar een paar uur geleden gedaan had. En toen herinnerde ik me de avond in Lind Street, en alle mogelijkheden die ik had gehad om de dingen anders, beter te laten verlopen. En ik besefte dat ik het tegen een heel district had, niet slechts tegen een vrouw die sympathiek leek en bij wie ik me op mijn gemak voelde.

'Ben je eigenlijk niet trots op jezelf, vanwege de manier waarop je met tegenslag bent omgegaan en omdat je toch enkele behoorlijk zware obstakels hebt overwonnen?'

'Nee.'

'Oké, Joe – we hebben nog twee seconden, dus omschrijf jezelf in een paar woorden! Niet nadenken – *een paar woorden!*'

Ik hoorde hoe de muziek gestart werd.
'Kom op, Joe!'
'Voor verbetering vatbaar,' zei ik.
June Dauers stem klonk boven de muziek uit.
'Geldt dat niet voor ons allemaal? Joe Trona *is* Real Live. En dat geldt ook voor u, vergeet dat niet. Dit is June Dauer. Ik wens u een goedenavond. Tot de volgende keer.'
Ze duwde de microfoon weg, zette haar koptelefoon af en legde hem voor zich op tafel. Het bovenlicht glinsterde nog steeds in haar ogen en ze fronste ook nog steeds.
'Bedankt.'
'Graag gedaan.' Ik voelde een warme golf van opluchting over me heen komen, haalde diep adem en zakte onderuit in mijn stoel. Ik vroeg me af of er zoiets als het Stockholm Syndroom voor gasten van de media bestond, want ik voelde me half en half verliefd op June Dauer omdat ze me door het programma heen had gesleept.
'Laten we een eindje gaan wandelen,' zei ze. 'Ik heb een keer een goeroe van het spreken in het openbaar in de studio gehad en die was zo nerveus toen het voorbij was dat ze naar het toilet rende om over te geven.'
'Dat ben ik niet van plan.'
'Kom op.'
We gingen terug naar de lobby en vervolgens naar buiten. We wandelden. Ik word me uiterst bewust van mezelf als er een aantrekkelijke vrouw in mijn buurt is, dus ik probeerde haar steeds een halve stap voor te blijven en liep ongeveer een meter bij haar vandaan.
'Ik ben niet besmettelijk of zo, hoor,' zei ze.
'Sorry, ik laat me opjagen.'
'Doe wat rustiger aan dan. Je kunt je eigen zenuwen er toch niet uit lopen.'
Ik ging langzamer lopen. Het was bijna zes uur, maar nog steeds licht. Het begon net een beetje af te koelen. Ik had het gevoel dat deze middag eeuwig kon duren, als een grammofoonplaat die blijft hangen en steeds maar weer hetzelfde riedeltje speelt. Lopend in het zonlicht verbaasde ik me over al die dingen die ik het afgelopen half

uur tegen haar gezegd had. Het leek nu al een eeuwigheid geleden.

De KFOC-studio's lagen op de campus van een college, dus we kuierden langs de lage gebouwen en de reclamezuilen vol flapperende circulaires en pamfletten. De rubberbomen waren diepgroen en glanzend en de studenten hadden brede paden uitgesleten over de hoeken van de gazons.

Ik trok mijn jasje uit en hing het over mijn arm. Een koele avondbries drong door mijn overhemd. Terwijl ik net deed of ik mijn jasje wat beter over mijn arm schikte, keek ik naar June Dauer, die iets van me afgewend stond en naar de wolken keek. Dezelfde bries die mijn rug koelde, blies de krullen van haar voorhoofd en toonde haar oren. Ze droeg er kleine, rode robijnen in. Ik stelde me voor dat ik twee handen vol met die steentjes oppakte, ze langzaam over haar hoofd uitstrooide en keek hoe ze dwars door haar krullen en langs haar schouders en benen omlaag vielen, om daar rond haar voeten stuiterend op de grond te kletteren – ik weet niet waarom. Te veel drank, waarschijnlijk.

Of misschien was het HOI. Will had me een en ander verteld over liefde en vrouwen. Hij zei tegen me dat ik naar een zondares met gevoel voor humor moest zoeken. Hij zei dat ik met open ogen de liefde binnen moest stappen en met gesloten ogen het huwelijk. En hij vertelde me dat het ging om HOI.

HOI is Het Onbekende Iets. Sommige vrouwen hebben het, anderen niet. Je ziet het meestal als eerste in hun blik. Het kan ook hun stem zijn. Of hun handen. Je begint het te zien en dan besef je dat ze er helemaal mee besmet zijn. Maar je zult nooit weten wat het nu precies is, want het is Het Onbekende Iets. HOI maakt dat je bij haar terugkomt. En nog eens, en weer. Het is als lijm, maar je zult nooit weten wat het precies is. Mary Ann heeft er een heleboel van.

Ik bleef naar June Dauer kijken, tot ze zich naar mij omdraaide en ik met een verhit gezicht de andere kant opkeek.

Het was duidelijk HOI. Ik zag het in haar gezicht, haar ogen, de rechte, krachtige lijn van haar kin. Ik had het al eerder gezien, maar nooit met zo'n verpletterende helderheid. En zoveel ervan.

'Hoe was de begrafenis, Joe?'

'Heel goed. Dominee Daniel liet een miljoen witte duiven los in de Kapel van het Licht. Toen opende hij het dak en vlogen ze naar buiten.'

'Prachtig.'

'Het was de eerste keer dat ze vlogen.'

'Hoe weet je dat?'

'Ze houden ze tot die tijd in hokken.'

'Wow, de eerste keer dat je je vleugels gebruikt en dat met orgelmuziek en tweeduizend toeschouwers.'

We liepen over een groot plein en stonden toen weer voor de studio. Ze bood me haar hand en ik schudde hem en keek haar aan. In het daglicht was ze nog veel mooier. Haar huid was donker en een beetje vochtig. Haar ogen, die in de studio zwart hadden geleken, waren in werkelijkheid diepbruin.

'Bedankt voor je openhartigheid,' zei ze. 'Je bent heel genereus voor me geweest. En wie weet, Joe? Misschien dat een van die luisteraars ook problemen had. Misschien dat jij hem hebt geïnspireerd om zijn leven weer op te pakken. Haar leven. Wat dan ook. Ik bedoel, je hebt me geholpen een half uur radiotijd in te vullen – dat is mijn werk. Maar misschien heb je nog iets meer dan dat gedaan.'

'Dat hoop ik dan maar.'

Ik reed naar huis, bedacht me toen en reed terug naar KFOC. Het is een rit van ongeveer twintig minuten.

Ik voelde me nogal lullig daar op die parkeerplaats, dus reed ik voor de tweede keer in een uur naar huis. Maar ik voelde me daar op de een of andere manier misplaatst... weggeborgen, dus reed ik *terug* naar de KFOC-studio's en parkeerde opnieuw en slaakte een diepe zucht en liep snel naar de lobby. *Het Onbekende Iets.* Ik zette mijn hoed af en vroeg de receptioniste of ik mevrouw Dauer misschien nog even kon spreken.

De receptioniste leek een beetje in paniek door die vraag.

Maar June Dauer kwam glimlachend door de gang naar de studio op me af. 'Kom mee terug, Joe. Dan nemen we nog een gesprek op band op, voor in komkommertijd.'

'Dat gaat niet,' zei ik. 'Ik kan niet blijven. Ik wilde je alleen maar zeggen dat ik graag een afspraakje met je zou willen maken. Jij mag zeggen wat we gaan doen.'

De receptioniste glimlachte en had het opeens heel erg druk.

June Dauer keek me aan en lachte. 'Het enige waar ik niet van houd, zijn griezelfilms en restaurants waar ze "Happy Birthday" voor je zingen. Maar misschien dat we eerst maar eens een keertje koffie moeten gaan drinken, dan kunnen we elkaar wat beter leren kennen.'

'Ik ben uitermate vereerd.'

'Laten we eerst maar eens afwachten wat je *daarna* denkt.'

We spraken een tijd en een plek af en ik reed naar huis. Ik had het gevoel alsof de banden van mijn Mustang een halve meter boven het asfalt zweefden, hoewel de wagen nog goed bestuurbaar was.

Eerst dacht ik dat het de alcohol was, maar ik was inmiddels broodnuchter. Mijn hart klopte hard en snel, dus draaide ik beide voorramen open en liet de wind naar binnen gieren.

Ik dacht niet aan Will, of de mannen in die auto's, en dat bijna vijf minuten lang.

7

Ik gebruikte die eindeloze zomeravond om iets te doen wat ik al dagen wilde doen, maar waar ik nog niet de kans toe had gekregen.

Terug in mijn kleine huis in Orange reed ik Wills auto uit de garage en zette hem op de oprit naast het huis. Er staat een hek voor die oprit en als dat dicht is, heb je een mooi afgezonderd plekje: het kleine huis, de kleine tuin, de grote sinaasappelboom, de vrijstaande garage, de oprit.

Na mijn begrafeniskostuum te hebben uitgetrokken gebruikte ik de afzondering en het nog lang aanwezige daglicht om de auto te wassen, met de hand, elke centimeter, zowel van buiten als van binnen. Het bloed was onmogelijk uit het bruine leer te krijgen, maar ik deed wat ik kon en ten slotte was er niet veel meer van te zien. De vloerbedekking rechts voorin was doorweekt met bloed en ik zette hem twee keer in de shampoo, liet het intrekken en zette hem toen nog een keer in de shampoo. Helemaal weg krijgen lukte echter niet.

De muffe, vlezige geur van het bloed vermengde zich dus met de frisse aroma's van shampoo en leervet en ik accepteerde dat de auto van nu af aan altijd zo zou ruiken.

Ik voelde me op dat moment heel dicht bij hem. We hadden zoveel uren samen in die wagen doorgebracht. Ik zag hem daar nog steeds zitten, vooroverbuigend om op de snelheidsmeter te kijken terwijl hij me vroeg hoe snel we nu reden en hij zich schrap zette voor een van die bochten die hij zo heerlijk vond. Of terwijl hij zijn aktetas op zijn schoot opende en er in tuurde. Of terwijl hij achterover zat en met samengeknepen ogen naar de wereld daarbuiten keek, met die afkeurende maar ook enigszins hoopvolle blik.

In het langzaam vervagende licht liep ik om de auto heen en ging met mijn vingers over de gladde, zwarte verf. Mooi beest. Ik waste hem elke week tweemaal met de hand, zette hem elke maand in de was en reinigde het motorcompartiment en het chassis om de zestig dagen met een hogedrukspuit. Ik bracht zelf de door Will gewenste modificaties aan, lease-auto of geen lease-auto: ik installeerde de Dinan-chip; verving de standaarduitlaat door eentje die de auto iets meer vermogen gaf en de sedan het geronk verschafte van een Roadrunner uit de jaren '70; verwisselde de zestien inch lichtmetalen velgen voor roestvrijstalen exemplaren. Het enige dat ik niet uitvoerde, waren de vaste onderhoudsbeurten, die een zaak voor het district waren. Ik besloot de auto te houden tot ze hem terugvroegen, ook al kostte hij drie keer mijn jaarsalaris.

Maar aan dat soort zaken dacht ik niet echt toen ik met mijn hand over de zwarte flank van Wills auto ging: ik vroeg me opnieuw af of we gevolgd waren of dat er een hinderlaag voor ons was opgezet.

Leidden of volgden ze ons daarheen?

Ik wilde graag geloven dat ze ons daarheen hadden geleid. Dat ze al wisten waar we uiteindelijk heen gingen: Lind Street in Anaheim.

Hoe hadden ze me trouwens kunnen volgen? Het was avond, maar ik lette wel op de lichten en de auto's om ons heen. Dat deed ik altijd. En toen Will zei dat ik plankgas moest geven, liet ik me dat geen twee keer zeggen. Ik herinner me dat de naald van de snelheidsmeter honderdtachtig per uur aangaf. Hoe hadden twee auto's me bij een dergelijke snelheid nog kunnen volgen zonder dat ik dat had gemerkt?

Idee.

Ik krikte de auto aan de achterkant op. Toen ik daarmee klaar was, trok ik een nieuw paar rubberhandschoenen aan, ging op mijn monteurssleде liggen en rolde tot onder de auto. Niet voldoende licht. Ik duwde mezelf naar buiten, haalde de zaklamp uit de kofferbak en schoof weer onder de auto.

Het chassis was schoon, zoals ik het altijd schoonhield. Ik ging met mijn linkerhand langs de zijkanten van de brandstoftank, de uitlaat, het differentieel. Toen langs de aandrijfas en de achtervering. En als laatste onder de plastic bumper en langs het chassis. En daar vond ik iets dat ik bij aanraking niet herkende.

Het kostte nogal wat moeite om het los te krijgen – twee keer naar de werkbank om de kortste schroevendraaier te vinden die ik had. Net voldoende ruimte.

Uiteindelijk haalde ik het met twee vingers los en legde het op het beton naast mijn hoofd. Ik draaide mijn hoofd om en keek ernaar.

Een kortegolfzender ongeveer ter grootte van een elektrisch scheerapparaat. Ontworpen om op slechts één frequentie uit te zenden.

Een signaal bedoeld voor slechts één ding: gevolgd te worden.

Ik nam de tijd om hierover na te denken. En over Will en Savannah, vijf mannen met geweren, en een miljoen dollar in een tennistas. Zelfs met het zendertje wilde ik nog niet toegeven dat ze me daarheen gevolgd waren.

Ik nam het ding mee naar binnen en bepoederde het in de hoop vingerafdrukken te vinden. Ik experimenteer al sinds mijn twaalfde met het nemen van vingerafdrukken, vanaf het moment dat Will me vertelde dat hij me later graag hulpagent zag worden. Het was niet voor niets geweest. Drie mooie afdrukken – een duim aan de zijkant en twee vingers bovenop. Het verzamelen ervan ging ook perfect: rode harspoeder op wit plakband.

Ik nam het zendertje mee naar buiten en bekeek het eens wat nauwkeuriger. Ik kreeg een akelige gedachte. Aangezien ze wisten dat ik dom genoeg was om er de eerste keer in te trappen, dachten ze misschien dat ik er ook wel een tweede keer in zou trappen.

Misschien had ik dat al gedaan.

Dus gleed ik onder de auto en schroefde hem weer op zijn plaats.

Toen belde ik mijn vriendin Melissa op het lab en vroeg haar opnieuw om een gunst.

Ik haalde Wills zwartleren aktetas uit de brandkast.

Ik rook direct weer de vertrouwde lucht. Vervolgens zag ik de vertrouwde vorm. Ik kon me hem nauwelijks zonder voorstellen: op zijn schoot in de auto terwijl ik reed; in zijn hand terwijl hij een vertrek binnenliep en dat in bezit nam zoals alleen Will dat kon; bungelend langs zijn linkerzij terwijl hij handen schudde en de mensen daarbij recht aankeek en hun stemmen won met die stevige handdruk en enkele welgekozen woorden. Of op het hete asfalt van de parkeerplaats bij het HACF terwijl hij luisterde naar Jennifer Avila die hem zei dat ze van hem hield.

Ja, ik wilde op dat moment heel dicht bij hem zijn.

En het was ook bij me opgekomen dat de reden voor zijn dood daarin kon zitten, iets te maken had met de mensen die hij kende. Dat vooral vanwege iets wat Will me wel duizend keer had voorgehouden: houd van velen; vertrouw slechts weinigen.

Ik nam de aktetas mee naar de garage en stapte in Wills BMW. Ik ging op zijn stoel zitten, zodat het stuur me niet in de weg zat. Ik legde de aktetas op mijn schoot, net als Will altijd deed. Ik knipte het leeslampje aan en opende de aktetas.

Ik bekeek de dagelijkse attributen van het leven van mijn vader: agenda; rekenmachine; chèqueboek; portefeuille; een gele blocnote met zijn handschrift op het bovenste vel; een kleine cassetterecorder; een legermes dat bij het openknippen allerlei gereedschappen openbaarde, van schaar en schroevendraaier tot een kleine zaag; een wegwerpcamera; vier mappen in heldere kleuren met daarin gegevens over diverse projecten; de notulen van de laatste vergadering van de Raad van Districtscontroleurs; de agenda voor de volgende.

In een apart vakje voor pennen en potloden trof ik een sleutel die ik herkende omdat ik precies zo'n zelfde had. Ze pasten beide op een kluis in een bank in Santa Ana.

Ik herinnerde me weer hoe ik hem er drie jaar terug naar vroeg, toen hij me de tweede sleutel gaf.

Nu ik toch die sleutel heb, meneer, wat zit er eigenlijk in die kluis?

Rotzooi. Niets.

Ik stopte de sleutel in mijn zak. Ik zou die kluis een keer moeten uitruimen.

Er zaten twee dingen in de aktetas die ik er niet verwachtte: een foto van ons gezin, genomen toen ik zes was. Hij was niet ingelijst en daarom nogal verkreukeld. Ik zag er de vegen van vingerafdrukken op zitten.

Ik dacht over de tijd dat ik zes was, één jaar in mijn nieuwe leven, me nog steeds afvragend wanneer ik wakker zou worden uit die heerlijke droom van dat huis in de heuvels en die fantastische mensen die niet bang van me waren. Ik voelde nog steeds die eerste steek van liefde terwijl ik geen idee had wat dat was.

Het andere dat me verbaasde was een kleine verzameling krantenknipsels, bijeengehouden door een paperclip. Het waren er zes. En ze gingen allemaal over Luria Blas en Miguel Domingo.

Geen aantekeningen van Will. Alleen maar die artikelen. Ik keek ze even door en legde ze toen weer terug.

Ik pakte de agenda en sloeg hem open op de laatste week van mijn vaders leven.

Ik bekeek zijn afspraken en openbare optredens, zijn lunches en bijeenkomsten van de Raad, zijn publieke en persoonlijke beslommeringen.

Twee afspraken sprongen er uit. Ze waren beide overdag, op een tijdstip dat ik aan het werk was, en over geen van beide had hij iets tegen mij gezegd.

De eerste was een afspraak om twaalf uur met collega-districtscontroleur Dana Millbrae en Carl Rupaski, de directeur van de TA. De afspraak was op dinsdag, in de Grove, de dag voordat Will stierf. Will en Millbrae waren twee leden van de Raad met volkomen tegenstrijdige opvattingen. Millbrae vertegenwoordigde het rijkere zuidelijke deel van het district; Will het armere en veel dichter bevolkte centrum. Ze lagen vaak in de clinch en stemden ook dikwijls tegen elkaar.

De laatste tijd echter had Millbrae Will gesteund bij een paar belangrijke stemmingen betreffende de vervoersproblematiek.

Eentje daarvan stond me nog helder voor de geest. De stemming vond plaats eind mei. Het ging erover of het district al dan niet een van de verliesgevende tolwegen moest aankopen die een paar jaar daarvoor met privé-geld was aangelegd. De weg was twaalf kilometer lang. De tol in de spits bedroeg $ 2,65. Niemand maakte gebruik van die weg. Het consortium dat hem had aangelegd verloor ongeveer duizend dollar per dag. Ze wilden dat Orange County er 27 miljoen voor betaalde.

Will was er mordicus tegen – waarom zou de belastingbetaler voor dat verlies moeten opdraaien? Rupaski was voor de overname geweest, want volgens hem kon zijn dienst goedkoper opereren dan de huidige eigenaars en zou de tolweg rond 2010 winst opleveren. Hij zei dat de tolweg een koopje was en minstens tweemaal zoveel waard was.

Will zei dat alleen Rupaski's vrienden van dat koopje zouden profiteren – het privé-consortium dat de weg had aangelegd – en dat het district niet de aangewezen instantie was om speculanten uit de brand te helpen die dreigden verliezen te lijden.

Rupaski zei dat het weldoeners als Will waren die ervoor zorgden dat het verkeer in het district vast kwam te zitten en dat ze daarmee voor iedereen het leven ellendiger maakten.

Will zei dat Rupaski een buiksprekerspop was op de schoot van de projectontwikkelaars.

Ik herinnerde me die avond nog heel duidelijk.

De Raad van Districtscontroleurs telt zeven leden. En Millbrae zorgde voor het verrassende 'nee' dat het district de aankoop bespaarde van een geldverslindende tolweg van vrienden van Carl Rupaski.

Ik herinner me nog heel duidelijk Rupaski's gezicht na die stemming. Dat van Millbrae ook trouwens. Rupaski zag eruit of hij zojuist op een vishaak was gaan zitten. Dana Millbrae – serieus, zachte stem, onschuldig als een kopje melk – zag er geschrokken, bijna bang uit.

Will had zijn microfoon uitgezet, zijn aktetas dichtgedaan, was van het podium gestapt en gaf mij met een knikje te kennen dat we vertrokken. Op weg terug naar huis had hij zich verkneukeld over de stemming. Hij noemde Millbrae 'Millie' en zei dat Carl Rupaski de grootste boef was die hij ooit was tegengekomen.

Iemand die zijn eigen medewerkers in hun eigen dienstauto's hun zelfgemaakte wetten laat handhaven heeft te veel macht, Joe. Heel goed van Millie dat hij eindelijk eens tegen die klootzak heeft gestemd.

Dat waren zijn woorden, letterlijk. En ik wist op welke auto's hij doelde, want de Transport Authority van Orange County, de OCTA, bezat een vloot splinternieuwe, glimmend witte Chevrolet Impala's met ramen van getint glas die door het district waren aangekocht en werden onderhouden met geen ander doel dan het management van en naar huis te rijden.

Joe, ik ga echt over mijn nek als ik die halfzachte bureaucraten in hun gigantische, benzine slurpende pooierbakken zie rondrijden, zeker als ze ook nog eens getint glas hebben, zodat je niet kunt zien welke smeerlap er achter het stuur zit.

Dit was een van de redenen dat hij een verzoek indiende bij het district – een verzoek dat uiteindelijk werd ingewilligd – tot een verhoging van zijn onkostenvergoeding die hem in staat stelde de gigantische, benzine slurpende pooierbak te leasen waar ik op dit moment in zat. Will zag er zelf ook wel de hypocrisie van in. Hij vertelde me een keer dat als we in een eerlijke wereld leefden, de districtscontroleurs in een GEO reden en dat iedereen bij de OCTA, Carl Rupaski inbegrepen, zou lopen.

Een lunch met hen drieën in de Grove leek me dus nogal vreemd. Will had het er met mij ook niet over gehad. Hij had er achteraf niets over gezegd, hoewel ik me wel herinner dat hij de laatste dagen van zijn leven erg geïrriteerd en zenuwachtig was.

Ben je gewapend?

De andere verrassende notitie in Wills agenda was een middagbespreking met ene Ellen E. op woensdag, de dag dat hij was gestorven. De tijd was twee uur 's middags, de plek een klein Mexicaans restaurant in Riverside, net buiten de districtsgrens.

Ik pakte zijn adressenboekje en bekeek de namen onder de E. Er stond een Ellen Erskine in, met twee telefoonnummers en een adres. Ik kende haar niet, had nog nooit van haar gehoord. Het was een beetje laat om nog te bellen.

Ik bleef nog even in zijn auto zitten en ging met mijn handen over de dingen die hij had aangeraakt, peinzend, vol herinneringen.

8

Ik stond in een observatievertrek achter een grote spiegel naast een van de verhoorkamers op het bureau van de sheriff. Rick Birch opende de deur voor John Gaylen. Ik voelde mijn maag samenkrimpen toen Gaylen het vertrek binnenkwam, zich omdraaide, zijn handen vouwde en mij door de doorkijkspiegel aankeek. Er rinkelde iets in mijn hoofd.

Ik wendde mijn blik af, haalde een keer diep adem en keek weer.

Rinkel.

Ik probeerde het uit mijn hoofd te zetten, alleen maar te kijken en te oordelen. *Mond dicht, ogen open.*

Achter hem stond Harmon Ouderkirk, Ricks partner. Ouderkirk was klein, dik en tegen de veertig. Hij deed met een klap de deur dicht.

Gaylen keek mijn kant op, hoewel hij me niet kon zien. Hij keek naar de videocamera in de hoek. Die staat op een statief; het is een nepcamera die meestal gewoon uit staat. De echte zit verborgen achter het ventilatierooster in de tegenoverliggende muur.

'Je hebt me niet verteld dat dit gesprek zou worden opgenomen.'

IJs kroop omhoog langs mijn ruggengraat. Ik voelde mijn hoofdhuid prikken. De stem – diep en helder, met die merkwaardige, zangerige intonatie.

Hij kwam door de microfoon van de videocamera en werd net voldoende versterkt om hem goed te kunnen horen.

Will! Ah, Will Trona! We moeten praten.

De stem van de moordenaar? Het leek er heel veel op. Maar het was ook heel moeilijk om de precieze klank van die stem te herinneren.

'We nemen niets op,' zei Birch.

'Precies, dat doe je niet.'

‘Draai dat stomme ding dan naar de muur toe als je hem niet gelooft,’ zei Ouderkirk. ‘Trek de stekker er uit.’

Gaylen keek naar de camera, trok toen zijn colbertje uit en hing dat over de lens en de microfoon.

‘Wie zit er achter die spiegel?’

‘Niemand.’

Gaylen keek opnieuw in mijn richting. ‘Hij ziet er ook uit als een niemand.’

Ik ademde zwaar en bekeek hem, probeerde mijn zenuwen in bedwang te houden, probeerde zeker te zijn van die stem. Ik was zo zeker als de herinnering aan een stem me toeliet.

Hij was lang, met een koperkleurige huid en een gezicht dat op een vreemde manier knap was. Hoge jukbeenderen, zware plooien bij de ogen, volle lippen. Zijn ogen waren behoedzaam en snel. Hij droeg een blauw pak met een zilverblauw overhemd en een zilverblauwe, zijden das. Zijn horloge was een Rolex, of een imitatie daarvan.

In de verhoorkamer stond een tafel die was vastgenageld aan de vloer. Vier stoelen, twee aan elke kant, eveneens verankerd. Ze waren oorspronkelijk bruin geweest, maar de verf was bij de randen weg gesleten, zodat het metaal zichtbaar was. Er zitten nog steeds afdrukken van peuken op, uit de tijd dat mensen onder het praten nog rookten. Maar roken was er tegenwoordig niet meer bij. De agenten hadden echter jaren geleden besloten de afdrukken te laten zitten omdat ze dachten dat het sommigen van die griezels nog wanhopiger zou maken te weten dat ze niet mochten roken.

Onder de tafel zit een verborgen knop, vlak voor stoel vier, waarmee je de echte camera kunt activeren, maar Rick had hem al aangezet voor hij hier binnenkwam.

‘Ga zitten, John,’ zei Rick.

Gaylen koos de stoel die met de rug naar de nepcamera stond. De gebruikelijke keuze. Ik had daardoor een onbelemmerd zicht op zijn gelaat op de monitor, plus een goede hoek door de spiegel.

Ouderkirk leunde tegen de deur en sloeg zijn armen over elkaar.

Birch ging tegenover Gaylen zitten en haalde pen en papier tevoorschijn.

‘Woensdagavond, John,’ zei Birch. ‘We hebben een ooggetuige

van de moord op Trona. Hij beweert dat het de Cobra Kings waren.'
'Dan moet je bij hen wezen.'
'Welke?'
'Ik was er niet bij.'
'O, meen je dat nou. Waar was jij dan?'
'Bij een vrouw.'
'Ik zou graag haar naam en adres hebben.'
Gaylen keek naar mij, toen naar Ouderkirk, toen weer naar Birch. 'Ah, ja, dat geloof ik graag, maat.'
Ah, Will Trona!
Birch leunde achterover en tikte met zijn pen op tafel.
'We hebben een goed signalement van de moordenaar van die avond. En dat lijkt heel erg op dat van jou. Hier, luister maar eens.'
Birch bladerde terug in zijn notitieboekje. 'Lang, gemiddeld postuur, overjas of regenjas. Donkere huid, mogelijk Afro-Amerikaans. Rechtshandig. Diepe stem.'
Gaylen staarde naar Birch terwijl hij het voorlas. Hij knikte tweemaal vaag. 'Dat kan op een heleboel mensen slaan.'
'Niet echt. Vijf kerels met lange jassen? Je loopt toch niet voor niets met je clubkleuren te koop? Vijf kerels in lange jassen staat voor mij gelijk aan vijf Cobra Kings.'
'Ik was er niet bij.'
'Wie dan wel? Kom op, help me een handje.'
Gaylen keek hem minachtend aan.
Ouderkirk ging naar buiten en sloeg de deur achter zich dicht.
'Luister eens, John, ik ga jouw mensen hierheen halen. Stuk voor stuk. En dan ga ik hen eens flink doorzagen. Als jij iets weet van die avond, kun je het me maar beter nu vertellen. Na vandaag kun je een aanklacht wegens belemmering van de rechtsgang tegemoet zien, en daar staat drie tot vijf jaar voor. Denk daar maar eens aan: drie jaar zonder die vrouw bij wie je twee woensdagen geleden langs bent geweest. Drie jaar zonder welke vrouw dan ook. Als je iets voor me verzwijgt, John, zul je daar een behoorlijk hoge rente voor betalen.'
Gaylen staarde hem aan.
Ouderkirk voegde zich bij mij in de observatiekamer. 'Is dat hem?'
'Ja. De stem.'

'We kunnen hem niet vasthouden op grond van die stem, Joe. Hoe zit het met zijn gezicht?'

Ik kon mezelf er maar nauwelijks van weerhouden om de verhoorkamer binnen te stormen en John Gaylen zelf voor mijn rekening te nemen.

'De mist maakte zijn gezicht vrijwel onherkenbaar. Maar niet zijn stem.'

'Jammer. Het is volgens mij echt zo'n knaap die twee van zijn mensen overhoopschiet om zijn eigen goedgeklede hachje te redden.'

'Je zou hem kunnen vragen of Sammy Nguyen weet van hem en Bernadette Lee.'

'Dat stuk op de foto?'

'Ja. Ze is Sammy's vriendin. Hij heeft een foto van haar in zijn cel hangen. Hij is een moordenaar met heel veel vrienden buiten de gevangenis.'

'Begrepen.'

We keken toe terwijl Birch verderging met zijn ondervraging. 'John, misschien waren jullie het wel helemaal niet. Misschien waren het vijf knapen die er als jullie uit probeerden te zien. Maar goed, erg waarschijnlijk is dat niet, hè? We houden het dus maar op jullie. We hebben minstens één ooggetuige – een goede. En nog eentje in het ziekenhuis. Cao komt er doorheen, weet je. Taaie rakker. En hij zal maar al te graag praten, denk je ook niet? We weten dat jij hem hebt neergeschoten. Onze getuige, hij heeft alles gezien.'

'Misschien dat jij je eigen vrienden neerschiet, maar ik niet.'

'Kom op, John. Verplaats je nu eens in Ikes positie. Verraden door zijn eigen maat? Als hij je er niet bij lapt, zorgen we wel dat een van je jongens doorslaat, misschien een van die jonge jongens, eentje die jouw plaats wil innemen. Of misschien eentje die jou niet zo mag. En als jouw naam genoemd wordt – wow. Dan zit je echt diep in de ellende. Maar op dit moment ben je nog in een positie om ons te helpen, en jezelf.'

'Jullie te helpen? Dat is op zich al voldoende reden om hier direct op te stappen,' zei Gaylen.

'Je doet maar. De deur is open. Hoe kende jij Will Trona?'

Gaylen schudde zijn hoofd. 'Ik kende hem niet. Ken hem niet.'

'Dat is anders niet wat Will Trona heeft gezegd.'

'Je hebt hem dus weer tot leven weten te wekken?'

'Ik heb zijn agenda gezien.'

Gaylen had enkele seconden nodig om daar een antwoord op te verzinnen. 'Je wilt me toch niet vertellen dat hij ons had genoteerd voor een lunch in de Bamboo 33?'

'Geen namen, John. Alleen maar CK dit en CK dat.'

Gaylens gezicht kreeg een harde trek. 'Waarschijnlijk zijn homovriendje.'

Ik wist dat Birch dit verzon, want ik had elke bladzij van Wills agenda gekopieerd voordat ik die aan hem had overhandigd.

'Ik zie dat persoonlijk toch anders, John. Ik zie het als een aanwijzing. Dat en de signalementen. Nog weer een reden om hier een voor een de Cobra Kings uit te nodigen. Net zo lang aan de ketting rammelen tot er een schakel breekt. Dat is wat ik ga doen.'

Gaylen stond op, liep naar de nepcamera en trok zijn jasje er af. Hij hing het over zijn arm. 'Dan zijn wij verder klaar, neem ik aan.'

'De Kings scalperen, is het niet?'

'Nee.'

'Jawel – jullie laten nieuwkomers een moord plegen voor hun lidmaatschap. Jouw jongens hebben dat zelf verteld, dus het heeft weinig zin het te ontkennen.'

'Ik heb geen idee waar je het over hebt.'

'Misschien dat jullie de opdracht hebben aangenomen om de districtscontroleur te vermoorden. Een aardige gelegenheid om je cv op te vijzelen. Dat zou ook verklaren waarom je hem met zijn naam aansprak. Het zou zelfs kunnen verklaren waarom Trona jou in zijn agenda had staan.'

Gaylen glimlachte. 'Een afspraak maken om jezelf te laten afmaken? Volgens mij zit je te dromen, rechercheur.'

Birch stond op. 'Zo af en toe worden dromen bewaarheid.'

'Slaap dan maar lekker verder. Daar schijn je goed in te zijn.'

'Hoe zit het met die naam en het telefoonnummer van je scharreltje van die avond?'

'Nee. Dan zul je me eerst moeten arresteren.'

'Je zou ons een hoop moeite kunnen besparen.'

‘Ik help geen smerissen.’
‘Waarom ben je dan hierheen gekomen? Toch een beetje bezorgd, nieuwsgierig naar wat we hadden?’
‘Jullie hebben niets.’
‘Wanneer heb jij Alex Blazak ontmoet?’
Gaylen keek Birch aan. ‘Ah, weer iets wat ik niet heb gedaan.’
‘Hoe wist je dan waar je die avond Savannah kon vinden?’
Gaylen schudde zijn hoofd. ‘Je hebt geen enkele reden om mij vast te houden. En hoe meer je praat, hoe meer je dat bewijst.’
Ik zag Ouderkirk weer de verhoorkamer binnen stappen. Hij had iets in zijn hand. ‘Ga je er vandoor?’ vroeg hij aan Gaylen.
‘Er valt hier verder weinig te zeggen.’
‘Misschien toch wel, als Sammy Nguyen hoort van jou en Bernadette.’
Ouderkirk hield de surveillancefoto omhoog van Gaylen en de vrouw.
Gaylen deed een stap naar voren om hem beter te kunnen zien en het was duidelijk dat we hem te pakken hadden. Hij verstarde. Heel eventjes maar. Hij kende waarschijnlijk het verhaal van Nguyen en Bernadette Lees aanbidder lang voordat wij het hoorden. Maar die foto had hij beslist nooit eerder gezien.
‘Dat gaat jullie niets aan. Jullie willen dat ik jullie help je werk te doen en vervolgens verneuken jullie me?’
‘Ja, triest, hè?’ zei Ouderkirk. Hij wierp een blik op de foto, haalde zijn schouders op en glimlachte.
‘Klootzak,’ zei Gaylen. Hij maakte aanstalten te vertrekken. Birch hield de deur voor hem open, terwijl Ouderkirk met de foto wapperde.
‘Is zij jouw alibi, Gaylen?’ vroeg Birch. ‘Wil je ons daarom haar naam niet geven? Weet je, we kunnen natuurlijk besluiten om die foto voor onszelf te houden. Of niet, natuurlijk.’
‘Jullie kunnen allebei naar de hel lopen, of niet natuurlijk.’
Gaylen liep naar buiten, gevolgd door Birch. Ouderkirk keek naar mij en knikte terwijl hij de deur achter zich dichttrok.
‘Ik houd van dit werk,’ zei hij.

*

Birch kwam binnen en vroeg me bij zijn bureau te wachten. Ik wachtte een paar minuten, en vervolgens nog een paar. Ik keek naar de foto van zijn gezin. Vrouw, kinderen, kleinkinderen. Birch zag er gelukkig uit. Op zijn bureau lag een stapel dossiers, een leeg arrestantenregister, een notitieblok met het handschrift van Birch er op. Op het arrestantenregister lag een standaard ondervragingsformulier, leeg. Maar ik kon het ook niet helpen dat ik Gaylens naam, adres en telefoonnummer zag staan op het gele kleefpapiertje dat op het bovenste vel geplakt zat.

Een paar minuten later riep Birch me in een van de lege vergaderkamers.

Hij keek me onderzoekend aan, maar zei niets.

'Hij was het, meneer. Ik hoorde het aan zijn stem.'

'Met alleen die stem komen we niet verder, Joe.'

'Dat begrijp ik. Maar visueel kan ik hem niet identificeren.'

'Dan kunnen we hem niet arresteren.'

'Hij was het, meneer. *Dat is de man die mijn vader heeft vermoord.*'

'Ik geloof je wel. Maar de openbare aanklager kan geen moordzaak beginnen op grond van een stemidentificatie. We zouden nog niet eens door de hoorzitting heen komen. We hebben heel wat meer nodig. Wat *heb* je nog meer, Joe?'

'Ik kreeg een raar gevoel toen hij die kamer binnenkwam, meneer. Nog voordat hij zijn mond opendeed. Maar ik weet dat ik u daar ook niet verder mee help.'

'Nee, inderdaad niet.'

Birch zuchtte, ging zitten en dacht na. 'Als hij de trekker overhaalde, waarom kwam hij dan hierheen om zich te laten ondervragen?'

'Omdat hij brutaal en zelfverzekerd is. Hij heeft er alle vertrouwen in dat de Cobra Kings niet zullen doorslaan. En hij weet dat u niet genoeg hebt om hem direct te arresteren, anders had u dat wel gedaan.'

Birch zweeg even. 'En als hij nu eens gewoon een of andere slimmerik is die echt niets van Will weet? Waarom zou hij dan hierheen komen om met een rechercheur van Moordzaken te praten?'

'Dat is hij niet.'

'Je hebt hem niet gezien! Als hij daar nu eens niet was? Als hij nu eens precies zo'n stem had als de knaap die daar wel was?'

'Het is niet alleen de stem. Het is de manier waarop hij de woorden uitspreekt, meneer. Ik weet niet waarom hij met u zou komen praten als hij onschuldig was.'

'Dan zal ik je dat vertellen. Wat er gewoonlijk gebeurt, is dat als zij het gedaan hebben en weten dat jij hen op hun nek zit, ze er vandoor gaan zolang ze nog de kans hebben. Als ze het niet hebben gedaan, komen ze hierheen om te praten, om te zien hoe jij in kringetjes ronddraait, om je uit te lachen. Gaylen is niet als de gesmeerde bliksem verdwenen. Hij is hierheen gekomen. Sloeg stoere taal uit. Wilde ons de naam en het telefoonnummer van zijn alibi niet geven. Hij was zelfs op tijd.'

Ik wilde dat mijn volgende woorden accuraat zouden zijn, maar het was heel moeilijk om te beschrijven wat ik voelde toen Gaylen die verhoorkamer binnenkwam. 'Hij komt op mij over als een nogal ongewoon iemand, meneer. Ik kan nog steeds mijn reactie niet verklaren toen ik hem zag. Het was als een waarschuwing. Een erkenning. Ik kan het niet omschrijven.'

Birch keek me aan en schudde toen zijn hoofd. 'Ik ga vanavond thuis die video bekijken – daar steek je altijd wel iets van op. Nog één ding, trouwens. Volgens mij is hij bang voor wat Sammy Nguyen met Bernadette Lee zou kunnen doen. Als hij over Gaylen en haar zou horen.'

Ik knikte. 'Gaat u met haar praten?'

'Daar kun je vergif op innemen.'

'Ik kan u haar adres geven. Dat staat in Sammy's brieven aan haar.'

Weer een lange, trage blik van Birch. 'Waarom zou je dat doen?'

'Om te helpen, meneer.'

Zijn gezichtsuitdrukking zei dat hij me wilde geloven, maar het niet kon. 'Ik denk dat jij meer over die avond weet dan je kwijt wilt. Veel meer.'

Ik voelde mijn gezicht warm worden, voelde het littekenweefsel tintelen. Ja, er waren een paar details die ik voor mezelf had gehouden. Wills laatste geheimen misschien, althans, de geheimen die hij met mij had gedeeld.

'Joe, je vader heeft je bescherming niet langer nodig. Dat station is hij gepasseerd. Hij heeft het nu nodig dat jij de waarheid vertelt. En ik zal je nog eens iets vertellen – een hond kan voor eeuwig een geheim bewaren. Maar een man moet leren wanneer hij daar meer kwaad dan goed mee doet. Is dat duidelijk?'

'Ja, meneer.'

'Dat mag verdomme ook wel voor iemand die bij de politie wil.'

'Ja, dat weet ik.'

Hij wachtte nog even en schudde toen zijn hoofd, alsof ik het verkeerde antwoord had gegeven.

Vanuit de beslotenheid van mijn auto belde ik met mijn gsm het telefoonnummer thuis van Ellen Erskine. Geen gehoor, geen antwoordapparaat. Ik probeerde het nummer op haar werk. Een prettige vrouwenstem zei: 'Hillview Kindertehuis,' en ik vroeg naar mevrouw Erskine.

'Ze zit in een vergadering. Kan ik een boodschap doorgeven?'

'Geen boodschap,' zei ik, en hing op.

Het Hillview Kindertehuis, dacht ik, waarom? Een schenking, een verandering in het budget?

Verloren in speculaties die nergens toe leidden, ging ik op weg naar Mod J om op te halen wat Sammy Nguyen me beloofd had.

Gary Sargola, de zogenaamde Diepvriesmoordenaar, eiste een dokter omdat zijn door aderontsteking opgezwollen been ondraaglijke pijn deed. Het was niet aan mij om daarover te besluiten, dus vertelde ik het aan brigadier Delano.

'Laat hem nog maar even lijden,' zei hij. 'Dat arme kind in de diepvrieskast heeft ook heel wat geleden. Mooie hoed, trouwens.'

Dave Hauser, de voormalige hulpofficier van justitie die samen met de knaap die hij vervolgde een drugshandeltje opzette, liet me een foto van zijn pasgeboren dochtertje zien. Dave zat nu vier maanden in de gevangenis en zijn dochter was ongeveer twee dagen oud. Haar naam was Kristen. Dave zei dat als hij vrij zou komen, hij met het hele gezin naar Tahiti zou vertrekken. Hij had daar een stukje land, niet ver van Brando.

Dr. Chapin Fortnell lag snikkend op zijn bed. Toen ik hem vroeg wat er aan de hand was, rolde hij om en keek me met rood gezwollen ogen aan. 'Ik kan het niet meer aan, Joe.' Later hoorde ik dat een van de zes jongens die de goede doctor volgens de aanklacht had gemolesteerd, zich had opgehangen.

Serieverkrachter Frankie Dilsey zat in het dagverblijf naar een soap te kijken. Hij draaide zich naar me om toen ik langsliep en wees glimlachend naar de actrice op het scherm. *'Daar gaat het allemaal om, Frankenstein. Dat mokkel daar, heerlijk toch?*

En meer van die onzin.

Mijn werk.

Ik keek hoe ze die middag een nieuwe gevangene binnenbrachten, die de cel naast die van Sammy kreeg. Het was een aan speed verslaafd lid van een motorbende, genaamd Grote Mike Staich, die waarschijnlijk met een machete het hoofd van een politieverklikker had afgehakt en dat een paar weken bij zich had gedragen in een kussensloop vastgebonden aan zijn motor. Een motoragent had een paar kilometer achter hem aangereden, was bij een rood licht naast hem komen staan, had het hoofd geroken en hem van zijn motor getrokken. Ze hadden Staich bij zijn opname kaalgeschoren. 'Te veel luizen om er met zeep uit te wassen, maat.' Hij had tatoeages in zijn hals, helemaal tot aan zijn kin. De middelvinger van zijn rechterhand ontbrak. Hij mat zeker één negentig, met een enorme buik en korte, kromme beentjes, alsof ze waren ontworpen om tien uur per dag om een benzinetank heen geklemd te zitten.

Hij vroeg wat ze allemaal vragen. 'Wat is er verdomme met dat gezicht van jou gebeurd?'

'Zoutzuur.'

'Je ziet er niet uit, man. Waarom laat je je niet opereren?'

'Dat is al acht keer gebeurd.'

Daar dacht hij even over na. Hij knikte. 'Je moet er een tatoeage op aanbrengen, man. Een grote schedel met een zwaard er doorheen, of een leeuw met een open bek, dan ziet niemand meer wat er onder zit. Ik ken een knaap in Stanton die er heel goed in is.'

'Bedankt voor het advies.'

In de volgende cel lag Sammy Nguyen op zijn bed en staarde zoals gewoonlijk naar de foto van Bernadette. Toen ik bleef staan om met hem te praten, gedroeg hij zich nors en vijandig en klaagde erover dat we zijn nagelknipper voor de hond hadden geconfisqueerd en niet meer hadden teruggegeven.

'Er is hier toch helemaal geen hond?' zei ik.

'Ja, dat ziet elke gek, Joe. Ik gebruik hem voor mijn eigen nagels. Het is de enige manier om ze onder de juiste hoek te knippen, om ze er precies goed uit te laten zien. Dat kun je aan elke schoonheidsspecialiste vragen. Misschien dat jij hem me terug kan bezorgen.'

'Je bent me nog steeds iets schuldig voor die rattenval.'

Hij keek me verbaasd aan. 'Ik jou iets schuldig? Wat dan?'

'Alex Blazak.'

Sammy zag er plotseling een stuk opgewekter uit. Hij wierp een kushandje naar Bernadettes foto en kwam toen naar de tralies. 'O ja, dat was ik helemaal vergeten.'

'Je hebt het ook zo druk,' zei ik.

Daar moest hij om lachen en ik glimlachte met hem mee.

'Goed, daar gaan we dan,' zei hij. Hij keek als een samenzweerder naar links en vervolgens naar rechts. Toen boog hij zich zo dicht mogelijk naar de stalen tralies van zijn cel. 'Weet je wat een couturier is?'

Ik knikte.

'Zijn vriendin is zo iemand. Ze heeft een winkel aan Laguna Canyon Road, vlakbij die grote antiekwinkel. Christy of Christine of zoiets. En haar achternaam is Sands. Zoals van zand op het strand.'

'Mooi,' zei ik.

'Zorg dan dat ik mijn nagelknipper terugkrijg.'

'Ik zal eerlijk tegen je zijn, Sammy – de hoofdinspecteur zal van zijn leven geen nagelknipper voor honden in de cel toelaten.'

Hij haalde zijn schouders op en trok een gezicht. 'Die hoofdinspecteur van jou kan mijn rug op, Joe. Ik heb jou Christy Sands gegeven, dus zorg jij nu maar dat mijn nagelknipper terugkomt.'

'Dat kan ik niet doen.'

Terug naar de verongelijkte houding, een heel overtuigend staaltje toneelspel. 'Geef me dan een betere val om die rat mee te doden. Ik heb hem de afgelopen twee weken elke nacht gezien. Kijk.'

Hij wees naar de vloer. Ik zag de plastic rattenval met het plakband op de bodem. Hij zag er ongebruikt uit.

'Ik zal kijken of ik een betere val voor je kan vinden.'

Hij schonk me een gekwetste blik en klom toen weer op zijn bed. 'En zorg dat het dit keer een goede is. Een van die grote, niet zo'n ding voor muizen. Voor *ratten*.'

Grote Mike Staich, die rechts van Sammy gehuisvest was, begon zich er nu ook mee te bemoeien.

'Verpletter dat stomme beest toch gewoon,' gromde hij. Een muur scheidt de gedetineerden van elkaar. Ze konden allebei mij zien, maar niet elkaar.

Sammy zuchtte en keek me aan met een uitdrukking die zei: waarom heb je in vredesnaam zo'n lulhannes naast me neergezet?

'Hé, rattenman,' zei de reus. 'Ik heet Mike. Ik zit hier omdat ik iemand zou hebben onthoofd en zijn kop in een zak heb gestopt. Alsof ik zo stom zou zijn.'

'Waarom heb je hem in een zak gedaan?' vroeg Sammy.

'Ik heb het niet gedaan.'

Sammy keek me vol walging aan. 'Ik ben Sammy Nguyen,' zei hij kortaf. 'Ik zit hier omdat ik een smeris heb vermoord die ik nog nooit van mijn leven heb gezien. Als ik vrijkom wegens onterechte vrijheidsberoving, ga ik deze tent aanklagen tot ze weer bankroet zijn. Iedereen hier, behalve Joe, want dat is een fatsoenlijke kerel.'

'Wie is Joe?'

'Die staat vlak voor je neus.'

'O, je bedoelt Frankenstein.'

'Het is littekenweefsel,' zei Sammy.

'Het ziet er uit als koeienpoep die nog niet droog is. Neem nou maar zo'n tatoeage, jongen, en vergeet die hoed verder.'

'Ik zal er over nadenken.'

'Een tatoeage zal niet voldoende zijn,' zei Sammy. 'Hij heeft nog een operatie nodig.'

'Hij heeft er al acht gehad.'

Zelfs de gedetineerden praten over me alsof ik er niet ben.

Mijn werk.

Maar dat was het goede aan mijn baan – ontmoetingen met interessante mensen, nieuwe en bijzondere vrienden maken.

Het slechte was de verveling en de voortdurende ruzies, de leugens. De niet ophoudende stroom slechte grappen over mijn littekens. Ik had al in geen weken een leuke grap gehoord.

Ik wilde hier weg. Ook al deed het me dan in zekere zin aan mijn jeugd denken, toch wist ik dat ik hier weg moest.

De gemiddelde tijd die een hulpagent in Orange County in de gevangenis moet werken, is vijf jaar. Dus wat zeurde ik nou. Ik had er al bijna vier jaar op zitten. Maar nog steeds voelden elke acht uur aan als levenslang.

En geen tijdsvermindering wegens goed gedrag. Dat is alleen de gedetineerden beschoren.

9

Ik wist niet wat ik moest verwachten van een vriendin van Gekke Alex Blazak, maar Christy Sands voldeed er in ieder geval niet aan. Sammy Nguyen had haar naam verkeerd, maar de lokatie klopte precies.

Ze was een paar jaar ouder dan Alex – halverwege de twintig, schatte ik. Lang en aantrekkelijk, met hoge jukbeenderen en een pony en de rest van haar dikke, blonde haar recht afgeknipt op de schouders. Ik voelde de energie die ze uitstraalde.

Ze nam er de tijd voor om mij te bekijken. Ze bestudeerde mijn gezicht en wendde haar blik niet af.

'Mooie hoed.'

'Dank je.'

'Probeer deze eens.'

Ze schoot de kleine winkel door en kwam terug met een roestbruine vilten gleufhoed met een roomkleurige band er omheen. In de twee seconden die ze daarvoor nodig had, wierp ik een blik in de zaak. Vier rekken met jurken, enkele planken langs de wanden met sweaters. Achterin stond een grote tafel met daarop drie verschillende naaimachines, en voorts drie paspoppen met half afgemaakte kleding. Overal lagen schetsen en tijdschriften en scharen.

We wisselden onze hoeden uit en ik zette de hare op. Ze bracht haar hand omhoog en schoof hem iets naar achteren. Ze wiebelde met een pen tussen haar tanden, deed een stapje achteruit en observeerde me.

'Perfect,' zei ze. 'Hier.'

Ze trok me aan mijn arm mee naar een manshoge spiegel. Ik hoorde haar zachtjes neuriën. Ik vond de hoed ook goed staan. Ze knikte ernaar.

'Ik moet met u praten over Alex en Savannah,' zei ik.

'Ik weet wie je bent en ik weet dat je bij de politie bent.'

'Nou, eigenlijk ben ik gevangenisbewaarder.'

'Daar zie je anders niet naar uit.'

'Nou, bedankt, neem ik aan. Waar het om gaat, mevrouw Sands –'

'Chrissa.'

'Chrissa, ik ben hier niet als politieman. Ik probeer alleen maar Savannah Blazak te vinden.'

'Ja,' zei ze zacht. 'Jij en de rest van de wereld.'

'Misschien kunnen we even gaan zitten en een minuutje praten.'

'We zullen wel wat langer nodig hebben dan een minuut. Laten we gaan lunchen. Ik moet hier even weg.'

We ruilden de hoeden weer en zij zette de roestbruine op. Ik vond hem goed staan bij haar jeans en witte T-shirt en gele blazer. Ze schoot achter de naaitafel en kwam terug met een tasje over haar schouder en een grote bos sleutels in haar hand. Haar zonnebril had een zilveren montuur en kleine glazen.

'Jij rijdt,' zei ze.

We gingen naar buiten en ze zwaaide naar twee kerels bij een bushalte niet ver van de oprit naar de parkeerplaats. Ik had altijd gehoord dat Laguna Beach zo'n vriendelijk stadje was, maar de twee kerels deden geen moeite om haar groet te beantwoorden.

'Klootzakken,' zei ze, terwijl ze haar veiligheidsgordel vastklikte.

'Wie zijn dat?'

'Doet er niet toe.'

We zaten aan een plastic tafel op een grote patio met uitzicht op het strand. De golven waren klein en fel en luid als ze op het zand uiteen spatten. Het was een beetje heiig en over het water lag een glans als van kwik in vertraagde beweging. Er waren maar weinig mensen in het water, maar het strand lag vol zonaanbidders.

Chrissa Sands sloeg een Bloody Mary achterover en bestelde er nog een. Ze vertelde me dat Alex en Jack Blazak elkaar al bijna vijf jaar 'verachtten'. Jack had perfectie van zijn zoon verwacht; Alex had 'de zweep gevoeld' en daarop gereageerd met rebels gedrag. Ze zei dat Alex inderdaad een beetje gestoord was – niets ernstigs, volgens haar – gewoon de bereidheid om meer risico's te nemen dan de gemiddelde verwende, rijke jonge man. Zeker, Alex hield ervan om stoer te doen.

Hij was gek op zijn geweren en messen en andere wapens, maar als je hem wat beter kende, was hij echt een heel geschikte jongen. Zou nooit iemand kwaad doen, nog geen dier. Was vegetariër, at nooit iets wat een gezicht had. De wapens waren meer iets om naar te kijken, net zoals andere mensen naar kunst keken. Ze vormden een manier om geld te verdienen. Alex had een zwaard dat voor Napoleon was gemaakt en dat later door Hitler aan Himmler was gegeven, of omgekeerd, daar wilde ze even vanaf wezen. In ieder geval was het zo'n half miljoen waard. Maar Alex was 'beslist niet gewelddadig of agressief'.

'Het is gewoon een lieve jongen,' zei ze, terwijl er een traan opwelde. 'Hij kwam op een dag mijn winkel binnenlopen, op zoek naar iets voor zijn moeder, zegt hij. Hij heeft een met goud beslagen pistool in zijn aktetas – vertelt me er van alles over, hoe het in het bezit is geweest van een of andere Japanse admiraal – maar hij is nu op zoek naar een verjaardagscadeautje voor mamma. Ik wilde hem omhelzen. Zo... lief. Gedraagt zich als een stoere bink, maar dat is hij niet. Hij heeft aansporing nodig om de juiste dingen te doen. Hij moet beschermd worden tegen foute types. Ik heb geprobeerd dat voor hem te doen. En als je eenmaal zijn aandacht hebt, is dat een heerlijk gevoel, omdat hij zo intens is, zo bezield. Ik bedoel, nou ja, ik ben eigenlijk hetzelfde... we zijn beiden een beetje een buitenbeentje, denk ik, maar dan op de goede manier. Tenminste, dat hoop ik.'

Ik gaf haar een van mijn zakdoeken met monogram. Ze depte haar ogen en glimlachte.

'Mijn god, wat heerlijk dat er nog mannen met goede manieren bestaan. Zakdoeken zijn zo te gek eigenlijk. Ik zou er zelf iets mee moeten doen. Ik was deze en dan krijg je hem terug.'

'Dat hoeft niet.'

Ze glimlachte, zwaaide met de zakdoek naar me en legde hem toen naast mijn hand op het plastic tafeltje.

'Joe, jij bent zo verschrikkelijk braaf. Maar ik mag dat wel. Het is oké. En nu maar wachten tot je dankjewel zegt.'

Dat deed ik niet, maar ik moest wel glimlachen, want de woorden lagen al op mijn lippen.

'Wanneer heb je Alex voor het laatst gezien?'

'Wacht, dat moet ik even nakijken.' Chrissa trok haar tas bij en begon er in te rommelen. Er viel een pakje papieren zakdoekjes uit. Ze zocht op de bodem, haar arm tot de elleboog in de tas, en kwam uiteindelijk op de proppen met een klein boekje. Op de kaft stonden zonnebloemen van Van Gogh. Ze opende het en bladerde erin.

'Zondag, tien juni.'

'Waar?'

'We hebben elkaar daar ontmoet, in de lounge van het hotel.'

Ze knikte naar de donkere ramen van het Laguna Hotel, iets ten noorden van ons. Ze bleef even die kant op staren. Ik volgde haar blik naar het plankenpad op het strand en naar de twee kerels naar wie ze bij het verlaten van haar winkel had gezwaaid. De een keek naar het strand, de ander keek naar ons.

Chrissa schoof haar gleufhoed naar achteren, zette haar zonnebril af en pakte mijn zakdoek om nog een keer haar ogen te deppen.

'Er is iets... goed fout.'

'Begin bij het begin en vertel me er alles over.'

'Kunnen we niet een eindje gaan lopen? Ik kan hier niet tijdens het eten over praten.'

Ik betaalde voor de drankjes en we liepen omlaag naar het strand. Toen we op het plankenpad waren, sloegen we af in noordelijke richting, maar Chrissy's onvriendelijke vrienden waren verdwenen.

'Dit is beter,' zei ze. 'Oké, Alex was op zondag bij mij, dat is zo'n beetje vaste prik. Hij ging laat naar huis, ook niets bijzonders. Maandag heb ik hem niet gezien, hoewel we dan vaak met elkaar gaan lunchen. Alex komt dan naar de winkel, we gaan wat eten, drinken wat en dan brengt hij me terug naar de studio. Nou, die maandag belde hij, zei dat hij wat dingen te doen had en geen tijd had om te lunchen. Hij was vaag, maar wel opgewonden; voelde zich goed, leek me. Die avond belde hij. Hij klonk volkomen opgefokt. Hij zei dat hij met een zaakje bezig was, geen details, maar we zouden wel een half miljoen dollar rijker zijn. Hij zegt wel vaker dat hij een klapper gaat maken, dat vindt hij leuk, maar tot nu toe is dat nooit gebeurd. Hij vindt het ook leuk om geheimzinnig te doen. Dat geeft hem het gevoel dat hij de touwtjes in handen heeft. Hoe dan ook, Savannah was bij hem op bezoek en hij gaf haar de telefoon en ik praatte ook even met haar. Ze wilde altijd weten waar ik mee bezig was – wat voor jurken en blouses en zo. Ik vertelde haar over die zomerjurk met dollars van goudlamé er op. Toen vertelde Alex me dat hij het de komende paar dagen heel druk zou hebben, maar dat ik me geen zorgen hoefde maken. Dat deed ik ook niet, tot die kerel de volgende dag mijn studio binnenstapte. Dat moet dinsdagochtend geweest zijn.'

'Bo Warren.'

'Ja. Hij zei dat hij gestuurd was door dominee Daniel Alter, omdat de dominee met mijn vriendje wilde praten. Meneer Warren leek zich zorgen te maken over Alex. Het is van het allerhoogste belang dat zijn baas met mijn vriendje praat. "Van het allerhoogste belang" waren letterlijk zijn woorden. Hij zegt dat ze naar hem op zoek zijn, maar hem nergens kunnen vinden. Of ik hem niet kan helpen?'

We liepen enkele ogenblikken zwijgend verder, terwijl Chrissa Sands naar een basketbalwedstrijd op het hoofdstrand keek. Ze wierp een blik achter ons en keek toen weer naar mij.

'Heb je dat gedaan?'

'Ik heb met mijn gsm dominee Alters kantoor gebeld en werd eindelijk met hem doorverbonden. Ik had hem op tv gezien, maar nooit eerder met hem gepraat. Hij was heel rustig en vriendelijk. Hij vertelde me dat Bo Warren zijn hoofd beveiliging was en dat hij het zeer op prijs zou stellen als ik mee zou werken. Hij zei dat ze probeerden Alex te helpen. Dat maakte me ongerust.'

'Dus je praatte met Warren?'

'Ja. Ik vertelde hem waar Alex meestal rondhing, waar hij zich terugtrok. Hij vroeg me of ik met hem gepraat had en ik vertelde hem wat ik daarnet tegen jou heb verteld over dat telefoongesprek. Hij vroeg naar Savannah. Ik vertelde hem dat ik haar ook gesproken had. En ik bleef maar vragen wat er aan de hand was, maar daar wilde hij niets over zeggen. Alleen maar dat Alex wel eens in de problemen kon zitten en dat dominee Daniel Alter hem wilde helpen. Hij wilde in mijn salon rondkijken, alsof ik iets voor hem verborg. Ik liet hem zijn gang gaan. Later ontdekte ik dat hij ook naar mijn huis in de stad was geweest. Er had daar in ieder geval een uur lang een roodwitte Corvette voor de deur gestaan, en dat is precies zo'n auto als waar hij in rijdt. We hebben een paar maanden geleden last van inbrekers gehad, dus de buren houden elkaars huizen in de gaten. Hij gaf me zijn visitekaartje, met op de achterkant nog twee extra telefoonnummers. Hij vroeg me om onmiddellijk te bellen als ik wist waar ze Alex konden vinden. "Sneller dan onmiddellijk" was wat hij zei. Tegen de tijd dat hij vertrok, was ik volkomen overstuur. Hij is heel erg intens, maar dan op een negatieve manier.'

'Heb je het visitekaartje bij je?'

Ze zocht in haar tas en gaf het aan me. Op de voorkant stond het logo van de Kapel van het Licht, met daaronder Warrens gegevens. Op de achterkant had hij met de hand nog twee telefoonnummers opgeschreven. Ik noteerde ze in mijn opschrijfboekje.

'Alex belde die avond – dinsdag moet dat geweest zijn. Hij vroeg me naar het strand voor het Laguna Hotel te komen. Het was laat, rond middernacht. Savannah was bij hem. En een nieuwe vriend van Alex, Tony genaamd. Een al wat oudere kerel. Maar goed, Alex was heel... nou ja, onrustig. Hij is soms overdreven achterdochtig, denkt dat mensen hem willen pakken, maar die avond was hij bijna paranoïde. Ik probeerde hem te vertellen over die Warren, maar die scheen hij al te kennen. We wandelden een stukje langs het water. Savannah en Tony liepen een eindje achter ons. We bleven staan bij die muur met die beschildering er op en Alex omhelsde en kuste me. Ik kon zijn bezorgdheid bijna voelen. Hij zei dat hij een paar dagen, misschien zelfs wel een paar weken, weg zou zijn. Maar als het voorbij was, zouden we goed in het geld zitten. Dat waren de woorden die hij gebruikte, "in het geld zitten". Hij nam min of meer afscheid van me. Hij vertelde me dat als er mensen naar hem vroegen, ik hen aan het lijntje moest houden. Daar was het natuurlijk al te laat voor, want ik had met die Warren gesproken.'

We bereikten de trap en klommen omhoog naar Heisler Park. Sommige rozen stonden al in bloei en ze staken scherp af tegen de blauwe oceaan. We liepen langs een restaurant en een uitkijktorentje op een klif. Ze keek achter ons en slaakte een zucht. De vrienden waren terug en deden alsof ze de rozen bewonderden.

Ze schudde haar hoofd. 'De volgende ochtend, woensdag, werd ik door een auto gevolgd naar mijn werk. Die middag, toen ik naar

Santa Ana reed om wat stoffen te bekijken, zag ik diezelfde wagen weer in mijn spiegeltje. Toen ik daarna thuiskwam en de stad in liep om ergens wat te eten, zag ik hem opnieuw. Hij stond in mijn straat geparkeerd. Twee kerels volgden me Laguna in, zaten aan de bar terwijl ik at, volgden me naar huis.'

'Beschrijf die wagen eens.'

'Wit, nieuw en een Chevrolet. Op de kofferbak zat een logo, een springend hert of zoiets. Ik liep er vlak langs toen ik terugkwam van het eten. Bovenop zaten schijnwerpers, maar verder geen emblemen. Het leek wel een politiewagen, maar dan zonder de uiterlijke kentekenen.'

'Dat hert is een impala.'

'Nou, het was in ieder geval een lelijk groot geval. Die auto, bedoel ik.'

'En de mannen?'

'Kijk zelf maar. Ze lopen daar achter ons, die rozenliefhebbers.'

Ze negeerden ons toen ik naar hen keek. Een van de twee was ouder, rond de vijftig. De ander was half zo oud – ergens in de twintig. De jonge knaap was groot en droeg een pak met stropdas. De oudere was nog groter. Hij had een wit overhemd met korte mouwen aan, met daarop een brede stropdas en met een broek die vreemd glansde in de zon. Tussen broek en overhemd was een stuk buik te zien.

Mijn eerste gedachte was dat het maten van Steve Marchant waren. Maar deze kerels zaten al sinds dinsdag de twaalfde achter Chrissa aan, twee dagen voordat ook maar iemand de FBI verteld had dat Savannah uit Blazaks huis verdwenen was.

Mijn tweede gedachte betrof hun auto's: opzichters van de Transport Authority. Carl Rupaski's mannen? Maar dat leek een onzinnige gedachte.

'Ik hoef je niet te zeggen, Joe, dat toen die engerds me begonnen te volgen, ik wist dat er iets slechts aan de gang was. Alex had me gezegd me geen zorgen te maken, maar dat valt op deze manier niet mee.'

Ze zei dat Alex op woensdag niet gebeld had, en ook niet op donderdag.

'En toen,' zei ze, 'keek ik donderdagavond naar het nieuws en besefte ik dat Alex' vriend Tony Will Trona was. Ik herkende hem.'

Dit had ik niet zien aankomen. Maar ik herinner me die dinsdagavond: Will had me niet nodig gehad, want hij wilde thuisblijven bij Mary Ann. Maar hij had dus wel om middernacht afgesproken met Alex en Savannah.

'En natuurlijk was het andere grote nieuws die avond dat over Jack en Lorna, en ik hoorde toen dat Savannah *maandagochtend was ontvoerd.* Ik begreep er helemaal niets van. Ze klonk goed toen ze mij door de telefoon sprak. Er was niets aan de hand toen ik haar dinsdag op het strand zag, met Alex en jouw vader. Dus belde ik Jack en Lorna. Ik legde uit wie ik was. En ik vertelde hun dat Savannah er dinsdagavond prima uitzag – ze was bij hun zoon. Ik dacht dat dat wel goed nieuws voor hen zou zijn. Fantastisch nieuws. Maar Jack leek niet bepaald geïnteresseerd. Hij klonk nogal achterdochtig, alsof ik op de een of andere manier verantwoordelijk was. Hij zei dat hij de volgende ochtend de FBI bij me langs zou sturen. Het was heel vreemd. Ik wist dat Jack zijn zoon haatte – en als gevolg daarvan misschien ook mij – maar ik had het over zijn dochter. Zijn zogenaamd ontvoerde dochter. Ik kon er geen touw aan vastknopen. Nog steeds niet.'

'Misschien dat ik je een eindje op weg kan helpen. Het verhaal van de Blazaks zelf is dat Alex zijn zus ontvoerd heeft en een miljoen dollar losgeld voor haar eiste.'

Ze bleef staan, keek me aan en schudde haar hoofd. 'Gelul.'

'Dat is de reden dat Bo Warren die ochtend bij jouw winkel langskwam, in plaats van de FBI. Omdat de Blazaks besloten stilletjes het losgeld te betalen, zonder de politie erbij te halen, zo Savannah terug te krijgen, om vervolgens hulp voor Alex te zoeken.'

'Jack Blazak en hulp zoeken voor Alex? Van zijn leven niet. Ja, misschien om zijn reputatie wat op te poetsen. Ik heb tegen Jack gezegd dat Savannah niets mankeerde. Ze zag er zeker niet uit als iemand die ontvoerd is, zoals ze hier over het strand liep met haar broer en mij en jouw vader.'

Ik dacht hier over na, maar kon er geen chocola van maken. Waarom zou Jack blijven volhouden dat zijn zoon zijn dochter had ontvoerd terwijl hij aanwijzingen had dat er met haar niets aan de hand was? Waarom zo gretig om een miljoen zuurverdiende dollars weg te geven?

'Joe, het is onmogelijk dat Alex zijn zus heeft ontvoerd. Dat heeft hij niet gedaan.'

Ze bracht een duimnagel naar haar tanden en draaide zich om naar de oceaan. Het zonlicht deed haar haar oplichten, maar haar gezicht lag nog steeds in de schaduw van de hoedrand. Ik zag de strakke lijnen rond haar mond terwijl ze op die nagel kauwde.

'Niet afbijten, Chrissa. Daar verander je niets mee, behalve misschien je duim.'

Ze hield op. 'Materialistische mensen. Grove mensen. Inhalige mensen. Ze maken me doodziek. En woedend. Om vervolgens Alex de schuld te geven. Goed, Alex is mijn vriendje. En vriendjes zijn nu eenmaal per definitie onschuldig. Hij heeft me nooit veel over zijn handeltjes verteld, maar hij heeft beslist zijn zusje niet ontvoerd. Alex en Savannah hebben juist een heel sterke band.'

'Maar waar was hij dan wel mee bezig?'

Chrissa zuchtte en keek me met samengeknepen ogen aan. 'Met geld verdienen. Iets waarmee hij zijn vader kon kwetsen. Verder weet ik het ook niet.'

Ik keek achter me naar Chrissa's vrienden, die snel bleven staan en de andere kant uitkeken.

'Dus je hebt Bo Warren verteld waar Alex zoal uithing.'

Haar ogen twinkelden toen ze me aankeek. 'Ik heb hem niet alles verteld. Die Bo Warren straalt echt een heel verkeerde energie uit – het kan me niet schelen voor wie hij werkt. Zijn wangspieren trillen als hij ademhaalt. Hij geeft me de kriebels, dus ik... ik heb niet echt tegen hem gelogen, ik ben alleen een paar dingetjes vergeten.'

'Kun je ze voor mij misschien niet vergeten?'

'Je hebt de Rex in Newport, maar ik kom daar al een week lang elke dag en ik heb hem niet gezien. En de lounge van Surf and Sand, maar ik ken de pianist daar en heb hem gevraagd mij een seintje te geven als hij Alex zag, en dat heeft hij niet gedaan. Alex komt ook graag in de Four Seasons. Maar hij is daar ook niet geweest, want ik ken een paar van de obers. Hij houdt van het Ritz-Carlton. Hij gaat vaak naar dergelijke tenten. Hij kent er de mensen. Dat zijn zijn...

stekkies. Hij gaat er naar toe, handelt wat zaakjes af, hangt een beetje rond.'

Ze keek me streng aan en zuchtte. 'Hij heeft ook een een pakhuis waar bijna niemand iets van af weet. Vol met rare spullen.'

'Ze zijn daar geweest. Lorna gaf me het adres.'

Ze schudde haar hoofd en keek de andere kant op.

Ik vroeg haar naar de drie plekken waar Alex en Savannah de afgelopen vier dagen waren gesignaleerd – Rancho Santa Fe, Big Bear, Hollywood.

'Nee,' zei ze.

Nieuw terrein, dacht ik. 'Hij vertrouwt de oude plekken niet meer.'

Ze schudde haar hoofd. 'Hij heeft een zesde zintuig voor dergelijke dingen. Soms is het paranoia, maar vaak heeft hij ook gelijk. Ik ben op die oude plekken geweest en heb naar hem gevraagd. Niets. Ik denk dat hij zo slim is geweest iets nieuws te zoeken.'

'In wat voor auto rijdt hij?'

'Een zwarte Porsche Carrera. Waarvan hij bijna net zoveel houdt als van mij.'

'Dat betwijfel ik.'

'Zie je wel, als je wilt kun je best grapjes maken.'

'Nee, ik –'

'Ik weet het, je meende echt wat je zei.'

'Ja, echt.'

'Je bent hopeloos.'

Dat begreep ik niet, maar het leek me ook niet van belang.

'Wat heb je de FBI verteld?'

'Wat ik ook al aan Warren verteld heb. Ik wist al direct dat hij haar niet heeft ontvoerd. Maar zolang zij denken dat hij dat wel heeft gedaan, zal ik hen niet meer helpen dan strikt noodzakelijk. Maar man, als zij je ondervragen, word je ook echt doorgezaagd. Ik zat die dag urenlang in een of ander kantoor in Santa Ana met ene Steve. En de volgende dag nog eens een uur. En afgelopen donderdag nog weer een uur. Ik moest van hen van die grote bandrecorders naast mijn telefoons zetten – naast beide – thuis en op de zaak. Óf dat, óf een aanklacht wegens tegenwerking van de justitie. Zodra er eentje overgaat, beginnen ze met opnemen en dan hebben ze ook nog zo'n apparaatje dat het nummer doorgeeft vanwaar er wordt gebeld. En dan zijn er nog die grote witte auto's die me overal heen volgen. Stomme hufters. Ik heb hen Pak en Buikmans genoemd. Ze zwaaien zelfs niet terug. Ik heb de FBI over hen verteld, maar dat heeft kennelijk niets geholpen, want ze hangen nog steeds als vliegen om me heen. Ik denk er al over om de winkel te sluiten en een maand naar de Fiji-eilanden te verkassen. Ik kan niet slapen, niet eten, het enige dat ik kan doen is werken en drinken. Ik mis mijn kerel. Ik mis mijn leven. Man, ik word er doodmoe van.'

'Volgens mij kun je inderdaad beter naar Fiji gaan.'

'Ik laat Alex niet in de steek. Hij mag dan een beetje een rare zijn, maar misschien heeft hij me nodig. Maar laat ik je dit vertellen... nog een paar weken zo en ik ga echt heel kwaad op iemand worden.'

'Kent Alex een zekere John Gaylen?'

Ze dacht even na en schudde toen haar hoofd. 'Niet dat ik weet. Maar Alex kent heel veel mensen.'

Ik keek weer naar de twee mannen. 'Ik zal eens kijken wat ik aan die twee knapen kan doen. Als ze officiële opzichters zijn, zal dat niet veel zijn.'

'Zc zijn nict bcpaald klcin.'

'Dat doet er niet toe.'

Ik reed haar terug naar de winkel, wachtte tot ze een stapeltje post had opgehaald uit haar postbus op Laguna Canyon Road en liep toen met haar mee naar binnen. Ze drukte op de knop van haar antwoordapparaat.

'Chrissa, hé, met Heidi. Zullen we vanavond na het werk wat gaan drinken? Bel snel terug.'

Ze haalde haar schouders op. 'Dat is dus nu mijn leven. Pak, Buikmans, vriendinnen en drank.'

'Het wordt wel weer beter.'

'Ik heb geen reden om te klagen, mijn vader is niet vermoord.'

'Nee.'

'Trek je het een beetje?'

'Ja hoor, prima.'

'Stoere jongen, hè? Net als Alex. Niets raakt jullie.'

Daar had ik geen antwoord op.

'Weet je wat, Joe? Jij bent lief. Als ik niet al een vriendje had, zou ik me een keer door jou mee uit laten nemen.'

'Ik voel me gevleid. Maar ik heb al een afspraak, over een paar uur dan.'

Ze glimlachte en slaakte een zucht. 'Fijn voor je. Jij bent wat mijn vader een echte padvinder zou noemen. Je leeft in de verkeerde eeuw, of op zijn minst in het verkeerde decennium. Dat mag ik wel.'

'Bedankt voor je medewerking. Hier.'

Ik gaf haar mijn visitekaartje, met mijn telefoonnummer thuis en dat van mijn gsm er op.

'Kun je mooi naast dat van Bo Warren stoppen,' zei ik. 'Maar ik hoop wel dat je mij als eerste belt.'

'Maak je daar maar geen zorgen om, Joe. Hier, draag deze af en toe ook maar eens.'

Ze zette de roestbruine gleufhoed af en gaf hem aan mij.

'Dank je.'

'Ik ga je dit maar één keer vertellen: die toestand op je gezicht is niet zo erg als jij wel denkt. En de andere helft is perfect. Je hebt mooi, dik blond haar en mooie bruine ogen en een hele mooie kaaklijn. Probeer eens een keer te glimlachen – ik durf te wedden dat je een verpletterende glimlach hebt. En lange mannen zijn sexy, punt uit.'

Ik voelde een rode gloed over mijn huid trekken, voelde mijn litteken tintelen en kreeg vlinders in mijn buik.

'Ik weet niet goed wat ik daarop moet zeggen.'

'Niets is wat mij betreft prima.'

Ik stak de parkeerplaats over naar de bushalte. Pak en Buikmans wisselden wat woorden en glimlachjes uit. Pak had heel wat spieren onder die stof zitten en Buikmans had onderarmen als van een smid.

Ik liet hun mijn penning zien. Zij mij de hunne.

'We weten wie jij bent, Trona,' zei Buikmans. 'Ik ben Hodge. Hij is Chapman. Opzichters van de TA, altijd tot je dienst.'

'Waarom volgen jullie haar?'

'Dat is ons werk.'

‘Ideetje van Rupaski?’

‘Wij doen wat ons wordt opgedragen, meer wil ik er niet over zeggen.’

‘Wat is de reden?’

‘Ook dat gaat je niets aan. Maar ik kan je wel vertellen dat het stomvervelend is. Dat stuk is aantrekkelijk genoeg, ik geloof alleen niet dat ze ons ziet zitten. Chapman hier loopt de helft van de tijd met een stijve rond.’

Chapman glimlachte alsof dit iets goeds over hem onthulde.

‘Hou dat ding maar in je broek,’ zei ik tegen hem. ‘En meneer Hodge, zou u haar geen stuk meer willen noemen. Ik haat dat woord.’

‘Die hoeden van jou hadden wit moeten zijn, niet roze.’

‘Dat is roestbruin. En ik zou het fijn vinden als jullie je tegen mevrouw Sands een beetje gedroegen.’

Daar moesten ze beiden om lachen.

‘Oké, Trona, natuurlijk. Getuigt het ook van goede manieren als ik glimlach terwijl ik hem aan haar laat zien?’

‘Nee. En zodra je dat doet, zal ze het mij vertellen.’

‘En wat dan nog?’

‘Dan ga ik jullie heel erg pijn doen.’

Pak was groot en jong en helemaal vol van zichzelf, maar ik kon merken dat hij een en ander van me af wist. Hij glimlachte, keek naar zijn partner en toen weer naar mij.

‘Ik zal me gedragen, dat beloof ik.’

‘Hij zal zich gedragen,’ zei Hodge. ‘Ik zal ervoor zorgen dat hij zich gedraagt, Trona. Maak je maar geen zorgen.’

‘Joe heeft anders genoeg om zich zorgen over te maken,’ zei Chapman.

Hodge lachte. Chapman lachte.

‘Nog een prettige middag.’

Ik liep terug naar Chrissa’s modezaak en trof haar aan tafel, met tranen in haar ogen.

De stapel post lag voor haar op de tafel. Ze hield een ansichtkaart naar me op. Hij was zes dagen geleden in Mexico City op de post gedaan. De foto toonde een Olmec-hoofd uit het Antropologisch Museum. Het handschrift was slordig, maar leesbaar:

Baby –
Met mij is alles goed, maak je geen zorgen. Ik mis je. Ik zag deze foto, deed me denken aan Rosarito. Mijn handeltje is rond, moet me nu even gedeisd houden. Wat je ook te horen krijgt, met S. is het prima.

Kusjes
A.

Chrissa schudde zuchtend haar hoofd. 'Die klootzak zit in Mexico en ik me maar zorgen maken, als de eerste de beste huisvrouw. Maar ik weet nu in ieder geval dat hem niets mankeert. Wij hebben een keer zo'n Olmec-hoofd gekocht in een rommelwinkel in Rosarito. Nou ja, dat hoofd op de ansichtkaart is natuurlijk echt. Het exemplaar dat wij kochten, kostte iets van tachtig cent, maar het is van heel mooi, lichtgroen glas, zoals van een colaflesje.'

'Mag ik die ansichtkaart hebben?'

'Waarom?'

'Ik ken mensen die hem per se moeten zien. En mensen die hem per se niet moeten zien.'

Ze schudde haar hoofd en stond op. 'Neem maar mee. *Neem maar mee.* Waarom ben je eigenlijk teruggekomen? Mis je me, of zo?'

'Ik wilde alleen even zeggen dat als die kerels daar buiten onbeleefd zijn, je me onmiddellijk moet bellen. Ik bedoel, ook al zijn ze maar een heel klein beetje onbeleefd.

'Oké. Mij best.' Ze knikte langzaam en nam me op. 'Als het echt warm is, draag je dan een panamahoed?'

'Dat heb ik geprobeerd. Maar een vilten hoed vind ik prettiger.'

'Maar die zijn toch verschrikkelijk warm? Waarom?'

'Meer schaduw.'

Daar dacht ze even over na, zonder verder antwoord te geven.

Pak en Buikmans stonden nog bij de bushalte toen ik naar buiten kwam en in mijn auto stapte. Ze zeiden iets tegen elkaar, begonnen te lachen. Ze waren daar nog steeds mee bezig toen ik Laguna Canyon Road indraaide.

Ik gaf een ruk aan het stuur en reed plankgas op hen af. Mijn Ford Mustang uit '67 ontwikkelt tweehonderdvijfentwintig pk en trekt met rokende banden op als je dat wilt. Het geluid lijkt zo van Revelation te komen.

Ze sprongen allebei een andere kant op. Het gezicht van Pak vertoonde een grimas van opperste verbazing toen het langs mijn raam schoot.

Ik deed het omlaag en zwaaide naar hem.

10

Dr. Norman Zussman schudde me hartelijk de hand en sloot de deur van zijn spreekkamer. Hij bood me een gemakkelijke stoel aan en nam zelf plaats op een kleine, groene bank er tegenover. Ik zette Wills aktetas naast me op de grond en legde er mijn hoed op.

Tussen ons in stond een salontafel met niets erop. Hij was van gemiddelde lengte en tenger gebouwd. Hij had kort, steil grijs haar, blauwe ogen en een gebruind gezicht.

Dr. Zussman sloeg zijn benen over elkaar en legde een geel notitieblok op zijn knie. 'Je hebt me negen dagen van het lijf weten te houden, Joe.'

'Ik wilde niet met u praten, dokter.'

'Dat kan ik je niet kwalijk nemen. Maar het is beter om dat wel te doen. Jouw afdeling verplicht je daar bovendien toe. Hoe gaat het met je?'

'Goed.'

Hij keek naar me. Ik ben me heel erg van mezelf bewust als mensen me zonder iets te zeggen aanstaren, maar ik wist dat hij gewoon probeerde mij de stilte te laten verbreken. Dus zei ik niets. Ik trok me terug op mijn stille plekje, klom in de boom en nam van daaruit de wereld in ogenschouw. Er is soms een adelaar die mijn boom met me deelt, maar die dag was hij er niet. Ik zat in mijn eentje op de tak. De heuvels waren bruin en dor en ik kon ze ruiken.

'Slaap je goed, Joe?'

'Ja, meneer.'

'Eetlust ook in orde?'

'Ja.'

'Gebruik je alcohol, of drugs?'

'Een paar avonden geleden heb ik een paar borrels gedronken. Maar normaal gesproken drink ik nauwelijks.'

'Is daar een reden voor?'

'Ik heb het idee dat ik er traag en simpel van word en ik voel me de volgende ochtend beroerd.'

Hij grinnikte en schreef iets op. 'Vertel eens over die schietpartij, Joe. Neem er gerust de tijd voor en begin bij het begin.'

Ik vertelde het hem. Ik begon met Will die werd neergeschoten en op de grond viel. Vervolgens vertelde ik hoe ik Savannah over de muur had getild en op de achterbank van de auto was gekropen. Ik legde uit dat ik er bijna zeker van was dat de twee mannen achter me langs de muur op me af zouden komen en dan vlak langs het geopende achterportier zouden komen. Met de binnenlichten gedoofd zou ik dan een prima schootsveld hebben. Ik vertelde hem dat het inderdaad heel simpel was en dat ik kon horen dat ik hen goed te pakken had gehad.

Hij luisterde en schreef. Toen ik was uitgepraat, zuchtte hij licht. 'Schoot je om te doden?'

'Ja.'

'Voelde je je gedwongen door de omstandigheden?'

Daar moest ik even over nadenken. 'Nee, meneer. Ik had ook samen met Savannah over de muur kunnen springen.'

'Maar dat deed je niet, want je eerste loyaliteit gold je vader.'

Ik knikte.

'Hoe voelde je je toen je de trekker overhaalde?'

'Alert, maar kalm.'

'Hoe voelde je je toen je die mannen zag vallen en wist dat ze waarschijnlijk zouden sterven?'

'Opgelucht dat ze hun machinegeweren niet meer zouden kunnen gebruiken of achter Savannah aan konden.'

Dr. Zussman zweeg lange tijd. 'Joe, hoe voelde je je *na* de schietpartij? Een uur erna bijvoorbeeld?'

'Toen was ik op zoek naar Savannah.'

'Maar dacht je nog aan de mannen die je zojuist had neergeschoten?'

'Nee.'

'En de volgende dag, hoe voelde je je toen?'

‘Ik heb er niet echt veel aan gedacht. Ik kon alleen maar aan Will denken.’

Zussman noteerde iets en zuchtte weer. ‘Joe, hoe voel je je nu, over wat je hebt gedaan?’

‘Ik voel me goed, dokter. Verder niets.’

‘Heb je akelige herinneringen gehad, wroeging, dromen?’

‘Op de begrafenis van mijn vader probeerde ik iets te voelen over die twee mannen die dood waren en die ik had gedood. Maar ik voelde helemaal niets. Ik zag het als zelfverdediging, en dat zij hadden gekregen wat ze konden verwachten toen ze besloten een man te doden.’

Na deze woorden keek Zussman me lange tijd aan. Hij ging verzitten, alsof hij zich niet op zijn gemak voelde. Hij sloeg zijn benen weer over elkaar en legde het notitieblok nu op de andere knie.

‘Als je aan die schietpartij denkt, zie je het dan helder voor je, of wordt het beeld vaag?’

‘Ik zie het heel helder. Ik zie zelfs de naden in de leren bekleding waar ik op lag, de condens op de ramen.’

‘Blijft dat beeld je achtervolgen?’

‘Mij blijft achtervolgen hoe ik Will had kunnen redden.’

‘Het is dus meer een tactisch dan een moreel dilemma?’

‘Ja.’

‘Hoe denk je dat dat komt?’

Ik dacht even na. ‘Mijn taak was om mijn vader te beschermen. Dat was het enige waar het om ging. Ik ben opgevoed om dat te doen. Ik ben er voor opgeleid. Ik wilde, meer dan wat ook ter wereld, dat goed doen.’

Zussman leunde naar voren en legde het notitieblok op tafel. Hij schreef weer iets op. ‘Hoe voel je je, nu je hebt gefaald in die opdracht?’

Het duurde even voordat ik de juiste woorden vond. Ik wist hoe het voelde, maar ik had er nooit over nagedacht dat gevoel te beschrijven, zeker niet tegenover een vreemde.

‘Als zand.’

‘Zand? Hoezo dat?’

‘Droog en korrelig en niets om het bij elkaar te houden.’

Hij keek me weer aan. 'Heb je het gevoel dat je net als zand uit elkaar zal vallen?'

'Nee.'

'Maar je voelt je wel droog en korrelig, met niets om het bij elkaar te houden?'

'Ik was niet accuraat genoeg, meneer. Iets houdt me op de been. Ik moet de man vinden die Will heeft vermoord. Dat is heel belangrijk voor me geworden.'

'Aha. Ja, natuurlijk.'

Stilte. Zussman pakte zijn blocnote en ging weer achterover zitten. 'Wat verwacht je dat er zal gebeuren als je die man vindt, Joe?'

'Dan arresteer ik hem wegens moord, meneer.'

Hij keek me een lang ogenblik aan. Hij knipperde met zijn ogen, begon iets op te schrijven, maar hield daar toen weer mee op.

'Joe, hoe voelde je toen je als onderdeel van deze therapie je dienstwapen in moest leveren?'

'Ik heb mijn dienstpistool niet ingeleverd.'

'Waarom niet?'

'Niemand vroeg ernaar, dus waarom zou ik.'

'Je draagt het op dit moment bij je? Hier?'

Ik knikte en sloeg de linkerkant van mijn sportcolbert open.

'Ik ga je vragen het bij mij achter te laten. Ik zal het vervolgens bij brigadier Mehring in bewaring geven.'

Ik haalde de .45 uit zijn holster, klikte er het magazijn uit en legde dat op de salontafel. Toen rekte ik de zaak nog iets door te controleren of de kamer wel leeg was en om de veiligheidspal om te zetten. Ik legde het pistool naast het magazijn.

Ik keek naar dr. Zussman en hij keek naar mij.

'Vind je dat vervelend, Joe? Je wapen inleveren?'

'Nee, meneer. Ik heb nog diverse andere wapens.'

Ik had er op dat moment zelfs twee bij me. Eentje was eveneens een .45 ACP die ik hoog tegen mijn ribbenkast draag en die ik snel met mijn linkerhand kan trekken. De andere is een kleine .32 op mijn enkel. Niemand verwacht drie wapens. Will vertelde me een keer dat niemand zich kan voorstellen dat een agent drie wapens draagt. Eentje, ja. Twee, mogelijk. Drie, nooit. Will zelf droeg vreemd genoeg nooit drie wapens toen hij nog bij de politie zat. Tot aan de laatste paar jaar van zijn dienstverband droeg hij er maar één, daarna zelfs helemaal geen een meer, tenzij hij in een gevaarlijke situatie terecht dreigde te komen. Hij hield niet van wapens en was ook geen goede schutter. Ik denk dat hij overcompenseerde toen hij mij leerde om een klein, maar uiterst nuttig arsenaal bij me te dragen. Ik oefen er veel mee.

Hij keek naar het automatische pistool. Ik hoopte maar dat zijn handen niet te zweterig waren, want zelfs goed in de olie gezet metaal gaat roesten van zoutig zweet, als je het wapen niet direct na gebruik schoonveegt. Ik pakte een van mijn van een monogram voorziene zakdoeken en legde die naast het wapen.

Hij keek naar me op. 'Voel je spijt over die schietpartij?'

'Een beetje.'

'Kun je aangeven hoeveel?'

'Dat valt niet mee, dokter, om een gevoel te meten.'

'Probeer het toch maar.'

Ik dacht even na. 'Ongeveer de inhoud van een koffiekopje. Maar niet het hele kopje vol. Ongeveer halfvol, zeg maar.'

'Een half koffiekopje vol spijt?'

'Ja, meneer.'

Hij knikte. Knikte nogmaals. 'Ik maak me zorgen over jou, Joe.'

'Dank u.'

'Ik bedoel, ik zie bij jou niet de normale, woedende reactie. Ik zie iets veel minder... voor de hand liggends.'

'Ik ben niet normaal, meneer.'

Na een lange pauze en veel geschrijf begon de dokter over vrouwen en liefde en relaties. Hij stelde heel directe vragen. Ik vertelde hem de waarheid: dat ik nog nooit een relatie had gehad die langer dan een paar 'afspraakjes' duurde. Ik vertelde hem over een paar vrouwen die ik heel erg had gemogen. Hij vroeg me of ik ooit een betekenisvolle relatie had gehad en ik vroeg hem wat een betekenisvolle relatie was. Hij keek me onthutst aan, en vervolgens achterdochtig, alsof ik hem in de maling nam. Ik vertelde hem over de beroepsmodellen die ik had betaald om naar te kijken, en over de seks die ik met een prostituée had gehad. Ik vertelde hem dat ik graag naar de gezichten in films en tijdschriften kijk. Hij wilde weten welke films en welke tijdschriften, dus vertelde ik hem dat ook: vrijwel alle romantische komedies, vooral die uit de jaren vijftig en zeventig, en mannentijdschriften als *Esquire, Men's Journal* en *GQ*. Ik vertelde hem dat ik soms fotolijstjes kocht voor de foto's van vrouwen in die tijdschriften. Ik vertelde hem dat ik bij vrouwen die ik ontmoette nog het meest bang was voor het medelijden dat ze misschien zouden tonen.

'Hoe vaak masturbeer je?'

'Dat doe ik niet, meneer.'

'Waarom niet?'

'Mijn vader heeft me gezegd dat niet te doen.'

'Juist. Wat doe je aan je seksuele verlangens?'

'Niets.'

'En hoe zit het met je nachtelijke zaadlozingen, de zogenaamde natte droom?'

'Die heb ik wel, meneer.' Ik keek naar mijn hoed en wilde maar dat hij niet van dergelijke vragen stelde.

'Hoe vaak?'

'Eén keer per nacht, dokter. Soms vaker.'

'Elke nacht?'

'Ik houd het niet bij. Sinds Will heel vaak.'

Hij slikte iets weg, trok zijn wenkbrauwen op en schreef iets op. 'Joe, we hebben heel wat om over te praten. De volgende keer zou ik het wat meer over je moeder en vader willen hebben. Ik stel voor elkaar volgende week weer te ontmoeten.'

We spraken een dag en een tijd af.

'Wilt u dat wapen alstublieft met veel zorg en respect behandelen, dokter?'

'Dat zal ik doen.'

Ik zette mijn hoed op en liep naar buiten.

Mijn koffieafspraakje met June Dauer was om vier uur, één uur voordat haar radioprogramma begon. Ik zou haar ontmoeten in een café vlak bij de studio. Ik was er al vroeg en ging aan een tafeltje in de hoek zitten en dacht aan wat Chrissa Sands me had verteld over Alex en Savannah Blazak.

Toen June het café binnenkwam, begon mijn hart te bonken als een wasmachine met een te korte poot. Zwarte broek en mouwloze bloes, beide strak en met glimmende ritsen erop, een zilveren, ruim hangende riem om haar middel, puntige zwarte laarzen. Rode lippenstift. Robijnen in haar oren. Haar huid maakte echter de meest verpletterende indruk: bruin en vochtig en ongelooflijk glad.

Het Onbekende Iets leek van haar af te druipen, als regen van een dak.

Ik stond op en bood haar een stoel aan.

'Je ziet er vandaag extra mooi uit,' zei ik.

Ze glimlachte. 'Heel erg bedankt.'

Alles voltrok zich in een waas. Een waas van een uur. Ze vertelde over haar jeugd in Laguna Beach, in dezelfde tijd dat ik opgroeide in Tustin. We deden in hetzelfde jaar, maar op verschillende scholen eindexamen. Ze was vierentwintig, net als ik. Haar ouders hadden haar over mij verteld toen we acht waren en ze had een foto van mij gezien in de krant. Ze ging naar Irvine College en haalde een graad in zowel Geschiedenis als Engelse literatuur, maar ze bracht heel veel tijd door bij KUCI, waar ze het radiovak leerde. Ze won een omroepprijs voor een show die ze voor KUCI had ontwikkeld en die *Real Live* heette. Ze was aangenaam verrast toen ze een week na haar afstuderen een baan kreeg aangeboden bij KFOC. Ze deed daar haar show en presenteerde voorts vier uur per dag muziek, nieuws, verkeer en weer. Ze was nu ongeveer zes maanden bij het radiostation.

'Ik vind het heerlijk,' zei ze. 'Maar ik voel me ook opgesloten. Vierentwintig en dan zes uur per dag in zo'n duistere studio. Ik ben succesvol en sommige mensen zijn daar jaloers op. Ik zie mezelf al in een huisje aan het strand, samen met twee honden, maar ik neem aan dat iedereen die wensdroom heeft.'

Ik betrapte me er op dat ik naar haar zat te staren en dwong mezelf ergens anders naar te kijken, naar haar koffiekopje, haar vingernagels, de rits die midden over haar bloes liep, alles om haar gezicht voor mijn blik te behoeden.

'Joe,' fluisterde ze. Ze kromde een vinger en ik boog me naar haar toe. 'Je mag naar mijn gezicht kijken.'

'Het spijt me, ik –'

'Ik verbied je om je te verontschuldigen!'

'Ja, oké.'

Ze vertelde nog wat meer over zichzelf en ik was haar daar dankbaar voor. Het kwam bij me op dat haar praten een geschenk voor mij was, omdat ze mij had mogen interviewen. Ik luisterde en stelde vragen en probeerde te kijken zonder te staren.

Kijken, maar niet staren.

En toen was het voorbij. Ik liep met haar mee naar de studio en hield de deur voor haar open.

'Ik vond het heel prettig om zo met je te praten,' zei ik. 'Ik zou het graag nog eens herhalen. Mag ik je aanstaande maandag uitnodigen voor een etentje?'

Ze keek me enkele ogenblikken aan, haar mond ontspannen, maar zonder glimlach. Diepbruine ogen die heen en weer schoten tussen de mijne, alsof ze ze een voor een wilde bekijken, wilde peilen. Haar slanke, rechthoekige gezicht vertoonde geen enkele uitdrukking. Ik kon van dat gezicht helemaal niets aflezen. Het straalde slechts intensiteit uit en ik wist dat er een diepgaand, cruciaal oordeel werd geveld.

'Goed,' zei ze. 'Bel me maar, dan vertel ik je wel waar je me kunt vinden.'

'Dit maakt me heel erg gelukkig.'

'Tot ziens dan maar.'

Ze liep langs de receptie en de deur zoemde open. Ze draaide zich om, zwaaide naar me en was verdwenen.

De receptioniste glimlachte naar me.

Op de schietbaan trok en schoot ik vijftig maal met rechts, om dat daarna met links nog eens te herhalen. Vervolgens schoot ik vijfentwintig maal afwisselend met links en met rechts. Ik leende een .45 ACP van de schietinstructeur, maar die werkte veel minder soepel dan mijn door dr. Zussman geconfisqueerde wapen. Daardoor zaten de groepjes schoten op het silhouet ongeveer vijf centimeter lager. Ik trok en schoot twintig keer met de kleine .32. Het is verbazend hoe snel je op één knie kunt vallen, je broek kunt optrekken met je linkerhand, om vervolgens met je rechterhand de haan te spannen en het wapen te trekken. De kunst is dat je al geknield zit, stabiel genoeg om te schieten. Maar het blijft moeilijk om met een zo klein wapen op vijftien meter afstand een kleine groep te schieten.

Toen ik klaar was met schieten, maakte ik de wapens grondig schoon. Ik had goed geschoten, hoewel de linkerhand moe was geworden en enigszins trilde. Daarna reed ik terug naar het hoofdbureau om nog aan wat gewichtheffen te doen en de post door te nemen.

Er waren drie berichten dat Jaime Medina had gebeld. Op elk ervan stond BELANGRIJK! SVP SNEL REAGEREN! Er was ook een brief van iemand wiens kriebelige handschrift ik nooit eerder had gezien, dus die liet ik voorlopig maar ongeopend.

Het laatste briefje was afkomstig van mijn vriendin Melissa van het lab.

Er stond op: *Heb voor je gescoord, kom zsm langs.*

Ja, ze had inderdaad voor me gescoord: het lolliestokje dat ik in Alex Blazaks wapenimperium had gevonden, bevatte speeksel met DNA dat vrijwel zeker van Savannah afkomstig was. Melissa had het kunnen vergelijken met een speekselmonster van een waterglas dat door Jack en Lorna aan Steve Marchant van de FBI ter beschikking was gesteld. De FBI had had ons lab een DNA-test laten uitvoeren op het glas en Melissa had de uitkomsten vergeleken.

De macanudosigaar was door Alex opgerookt, wiens DNA werd bewaard bij de afdeling Moeilijk Opvoedbare Jongeren van de staat Californië. De Davidoff kon van iedereen geweest zijn.

'Die vingerafdrukken die jij hebt verzameld, moet ik nog analyseren,' zei ze. 'Daar heb ik nog een dag of twee voor nodig.'

'Ik sta bij je in het krijt, Melissa.'

'Wat dacht je van een keertje samen een kop koffie drinken.'

'Eh... met plezier.'

Met gemengde gevoelens verliet ik het hoofdbureau. Ik stopte even bij een afhaalchinees en bleef dat gevoel houden. Op weg naar huis zag ik hen beiden weer voor me, broer en zus die op de zolderkamer van Alex' pakhuis zaten en naar tekenfilms keken. Savannah die op een lollie met grapefruitsmaak zoog. Alex die aan een macanudo trok. Ze was niet vastgebonden of bewusteloos geslagen of in een kamer opgesloten. Ik herinnerde me Savannah zoals ze was geweest op die ene avond dat ik haar had ontmoet: kalm en beleefd.

Ze zag er helemaal niet uit als iemand die ontvoerd was. Ze zag eruit als een meisje met een Pocahontas-rugzak dat op het punt stond een uitstapje te maken.

11

De brief met het kriebelige handschrift was van mijn vader, Thor Svendson. Het was de eerste die hij me ooit geschreven had.

Ik las eerst zijn ondertekening. Alleen die korte blik was al voldoende om mijn hart sneller te doen kloppen en mijn keel dicht te knijpen. Mijn handen trilden. Een komeet van pure, witte pijn schoot over mijn gezicht.

Ik legde de brief neer. Ik kon mijn angst gewoon ruiken – metaal en zoutzuur. Ik haalde drie keer diep adem, stond op en liep naar buiten. De buurt zag eruit als altijd, maar alles golfde en was omhuld door een vage, rode mist. Ik kreeg bijna geen lucht, dus concentreerde ik me op mijn ademhaling.

Het enige dat ik kon bedenken, was naar mijn stille plekje klimmen, boven in die bomen waar niemand me kan zien, maar ik alles zie. Ik vond de boom. Ik klom omhoog. Ik trok me terug tussen de bladerrijke takken, verdween, tuurde naar buiten. Ik zag nu weer scherp. De buurt lag duidelijk zichtbaar voor me.

Ik bleef daar een hele lange tijd voor ik weer het huis inging.

Dit was wat er in de brief stond.

Beste Joe,

Hi, ik schrijf je omdat ik wil dat je me vergeeft. Ik geloof tegenwoordig in God en ik ben bang dat ik niet in de hemel kom als jij me niet vergeeft. Dat staat tenminste in dat boek dat ik heb. Je moet het persoonlijk doen, maar dat gedoe met die rechterlijke uitspraak duurt mijn hele leven, tenzij jij er een eind aan maakt. Ik ben op dit moment in Seattle. Ik kom zaterdag de 23ste met de trein naar Santa Ana. Laat me niet arresteren. Misschien kunnen we samen wat drinken en een beetje bijpraten. Ik betaal. Misschien kan het geen kwaad dat jij je ouweheer wat beter leert kennen, zeker nu die andere is doodgeschoten. Je houdt er in ieder geval een gratis drankje aan over. En zoals ik al zei, zonder jou kan ik niet naar de hemel.

Hoogachtend,
Thor Svendson

Ik ging op de patio achter mijn huis zitten en at mijn afhaalmaaltijd op. De avond was koel en vochtig, zoals op de avond van Wills dood. Niet lang na zonsondergang kwam de mist opzetten en ik kon de warrelende drupjes vocht zien, en daarna de mistige wolk die zich om mijn patiolampen vormde.

Ik trok een jasje aan en ging weer naar buiten. Ik haalde me Thor Svendson voor de geest zoals ik hem op foto's in kranten en tijdschriften had gezien – er waren er heel wat gepubliceerd nadat hij was gearresteerd, en nog meer toen hij tot dertien jaar in Corcoran State Prison werd veroordeeld, en nog weer een aantal toen hij na zeven jaar vrijkwam. Ik had op een gegeven moment een hele collectie en soms las ik over hem en mezelf, net zoals elke abonnee zou doen. Ik keek naar de foto's. Op vrijwel allemaal zag hij er heel vriendelijk uit, zonder een spoor van kwaadaardigheid. Maar ja, echte kwaadaardigheid is ook niet zichtbaar.

Nee, Thor was nogal fors gebouwd, hij had een buikje, tamelijk lang, wit haar, een witte baard en grote, heel blauwe ogen. Hij zag er uit als de kerstman. Hij moest nu vierenzestig zijn, hoewel hij er op de foto's van vlak na zijn arrestatie, toen hij veertig was, al oud uitzag.

Om voor mij onbegrijpelijke redenen glimlacht hij op veel van zijn foto's. Niet veel mannen zouden glimlachen na te zijn opgepakt wegens verminking en poging tot moord, om vervolgens tot dertien jaar in Corcoran te worden veroordeeld. Thor wel. Het was een verontschuldigende glimlach, een glimlach die zwaarbevochten wijsheid suggereerde. Het is de afschuwelijkste glimlach die ik ooit heb gezien.

Als ik droom over hem en over wat hij heeft gedaan, glimlacht hij altijd als hij het koffiekopje oppakt en het leeggiet. Zijn grote, blauwe ogen lijken om vergeving te smeken. Zijn glimlach lijkt gemeend en zorgzaam. Heel oprecht. Alsof hij dit niet echt goedkeurt, maar het nu eenmaal moet doen. In de droom vraag ik me altijd af waarom hij het moet doen, maar – en dat is een belangrijk aspect van de droom – ik zal nooit weten waarom. Omdat ik het verdien? Omdat God hem die opdracht gaf? Omdat het de enige manier is om mij een uiterst belangrijke les te leren?

In mijn dromen bezorgt zijn gezichtsuitdrukking me twee keer zoveel afgrijzen als het zoutzuur zelf. Ik herinner me niet meer goed hoe zijn gezicht eruitzag op het moment dat hij het deed. Ik herinner me hem helemaal niet. Ik herinner me slechts één ding: dat ik diep in mezelf wegduik om te ontsnappen aan een gigantisch kwaad, alsof ik onder een monsterlijk grote golf door duik om die vredige plek bij de oceaanbodem te bereiken, waar je je vingers in het zand kunt klauwen en aan het dierbare leven vasthoudt.

Volgens de kranten bracht Thor me naar een brandweerkazerne nadat hij deed wat hij gedaan had. Hij vertelde maanden later in een tijdschrift dat God hem had verteld om met zoutzuur te gooien en dat God hem had verteld om mij naar de brandweerkazerne te brengen. De brandweermannen brachten mij naar het ziekenhuis en Thor naar de politie. Ik weet niet waarom hij er niet gewoon vandoor ging en mij gillend achterliet, en ik wil het ook niet weten.

Over mijn echte moeder droom ik niet. Haar naam was Charlotte Wample en ze was achttien toen ik werd geboren, dus ze moet nu tweeënveertig zijn. Ik weet niet waar ze is, heb dat nooit geweten. Zij en Thor waren niet getrouwd. Volgens de krantenberichten en het rechtbankverslag – ik heb elk woord daaruit diverse malen gelezen, elk *umm* en *hmm* en *uhh* – was ze niet thuis op het moment dat Thor de weg kwijtraakte. Ze was de dagelijkse inkopen aan het doen: luiers, whisky en sigaretten.

Ik heb slechts één foto van haar gezien. Het was een krantenfoto, genomen toen ze de rechtbank van Orange County uitkwam, hoewel ik dat exemplaar van de *Journal* pas veertien jaar later onder ogen kreeg. Ze was een tanige, ongelukkig uitziende vrouw met lang wit haar en harde ogen. Ze steekt een sigaret aan terwijl ze naar buiten komt. De aanklager wist haar tijdens een kruisverhoor haar bijnaam bij de Hessians te ontlokken: Snol. Charlotte de Snol. Niet bepaald vindingrijk, maar de Hessians zijn beter in drugs dan in humor.

Zes jaar geleden, toen ik achttien was, zocht ik elke Wample op die ik maar kon vinden in de telefoongidsen van Orange County en ik vond er twee. Ik belde hen allebei op. Eentje was een man die zei dat hij nog nooit van Charlotte Wample had gehoord, maar hij was geboren in Charlotte, North Carolina, en we praatten een tijdje over die stad. Aardige kerel.

Maar de ander was een vrouw, Valeen, die zei dat haar dochter Charlotte een hoer was, en hopelijk dood, want dan was ze ongetwijfeld beter af. Ik vroeg haar of Charlottes vriendje haar baby had verminkt en ze siste ja, die schoft van een Thor Svendson gooide zoutzuur over hem heen, maar wat heb jij daar verdomme mee te maken, maat?

Het korte gesprek maakte dat ik me nog veel beroerder voelde. Ik weet niet precies waarom ik belde, wat ik verwachtte te horen of te zeggen. Als er echt een Charlotte Wample aan de telefoon was gekomen, had ik waarschijnlijk opgehangen. Wat had ik moeten zeggen? Waarom heb je me nooit eens opgezocht? Houd je niet van me?

Ik ben ervan overtuigd dat Charlotte ergens anders heen is getrokken, getrouwd is of op zijn minst haar naam heeft veranderd. Ik heb geen behoefte om haar te zien. Maar ik stopte wel het telefoonnummer van Valeen in mijn portefeuille, ergens diep in een van de gleuven voor creditcards. De laatste keer dat ik ernaar keek, zat het er nog steeds.

Mijn grootmoeder was een angsthaas. Zelfs al aan de telefoon. Maar een bloedverwant is een bloedverwant en dat kun je niet veranderen. Af en toe denk ik nog wel eens aan Valeen Wample. Grootmoeder. Oma. Opoe.

Ik belde het Amtrak-station in Santa Ana en luisterde naar het bandje met de aankomsttijden van de Coast Starlight. Die zou de duivel in eigen persoon, op zijn zoektocht naar vergeving, om 22.17 uur de volgende dag in Santa Ana afzetten.

Even na negenen belde Rick Birch. 'Kom over een uur naar Lind

Street. Neem mee wat je voor me achterhoudt, Joe. Heb je dat begrepen?'

Ik zei ja en Birch hing op.

Lind Street. Ik voelde de haartjes in mijn nek overeind komen, voelde mijn litteken kloppen toen ik achter Rick Birch aan naar binnen stapte en diezelfde lucht van gebakken spek en sigaretten rook als de eerste keer.

Jij hebt hem vermoord. Jij hebt hem vermoord. Jij hebt hem vermoord.

Hetzelfde versleten tapijt, dezelfde lakens voor de ramen. Alles hetzelfde, behalve de verse vegen vingerafdrukpoeder en de identificatieplaatjes die er door de technische recherche waren achtergelaten.

'Leuk huis,' zei Birch. Zijn ogen stonden helder en grijs in zijn oude, gegroefde gelaat. 'Raad eens wie de huur betaalde?'

'Een knaap met het gezicht van Alex Blazak, maar de naam van iemand anders.'

'Precies. Betaalde de eerste en de tweede termijn, plus de schoonmaakkosten op maandag 11 juni. Volgens zijn identiteitskaart heette hij Mark Stoltz, adres en telefoonnummer vals. Twee dagen later werd de kaart in de steeg hierachter teruggevonden.'

'En de vrouw die hier aanwezig was?'

Birch pakte zijn notitieboekje. 'Daar heeft de politie in Anaheim me bij geholpen. Rosa Descanso. Officieel babysitter. Ingehuurd door Stoltz via een bureau aan Katella. Ik ben bij haar langs geweest. Ze zei dat die kerel een babysitter met eigen vervoer wilde. Descanso arriveerde die avond om zeven uur hier. Alex en Savannah waren er al. Ze konden het heel goed met elkaar vinden, zei ze – broer en zus. Ze mocht Savannah direct, hoewel haar broer "niet zo'n aardig persoon" was. Alex vertrok een paar minuten later. Jij en Will arriveerden hier om kwart over tien, zei ze. Toen een paar minuten later het schieten begon, sprong ze in het bad. Ze dacht dat het iets te maken had met de Lincoln 18th bende.'

Ik liep langzaam door de kleine woonkamer, de gang door en naar de kamer waar ik voor het eerst Savannah Blazak had ontmoet.

Ik ben Savannah. Hoe maakt u het?

Dat weet ik niet precies. Maar kom toch maar met me mee, alsjeblieft.

Ik draaide me om naar Birch. 'Het is net of ik dezelfde nachtmerrie twee keer beleef.'

Hij knikte, maar zei niets.

Nu ik hier was, kwamen er allemaal herinneringen bij me op, beelden van die avond: de koplampen, de Lange, de flitsen uit de loop, Will die bloedend in elkaar zakte.

Oeps.

Ik hoorde een auto door de steeg achter het appartement zoeven. De stem klonk weer in mijn hoofd: *jij hebt hem vermoord jij hebt hem vermoord jij hebt hem vermoord.*

Ik hoorde nauwelijks mijn eigen stem toen ik sprak. 'Ik heb niet tegen u gelogen, meneer. Maar ik heb wel een paar dingen weggelaten.'

Birch schudde zijn hoofd en keek me aan. 'Ben je nu zover dat je die kunt geven?'

'Ja, meneer.'

'Mooi. En houd eens op met dat gemeneer. Dat heb ik al genoeg gehoord in het leger.'

Ik vertelde hem alles. Wills gespannen houding die avond, zijn gesprekken met Jaime en dominee Daniel, het geld dat hij aan Jennifer Avila gaf. Hun gesprekje. Mary Ann die in een depressie zat. Ik vertelde hem over het zendertje onder de BMW, de afspraak in zijn agenda met Carl Rupaski en Dana Millbrae. Ik vertelde hem wat de Blazaks hadden gezegd over Savannahs ontvoering, en over hun psychopatische zoon. Ik vertelde hem over Bo Warren en het voorstel om mij onder hypnose te brengen zodat ik kon vertellen wat ik had gezien en gehoord. Ik vertelde hem over Lorna Blazak die me het adres van Alex' pakhuis gaf, en wat ik daar had aangetroffen. Ik vertelde hem over Wills ontmoeting met Ellen Erskine in het Hillview Kindertehuis. Ik vertelde hem over Chrissa Sands die met Savannah had gepraat, en met Jack. Ik vertelde hem dat zij Will op de avond voordat hij stierf samen met Alex en Savannah had gezien. Ik gaf hem de ansichtkaart die Alex aan Chrissa had gestuurd.

Toen ik klaar was, bleek ik bij het raam te staan en keek ik naar het bloemetjespatroon van het vuile laken dat als gordijn fungeerde. Ik kon maar niet het gevoel van me afschudden dat ik Will op de een of andere manier in de steek had gelaten door alles te vertellen wat ik van die avond wist. Of het gevoel dat ik hem had verraden als genoegdoening voor het feit dat hij mij zo in het ongewisse had gelaten.

Toen ik me omdraaide, keek Birch me over zijn montuurloze bril heen aan.

'Je hebt juist gehandeld.'

'Dank u.'

'Denk je dat Alex haar heeft ontvoerd of denk je dat ze is weggelopen?'

'Weggelopen.'

'Enig idee waarom?'

'Geen enkel.'

'Haar rijke ouweheer een poot uitdraaien?'

'Daar heb ik ook aan gedacht. Maar ze is wel erg jong om iets dergelijks te verzinnen.'

'Alex heeft daar wel de leeftijd voor, denk je ook niet?'

'En Jack en Alex haten elkaar.'

'Ik neem die ansichtkaart in beslag als bewijsmateriaal,' zei hij.

'Dat verwachtte ik al, meneer.'

'Maar ik heb ook iets voor jou,' zei hij.

Hij haalde een opgevouwen blaadje uit zijn aantekenboekje en gaf het aan mij. Het was een uitdraai van de telefoonmaatschappij met daarop alle in- en uitgaande gsm-gesprekken van Will op de avond dat hij stierf. De afdeling privacy van de telefoonmaatschappij had de nummers omgezet in namen en rekeningadressen, die keurig in de kantlijn waren uitgeprint.

Ik keek met extra aandacht naar de laatste drie telefoontjes van die verschrikkelijke avond.

Twee waren ingaand, eentje uitgaand.

Will had het eerste gesprek om 21.38 uur ontvangen. Ik herinnerde me nog heel duidelijk hoe hij had opgenomen met 'Trona', even had geluisterd en toen vroeg: 'Je hebt het dus?'

Vervolgens had hij me het adres in Lind Street gegeven. Volgens Birch' uitdraai hoorde het nummer bij een telefoon die eigendom was van Alex Blazak.

Alex, dacht ik, die bevestigde dat hij iets had ontvangen, waarschijnlijk de tennistas die ik op de bank op de tennisbaan had neergezet. Losgeld. Daarna, Lind Street.

Vervolgens, om 21.57 uur, werd Will opnieuw gebeld. Hij zei: *Er komt schot in de zaak. Ik doe wat ik kan, maar ik kan nog steeds geen ijzer met handen breken.*

En dat gesprek betrof een telefoonnummer van Luz Escobar. Haar adres was in Raitt Street in Santa Ana. In de kantlijn had Rick geschreven: 'Escobars broer Felix uit de weg geruimd bij afrekening tussen twee bendes. Luz ook bekend als Pearlita. Schoot moordenaar neer.'

Ik herinnerde me Jennifer Avila's woorden die avond door de telefoon, toen ik Will en Jaime afluisterde: *Geef me Pearlita.*

Het laatste telefoontje van zijn leven pleegde Will zelf, om 22.01 uur, naar een privé-nummer in Newport Beach dat toebehoorde aan Ellen Erskine.

Het ziet er naar uit dat we op tijd zijn.

Will die bevestigde dat hij Savannah Blazak in Lind Street ging ophalen. Zo begreep ik het althans.

'Ik heb vandaag met Erskine gepraat,' zei Birch. 'Nadat ik die uitdraai had gekregen. En weet je wat? Will was niet van plan Savannah die avond bij haar ouders terug te bezorgen. Hij had geregeld dat het meisje naar Ellen Erskine zou gaan, in het Hillview Kindertehuis.'

'Dat begrijp ik niet. Waarom?'

'Erskine had ook geen flauw idee. Will gaf haar niet de naam van het meisje. Hij beschreef niet de omstandigheden van het meisje, behalve dat ze een veilig onderkomen nodig had. Will had afgesproken Erskine tussen tien en half elf te ontmoeten bij de Raad voor de Kinderbescherming. Hij is natuurlijk niet op komen dagen. Nadat Erskine die avond het nieuws had gezien, ging ze rechtstreeks naar Merchant.

Ik kon er geen touw aan vastknopen, hoe ik ook mijn best deed.

'Joe, bij wat voor akelig zaakje was jouw vader betrokken?'

'Ik kan daar geen antwoord op geven. Ik geloof niet dat er iets akeligs aan was. Ik heb u alles verteld wat ik weet.'

'O ja?' zei hij. 'Ik zou je dit keer bijna geloven.'

'Het is de waarheid.'

Ik stond op de trap en wachtte tot Rick het appartement aan Lind Street had afgesloten. Toen hij daarmee klaar was, liepen we de trap af naar onze auto's.

'Ik heb Bernadette Lee gebeld. Geen gehoor. Ik ben naar dat adres geweest dat jij me gegeven hebt. Niet thuis. Misschien dat Sammy hier zijn licht over kan laten schijnen.'

'Ik zal zien wat ik kan doen.'

Ik vertrok uit Lind Street met John Gaylens vreemde, zangerige stem in mijn hoofd. Ik hoorde weer zijn gesprek met Will terwijl ik naar het adres reed dat ik op een kleefpapiertje had gezien dat op een standaard ondervragingsformulier op Birch' bureau zat geplakt.

Ik vond het nummer en parkeerde aan de overkant van de straat, twee huizen verderop. Het was een woonwijk uit de jaren zestig, goed onderhouden. Gaylens huis was geel, met plantenbakken en raampartijen die er een beetje Zwitsers uitzagen. Dat gold niet voor de palmen in de voortuin.

Het was even na elven. De lampen in het huis waren aan. Het portieklicht gloeide mat en ik zag motten tegen de bol fladderen.

Will! Ah, Will Trona! We moeten praten.

Ik zakte iets onderuit in de stoel en liet mijn hoofd tegen de hoofdsteun rusten. Net zoals Will altijd deed. Ik probeerde zijn slaperige blik met de alerte, voortdurend bewegende ogen te imiteren. Ik probeerde veroordelend en tegelijkertijd ook een beetje bezitterig te kijken, alsof ik een manier zat te bedenken om dingen te verbeteren.

Terwijl ik het huis in de gaten hield, dacht ik aan Will. Ik herinnerde me, heel duidelijk, de eerste keer dat ik hem ontmoette, in Hillview. Het was een regenachtige zaterdag. Ik was vijf jaar en had me teruggetrokken in een hoekje van de bibliotheek in Hillview, waar ik min of meer in *Shag, de laatste buffel* zat te lezen. Ik kon het op die leeftijd al bijna lezen omdat ik heel wat tijd had doorgebracht met boeken in het algemeen en met dit boek in het bijzonder. Ik was er gek op. Ik hield van Shag. De plaatjes waren fantastisch.

Ik was een uitermate achterdochtige en overdreven bange jongen van vijf die helemaal opging in een boek. Erin opgaan was niet helemaal de juiste uitdrukking. Als ik in een boek verdiept was, keek ik omlaag zodat niemand de slechte helft van mijn gezicht kon zien. Niemand kon de afzichtelijke, pijnlijke rode pulp van huid en spieren zien waarmee ik de wereld tegemoet moest treden.

Maar met mijn gezicht verborgen kon ik dat vergeten en kon mijn geest vrij reizen in ruimte en tijd. Ik kon duizenden kilometers van Hillview zijn, op de Amerikaanse prairie van tweehonderd jaar geleden, en ik kon kijken naar dat magnifieke dier Shag terwijl hij met een grizzlybeer vocht, een pijl in zijn lichaam kreeg en met de laatste van zijn soort Yellowstone in vluchtte.

Ik was op dat moment samen met Shag in Yellowstone.

Dus besteedde ik geen aandacht aan de persoon die binnen was gekomen en tegenover me aan het tafeltje ging zitten. Want ik was bij Shag. De man – door zijn voetstappen en de aftershave wist ik dat het een man was – trommelde met zijn vingers. Maar ik rende verder met Shag.

'Jongen,' zei hij ten slotte. 'Kijk naar me, want ik kijk jou aan.'

Dus dat deed ik, en ik keek in het verstandigste, vriendelijkste, knapste, meest droevige en humorvolle gezicht dat ik ooit had gezien. Ik had er nooit eerder over nagedacht, maar toen ik die man zag, begreep ik hoe een man moest zijn. Zoals hij. Het was voor mij al even duidelijk als Shag wist dat hij naar Yellowstone moest vluchten.

'Het is alleen maar een litteken,' zei hij. 'Iedereen heeft wel een litteken. Alleen zit dat van jou aan de buitenkant.'

Ik had mijn ogen toen natuurlijk al neergeslagen, maar ik vond de moed om te fluisteren: 'Shag heeft littekens op zijn flanken, van de beer.'

'Zie je wel? Dat is niets om je voor te schamen.'

Ik weet echt niet waar ik de onmogelijke moed vandaan haalde om te zeggen wat ik vervolgens zei. Maar ik deed het. 'Waar zijn die van u?'

'Daar zal ik antwoord op geven als je mij weer aankijkt.'

Dat deed ik.

Hij sloeg zachtjes met zijn vuist op zijn borst. 'Ik ben Will Trona,' zei hij.

Toen stond hij op en vertrok.

Ik zag hem pas weer de volgende zaterdag. Ik zat opnieuw in de bibliotheek. Hij gaf me een pakje gewikkeld in stripverhalen uit de zondagskrant. Er zat een splinternieuw exemplaar van *Shag, de laatste buffel* in.

'Ik dacht dat je misschien wel je eigen exemplaar zou willen hebben,' zei hij.

'Dank u wel, meneer.'

'Mag ik even bij je komen zitten?'

'Ja, meneer.'

'Ik heb met een paar mensen hier over jou gesproken. Zij zeggen dat je een nogal rustige jongen bent.'

Ik zei niets. Ik keek de andere kant op en voelde de gillende hitte over mijn wang trekken.

'Joe, ik vroeg me af of je misschien niet even uit deze tent weg zou willen, een ijsje kopen of zo, of een beetje rondhangen op de pier in Newport. Het is een mooie dag. Er zijn daar vissers en skateboarders en leuke meisjes en allerlei andere zaken om naar te kijken. Lijkt je dat wat?'

Ik wist wel wat ik daarvan vond, maar het was moeilijk om het uit te spreken. Ik had zo weinig mogelijkheden gehad om zelf beslissingen te nemen dat ik niet wist hoe ik voor mezelf moest antwoorden. De instituten waar ik mee te maken had gehad, hadden altijd voor mij geantwoord: de rechtbanken, de ziekenhuizen, de staat, het district, de tehuizen.

Op dat moment ervoer ik de eerste fladdering van vrijheid, en de eerste pijn van de vrijheid. Ik voelde me alsof ik op een hoge springplank ter grootte van een schoenendoos stond, in een keiharde wind, terwijl ik probeerde te beslissen of ik zou duiken, weer terug zou gaan naar de trap of gewoon daar zou blijven staan rillen.

Will Trona zei niets. Hij probeerde me niet te overtuigen of me te haasten of het nog een keer te vragen of met zijn vingers te trommelen of te zuchten.

Hij vouwde in plaats daarvan zijn handen achter zijn hoofd, leunde achterover en keek me heel kalm, bijna slaperig aan. Alsof hij manieren zat te verzinnen om mij beter te maken.

'Oké, meneer. Ja.'

'Uitstekend, jongeman. Laten we dan maar meteen vertrekken. Ik heb een rode TransAm uit 1980, je weet wel, met die grote V-8 en de vijf versnellingen. Daar gaat gegarandeerd je haar van overeind staan, Joe.'

Na een uur voor John Gaylens huis te hebben gezeten, was er nog niets gebeurd, dus zette ik de radio aan.

Ook het volgende uur gebeurde er helemaal niets, dus zette ik hem weer af.

Ik dacht opnieuw aan Will.

Na weer een uur was het bijna half drie 's nachts en er was totaal niets veranderd aan Gaylens huis, met uitzondering van die motten dan misschien.

Ik ging rechtop zitten, startte de auto en reed naar huis.

12

De volgende ochtend vroeg ging ik langs bij dominee Daniel Alter. Ik had vragen voor hem, een paar dingen over Will en Savannah die me niet lekker zaten. En er was nog iets wat ik hem wilde vragen.

Daniel was bijna tien jaar mijn geestelijk leider geweest, hoewel er een interval van een jaar was geweest waarin ik hem nauwelijks had gezien. In dat jaar – ongeveer vanaf de dag dat ik zeventien werd – sloeg ik een beetje door en bezocht minstens twintig verschillende doopbijeenkomsten. De meeste daarvan waren massale toestanden waar een gezicht meer of minder niet uitmaakte.Hoewel een aantal dominees nogal sceptisch stond tegenover mijn aanwezigheid, wist mijn gezicht toch steeds voldoende medeleven op te roepen. Op sommige zondagen reed ik wel honderd kilometer om.

De volledige onderdompelingen waren de beste. Het heeft wel iets, dat omlaag en weer omhoog gebracht worden, dat gezegende water dat van mijn gezicht en het harde littekenweefsel droop en de hitte, de zonde, de haat wegspoelde. Erna was ik altijd enorm hongerig.

Maar dat was jaren geleden, toen ik nog jong was. Nu stel ik me tevreden met het luisteren naar Daniel. Hij heeft me ooit gedoopt en dat moet voldoende zijn. Soms voel ik weer die drang naar meer, maar ik beheers mezelf. Ik kijk hoe de anderen naar voren komen en glimlach terwijl ik me voorstel hoe het heilige water langs de heftige plooien in mijn gezicht stroomt. Ik voel me ook tamelijk gelukkig met regen op mijn gezicht. Ik houd van de winter.

De secretaresse van dominee Daniel drukte op de zoemer die de liftdeuren in de Kapel van het Licht opende. Zeven verdiepingen hoog, een glazen lift, uitzicht over het district tot helemaal aan de bergen. Ik liep over het diepblauwe tapijt met de kleine, oranje met groene blaadjes terwijl Daniel zich omdraaide om me te begroeten.

Hij ging altijd hetzelfde gekleed: vlotte lange broek, zwarte instappers, wit poloshirt, zijn gebruikelijke honkbalpet van de Angels. Hij vertelde zijn congregatie dat de pet bedoeld was de Vader er toe over te halen de Angels een afdelingskampioenschap te bezorgen, of op zijn minst een wat beter slaggemiddelde.

'Hé, Joe, Joe *Trona*.'

'Goedemorgen, dominee. Sorry dat ik zomaar binnen kom vallen, maar ik wilde met u praten.'

'Die deur staat altijd voor je open. Dat weet je. Ga zitten.'

We gingen zitten. Oranje leren banken, blauwe kussens, het district dat zich voor je uitstrekte onder een deken van zomerse nevel en uitlaatgassen.

'Ik vind het heerlijk hier op de vroege zaterdagochtend,' zei hij. 'Geen verplichtingen. Geen afspraken. Niemand hier, behalve ikzelf en de kerkratten. Joe, waar kan ik je mee van dienst zijn?'

'Mag ik u een directe vraag stellen?'

Hij glimlachte. 'Die heb ik het liefst.'

'Nou, toen u en pa die avond in de Grove zaten te praten, de avond dat hij stierf, hadden jullie het over Savannah Blazak. Een deel van de conversatie was letterlijk als volgt. Will zei: *Ik weet waar ze is. Maar ik weet niet of ik de mensen om haar heen wel kan vertrouwen.* U zei daarop: *Wat zou je daar nu mee kunnen bedoelen?*

Daniels ogen sperden zich open, nog vergroot door zijn dikke brillenglazen.

'Joe, dat wordt afluisteren genoemd!'

'Ik weet het, dominee. Het heeft altijd deel uitgemaakt van mijn baan.'

Dat leverde een brede grijns van Daniel op. 'Wat een geheugen heb jij, Joe.'

'Het is een gave.'

Hij keek me met grote ogen aan.

'Dominee, mijn vader en de Blazaks waren kennissen. Zou hij enige reden gehad kunnen hebben om hen te wantrouwen?'

'Nee, niet dat ik weet, Joe. Ik weet wel dat Will en Jack Blazak beroepsmatig nogal eens in de clinch lagen. Ze hadden verschillende opvattingen, zoals jij zelf ook weet. Jack die alleen maar economische groei voor het district wilde, en Will die geloofde dat groei niet per se zaligmakend was. Het waren zeker geen dikke vrienden. Maar ik heb geen idee of en in welk opzicht Will Jack en Lorna wantrouwde. En dat geldt ook voor Bo.'

Daniel keek peinzend uit het raam.

'Meneer, Will zou toch geen ontvoerd meisje terughalen om haar vervolgens niet terug te geven aan haar ouders, als hij daar geen goede reden voor had?'

'Mee eens.'

'Dominee, wat hebt u hem die avond gegeven?'

'Wanneer?'

'In de Grove. Toen u zei: *Hier is het.*'

Opnieuw die opengesperde ogen – het was een vaste uitdrukking in zijn tv-optredens en moest verbazing uitdrukken over de genade, de wijsheid en het goede humeur van God. Hij lachte zacht.

'Joe, dat geheugen van jou. Ik heb nooit geweten dat het zo, eh...'

'Men noemt dat eidetisch, dominee.'

'Je zou het ook een wonder kunnen noemen, of een vloek, is het niet?'

'Niet kunnen vergeten heeft iets van beide.'

'Dus jij vergeet nooit iets?'

'Dat weet ik nog niet. Ik ben pas vierentwintig.'

Hij glimlachte en ging achterover zitten. Daniels glimlach plooide zijn gelaat tot de bekende vertrouwingwekkende uitdrukking. En zijn ogen lichtten op zoals ze dat altijd leken te doen.

'Joe, jij zou de kaarten in een spelletje blackjack kunnen tellen! Op een goed deck in kunnen zetten, de bank verslaan.'

Als Daniels geest een zondige zijweg inslaat, heeft dat vaak met gokken te maken. Hij heeft het erover in zijn optredens en gebruikt het om te demonstreren hoe verleidelijk de zonde kan zijn. Ik heb hem met Will over het gokken op sportwedstrijden horen praten. Hij weet heel veel van sport, van elke soort sport. Hij verbaast me soms, zoals op die laatste avond met Will, toen hij langs mijn tafel liep en zei welke stoot ik moest maken. Alsof zijn dagen op het seminarie voornamelijk werden gevuld met bezoekjes aan casino's, biljartzalen en stadions.

Misschien dat het gokken hem zo fascineert omdat Daniel een krent is. Zijn Kapel van het Licht haalt elk jaar miljoenen dollars binnen – veel daarvan onbelast – maar Daniel zelf woont in een bescheiden huis in Irvine. Rijdt in een Taurus. Zijn vrouw, Rosemary, is weer een heel ander verhaal. Salomo in al zijn glorie was niet opgetuigd als zij, en hij hield er geen appartementen op na in Newport Beach, Majorca en Cabo San Lucas.

'Nou, Joe, het enige dat ik Will die avond gegeven heb, was het geld van een kleine, onschuldige weddenschap die we hadden afgesloten op de Freeway Series. De werpers van de Angels faalden weer eens.'

Hij haalde glimlachend zijn schouders op, deels beschaamd vanwege zijn goklust, deels nijdig op de spelersbank van de Angels.

'We hadden afgesproken dat de winnaar het geld zou schenken aan een liefdadigheidsinstelling van zijn keuze. Je weet dat Will altijd bezig was mensen te helpen.'

Mijn vader en moeder hadden in de eerste zes maanden van het jaar gezamenlijk $ 235.000 aan liefdadigheid geschonken, en daar zat de $ 50.000 aan het gezin van Sammy Nguyens slachtoffer nog niet eens bij. Dat werd gemeld in een van de artikelen die werden geschreven ten tijde van de begrafenis. Over zijn hele leven genomen had hij al meer dan 2,75 miljoen weggeschonken.

Het meest moest van mijn moeder komen, die haar aandeel in het familiefortuin al meerdere malen had verdubbeld, volgens Will. Dat fortuin was hier in het district opgebouwd, vanaf het begin van de negentiende eeuw, en in de loop van de tijd steeds meer waard geworden – citrusvruchten, land en onroerend goed.

'Hoe groot was die weddenschap, eerwaarde?'

'Honderd dollar.' Daniel sloeg zijn ogen neer en wendde zich toen van me af om uit het raam naar het land te kijken dat zovele mensen rijk had gemaakt.

'Bid jij regelmatig, Joe?'

'Nee, meneer.'

'Dat zou je wel moeten doen. Hij luistert.'

Ik keek nu ook naar het land dat zich onder ons uitspreidde. Bijna drie miljoen zielen. Dat waren er heel wat om naar te luisteren, maar ik geloofde dominee Daniel toch onvoorwaardelijk. Als er iets is wat ik in dit leven geleerd heb, is het wel dit: er is een heleboel waar ik niets van begrijp.

'Meneer, denkt u dat Alex Balzak zijn zusje heeft ontvoerd en heeft gedreigd haar te doden?'

Hij keek me onthutst aan. 'Ja, natuurlijk, Joe. Alex Blazak is geestesziek, dat is bekend, en hij is bovendien een crimineel. Daar zijn dossiers over. Hij heeft zelfs mij een keer met een mes bedreigd, hier in deze studeerkamer, en dreigde me uit het raam te gooien. Hij was toen veertien. Het was maar een grap – hij stond na afloop te lachen. Vertelde tegen zijn vrienden dat ik in mijn broek had gepiest, hetgeen niet waar was. Ik geloof absoluut dat hij zijn zusje ontvoerd heeft. De verhalen die zijn ouders over hem verteld hebben, zijn ronduit angstaanjagend. Die jongeman is volkomen de weg kwijt – hij is nog maar eenentwintig. Maar hij is heel, heel erg in de war.'

Het was niet moeilijk om Daniel te geloven, zelfs als je weet dat het zijn werk is om jou in hem te laten geloven.

'Mijn vader was niet van plan Savannah terug te brengen naar haar ouders. Hij wilde haar bij Hillview afleveren.'

De ogen van de dominee werden weer groot. *'Waarom?'*

'Dat heeft hij me niet verteld. Ik dacht dat hij het misschien aan u had verteld.'

'O, nee. Nee. Ik zie geen enkele reden waarom hij zoiets zou doen.'

'Pa zij vaak dat hij Blazaks rottende ziel van drie meter afstand kon ruiken.'

'Dat was bij wijze van spreken.'

'Volgens mij duidt het er op dat er meer tussen hen aan de hand was dan wat verschil van mening over tolwegen en vliegvelden.'

'Ja, nou ja, als je het zo wilt uitleggen... ja.' Daniel knikte. 'Maar Will zal toch echt niet iemands gezinsleven aantasten, alleen maar om het politieke vuurtje aan te wakkeren.'

'Nee, dat geloof ik ook niet. Dus moet het iets anders zijn geweest.'

Ik stond op en bedankte hem. Ik dacht aan de Coast Starlight die die avond om 22.17 uur in Santa Ana zou arriveren en voelde weer die tinteling in mijn vingers. Daniel bekeek me aandachtig, met een geduldige maar nieuwsgierige blik.

'Zit je soms nog iets dwars, Joe?'

'Ja. Mijn vader – u weet wel, Thor, de echte – komt vanavond hierheen. Hij wil me zien. Ik weet niet wat ik moet doen.'

Ik vertelde Daniel over de brief, over Thors plannen om in de hemel te komen, over zijn behoefte aan vergeving.

'O, mijn hemel,' zei Daniel. 'Dit is inderdaad een moeilijke situatie.'

'Als ik aan dat Amtrak-station om kwart over tien vanavond denk, begint mijn hart te bonken en doet mijn gezicht pijn en word ik helemaal koud.'

'En dat is ook heel begrijpelijk, Joe.' Daniel leunde achterover en nam me op. 'Is het angst?'

'Ja.'

'Maar niet voor wat hij je zou kunnen aandoen?'

'Aandoen? Nee, hij kan mij fysiek niet meer kwetsen.'

'Waar ben je dan bang voor?'

'Dat ik hem niet kan haten.'

'Dat zul je me moeten uitleggen, Joe.'

'Ik heb hem altijd gehaat. Dat is simpel en veilig en begrijpelijk. Sinds Wills dood voel ik me labiel. Ik voel geen liefde of haat meer. Ik heb het gevoel dat alles zo'n beetje hetzelfde is en dat niets er nog toe doet. Dus vraag ik me af of ik wel met Thor moet praten. Een maand geleden zou ik dat zonder meer hebben afgewezen.'

'Heb je ook gewenst dat je hem kon straffen?'

'Ja, ik fantaseerde daar regelmatig over toen ik oosterse vechtkunsten leerde of met wapens oefende. En ik genoot daarvan. Nu schuilt er geen plezier meer in.'

'Wat wil je tegen hem zeggen, Joe? Wat wil je hart zeggen?'

Daar moest ik even over nadenken. 'Niets, meneer. Ik heb hem helemaal niets te zeggen.'

'O?'

'Alleen maar de vraag: waarom?'

'Misschien zou het je goed doen daar een antwoord op te krijgen. Je verdient een antwoord.'

'Dat heb ik ook altijd gedacht. Het is alleen dat als ik mezelf daar op dat station voorstel, hem uit de trein zie stappen, dat mijn hele lichaam dan van slag raakt.'

'Het is ook niet niks, Joe. Wil je met me bidden? Laten we God vragen wat we moeten doen.'

We baden en Daniel sloot het gebed af met psalm 23, mijn favoriete bijbeltekst. Ik probeerde echt naar God te luisteren, maar ik hoorde niets, behalve een vage ruis in mijn oren. Er wordt gezegd dat God tot de mensen spreekt en dat geloof ik ook, hoewel hij tegen mij persoonlijk nog nooit iets gezegd heeft.

'Bedankt, dominee.'

'Heb vertrouwen in de Heer.'

'Ja, meneer.'

'Eer je moeder. Ze heeft je nu nodig.'

'Ik heb over enkele minuten een afspraak met haar.'

'Doe haar de groeten.'

Mijn moeder was de eerste vrouw op wie ik verliefd werd.

De derde keer dat Will naar het Hillview kwam, had hij Mary Ann bij zich. Ze droeg een witte jurk. Ze zag eruit alsof ze zojuist van het strand kwam. Haar gezicht was gebruind, haar ogen stonden helder, haar blonde haar zat een beetje in de war en haar benen waren donker en glad.

Toen ze die donderdagavond de recreatiezaal binnenliepen, keek ik samen met een van de stafleden hoe ze de deur door kwamen en om zich heen keken. Hun schoonheid verpletterde me. Will zo lang en krachtdadig; Mary Ann zo stralend en beheerst. Het waren voor mij wezens van een andere planeet die een kijkje op aarde kwamen nemen. Ik wilde dat ze naar mij uitkeken. Ik *dacht* dat ze naar mij uitkeken. Maar een stem diep vanbinnen zei me dat het absoluut onmogelijk was dat ze uitkeken naar een vijfjarig jongetje met een pulpgezicht dat nauwelijks iemand aan durfde kijken.

Ik was met een blokkendoos aan het spelen en probeerde een huis te bouwen. Ik liep weg bij de blokkendoos om zo wat meer op te vallen. Ik keek in hun richting, maar keek hen niet echt aan. Toen ik zag dat ze mijn richting uit kwamen, brak mijn hart en begonnen mijn ogen te branden en zag ik alles alleen nog maar in een waas.

Will stelde me voor aan zijn vrouw, Mary Ann. Ze deed een stap naar voren stak een gebruinde hand uit. Om haar pols zat een dunne, gouden armband. Haar vingers waren koel en ik kon haar heel duidelijk ruiken: water, zon, iets zoetigs en bloemrijks en tropisch. Ze liet mijn hand los en rechtte haar rug. Ik kwam maar net tot haar middel. Ze glimlachte naar me en ik keek heel even naar haar op, alsof ik naar de zon keek, en wendde toen mijn geruïneerde gezichtshelft af.

'Ik ben zo blij om jou te zien, Joe.'

'Aangenaam kennis te maken, mevrouw.'

'Will heeft me al een heleboel over je verteld.'

Daar wist ik niets op te zeggen.

We stonden even zwijgend bij elkaar en ik voelde iets wat ik nog nooit gevoeld had: ergens bij horen. Het was zo'n simpel, prachtig gevoel. Maar het volgende moment sloeg dat gevoel van ergens bijhoren om in de sombere verzekering van verlies. Wezen hebben een sterk ontwikkeld gevoel voor vergankelijkheid. Ik wist dat dit met Will en Mary Ann Trona – wat het ook was – van korte duur zou zijn. Terwijl ik daar zo stond en wanhopig naar mijn woorden zocht, wist ik eigenlijk al dat het voorbij was.

'U kunt hier best blijven, als u dat wilt,' zei ik. Ik wees naar de blokkendoos. 'Mijn huis is nog niet klaar.'

'Laten we er dan maar eens naar kijken,' zei Will.

Met een opwinding die nergens op sloeg, ging ik hen voor naar de blokkendoos. Trots op mijn bezit.

'Te klein,' zei Will. 'Je hebt iets nodig waar je de ruimte hebt, waar je kunt spelen, iets kunt leren.'

'Het is anders best een mooi huis,' zei Mary Ann. 'Is dat daar de keuken?'

Ik knikte.

Een van de oudere kinderen in het tehuis kwam naar ons toe, als een mot aangetrokken door het licht dat de Trona's om zich heen wierpen. Het was een stoere, zelfverzekerde jongen van hooguit acht die me in mijn billen kneep of me tegen mijn schenen schopte als de verzorgers even niet keken. Hij noemde me Gargantua, naar die gorilla die in een of ander verhaal zoutzuur in zijn gezicht krijgt. Ik ging tussen hem en mijn bezoek in staan, maar hij probeerde zich langs me heen te wurmen.

Hij probeerde zo dicht mogelijk bij Will en Mary Ann te komen.

Ik viel aan met een woede die ik altijd al in me had gehad. Toen Will me van de jongen aftrok, stond die al te gillen en voelde ik een scherpe pijn in mijn hand, waarin later, na onderzoek, een botje bleek te zijn gebroken.

Bewaar dat, Joe, had hij gezegd, terwijl hij me stevig bij mijn armen vasthield. *Bewaar je woede. Bewaar die voor een betere gelegenheid.*

De volgende drie uur bracht ik door opgesloten in de 'Denkkamer', waar je werd verwacht na te denken over wat je had gedaan. Mijn hand deed verschrikkelijk veel pijn en was helemaal opgezwollen. In de middelste knokkel zat een snee ter grootte van de beet van een voortand.

Maar ik dacht nauwelijks aan de pijn. Het enige waar ik aan kon denken, was dat ik de Trona's nu nooit meer zou zien. Ik wilde mijn gezicht onderdompelen in koud water, maar er was geen wasbak in de Denkkamer. De volgende dag probeerde ik Will en Mary Ann te tekenen met waskrijt, en de tekening was behoorlijk geslaagd. Hij hing ongeveer een week aan de muur naast mijn bed, tot iemand hem er vanaf rukte, zodat er nog slechts twee afgescheurde hoeken aan de muur geplakt zaten.

Ik schreef hen diverse brieven die ik onder mijn matras verborg. Elke minuut dat ik wakker was, dacht ik aan hen. Ik droomde over hen, dat we in een ruimteschip zaten en door het heelal zoefden naar een planeet waar je alleen maar plezier had en bij elkaar was. Maar ik sprak met niemand over Will en Mary Ann, want ik had op vijfjarige leeftijd al geleerd dat dromen bedrog waren en dat dromen waar je over sprak bijna altijd tot vernedering leidden.

Een week na de ruzie werd ik in het kantoor van de directrice geroepen. Ik liep er langzaam en met pure angst naar toe. Ik wierp een blik op het motto aan de muur buiten het kantoor, las voor de zoveelste keer de bekende tekst: *Genees het Verleden, Koester het Heden, Schep de Toekomst.* Mijn keel voelde zo dik aan dat het pijn deed.

Maar daar waren ze, wachtend op mij, Will en Mary Ann, van een andere planeet, de toekomst die ik in gedachten geschapen had. Ik ging zitten en luisterde naar de directrice en langzaam drong het tot me door – in een heftige mengeling van opwinding en pessimisme – dat dit het begin was van het proces dat zou leiden tot een formele adoptie in het gezin van Will en Mary Ann Trona. Haar woorden waren als de woorden in een droom – aangenaam maar vluchtig, weinig substantieel.

'Joe, wat ik wil zeggen, is dat als jij je goed gedraagt en alles verloopt zoals verwacht, Will en Mary Ann op een dag jouw vader en moeder kunnen worden.'

Ik zat heel stil en wachtte tot de droom zou eindigen.

Maar het was nog maar het begin.

Ik haalde Mary Ann op en reed de heuvels van Tustin uit en via Jamboree naar het County Art Museum.

Ze zat heel stilletjes naast me, gekleed in een eenvoudige zwarte jurk, tasje op haar schoot, handen op haar tasje en uit het raam kijkend.

'Deze woonwijken waren sinaasappelplantages toen ik nog een meisje was,' zei ze. 'Pap verkocht deze kavels en was in één klap schatrijk. Als ik zie wat er van geworden is, wenste ik dat het nog plantages waren. Maar ja, dat kan ik natuurlijk makkelijk zeggen, met al dat bloedgeld op mijn bankrekening.'

'De mensen moeten toch ergens wonen. En sommige mensen zijn prettiger gezelschap dan sinaasappelbomen.'

'Noem er eens drie.'

'Jij, pa en Lincoln.'

Daar dacht ze even over na. 'Pa en ik. Will en ik. Ik weet dat je probeert me op te vrolijken, maar dat lukt op deze manier niet. We zullen van onderwerp moeten veranderen.'

'Het begint al aardig te zomeren,' zei ik.

'Dat doet me denken aan het surfen in Huntington.'

'Laten we dat nog een keertje gaan doen, als het water wat warmer is.'

'Ja hoor, Joe.'

Mijn moeder is een beeldschone vrouw, stevig en welgevormd,

met steil blond haar, blauwe ogen en een prachtig gezicht. Ze glimlacht makkelijk en verleidelijk. Toen ik op vijfjarige leeftijd van het ene op het andere ogenblik verliefd op haar werd, had ik geen keus. Mijn hart sprong bij haar naar binnen en bleef daar.

Toentertijd kon ik niet geloven dat ik van de inrichting in Hillview zomaar zou verkassen naar een huis in de zoet geurende heuvels van Tustin, naar de woning van deze twee fantastische mensen. Ik was bang voor het addertje onder het gras, de spottende lach, het zoutzuur.

Pas veel later vertelde Mary Ann me dat ik voor hen een even groot wonder was als zij voor mij. Want na de geboorte van Glenn wilden Mary Ann en Will nog een derde kind. Maar wat ze ook probeerden – vruchtbaarheidstests, kunstmatige inseminatie – niets hielp. Zes jaar van hoop gevolgd door frustratie. En toen raakte Will in gesprek met iemand van Hillview en hoorde hij over mijn 'geval'. Will noch Mary Ann had ooit overwogen een al wat ouder kind te adopteren. Maar het volgende weekend was Will de bibliotheek van Hillview binnengelopen om mij te zien. En mijn 'geval' werd voor ons allemaal een droom die werkelijkheid werd.

We gebruikten de lunch buiten het museum en gingen vervolgens met een glas frisdrank in het milde zonnetje zitten. Ze droeg een zonnebril en ik kon niet zien wat ze dacht.

'Mam, ik moet weten waar hij mee bezig was. U stond hem nader dan wie dan ook. Hij hield van u en hij vertrouwde u. Ik wil weten wat hij over die avond verteld heeft. Wat dan ook. En over Savannah Blazak. Alles wat hij tegen wie dan ook verteld heeft.'

Ze keek me weer aan en haar kin trilde. Ze haalde diep adem. 'Joe,' zei ze kalm, 'Will was wereldkampioen in het mij buiten schot houden.'

'U moet toch iets gehoord hebben, u moet toch enig idee hebben gehad wat er aan de hand was?'

'Je zult wat specifieker moeten zijn. Ik zou niet weten waar ik moet beginnen.'

'Oké. Waarom vertrouwde pa Jack en Lorna Blazak niet?'

Ze nam me vanachter de grote, donkere brillenglazen op. 'Hij haatte Jack – dat weet jij ook. Hij haatte diens politiek, haatte zijn geld, haatte alles aan hem. Ik denk dat haat tot wantrouwen leidt. Wat Lorna betreft, daar kan ik niets over zeggen.'

'Die avond, de avond dat hij stierf, stond hij op het punt Savannah naar de Kinderbescherming te brengen, en niet terug naar haar ouders.'

'Had dat iets met het geld te maken?'

'Nee. Dat had hij al opgehaald.'

'Dan heeft hij misschien iets ontdekt.'

'Maar wat, mam? Dat is wat ik wil weten.'

Ze schudde haar hoofd. 'Ik kan je niet geven wat ik niet heb, Joe. Misschien was hij al nooit van plan haar aan hen terug te geven.'

Dit was interessant. Ik was daar zelf nog niet opgekomen. 'Waarom niet?'

'Ik weet het niet, Joe, ik speculeer maar wat.'

Ik moest toegeven dat Will ongeveer alles zou doen om Jack Blazak het leven zuur te maken. Hij zou ervan hebben genoten, want Jack Blazak vertegenwoordigde alles wat Will verafschuwde. Maar niet over de rug van een elfjarig meisje.

Blazak was een immens rijke man en zijn invloed in het district was groot. Hij had onlangs nog twee politici in de Californische regering gekregen, voornamelijk dankzij donaties op de juiste plekken. En zo steunde hij ook de afgevaardigden in het Congres voor Orange County. Hij zat in de Raad van Commissarissen van elf bedrijven die allemaal in de Fortune 500 stonden. Zijn geschatte persoonlijke vermogen bedroeg iets van 12 miljard dollar. Hij was vier jaar jonger dan Will – vijftig.

'En hoe zit het met het vliegveld, Joe? Will zou... zich graag enige moeite hebben getroost daar een kink in de kabel te veroorzaken.'

Het nieuwe vliegveld was een prestigeproject van Jack Blazak. Het afgelopen jaar had hij honderdduizenden dollars eigen geld gestoken in een poging de kiezers ervan te overtuigen dat een nieuw internationaal vliegveld op het terrein van de verlaten marinebasis bij El Toro een absolute noodzaak was.

Hoewel het huidige vliegveld naar internationale maatstaven nieuw is, en een van de beste van het hele land, beweerden Blazak en zijn zakenvriendjes dat het alweer te klein was, te ouderwets en te gevaarlijk. Hij en zijn zakenvriendjes zouden met de bouw van het nieuwe vliegveld – en het besturen ervan – trouwens flink wat geld binnensleпen. Blazak en zijn vriendjes noemden zichzelf het Burgercomité voor Luchtvaartveiligheid. Hun bureaucratische danspartner was, vanzelfsprekend, de TA van Orange County, geleid door Carl Rupaski.

Wat de kosten van de bouw betrof, stelde Blazak voor dat het district achthonderd miljoen van de accijns op tabak zou besteden aan de bouw van het vliegveld. Het geld van die accijns was eigenlijk bedoeld voor de gezondheidszorg en andere publieke diensten, hoewel technisch gesproken elk district zelf mag bepalen hoe het dat geld besteedt.

De pro-vliegveldlobby zei dat Blazaks plan geniaal was en had vijf miljoen dollar uitgetrokken voor het overtuigen van de kiezers. De anti-vliegveldlobby zei dat het illegaal en immoreel was en gaf twee miljoen dollar uit om de kiezers van het tegendeel te overtuigen.

Het was een politiek hangijzer dat liters inkt en kilometers videoband vergde. Het was met afstand het meest verdeeldheid zaaiende onderwerp in de geschiedenis van Orange County. Er waren speciale verkiezingen uitgeschreven voor november en er werd nu al een enorme opkomst voorspeld.

En Will was tegen het vliegveld geweest, voor honderd procent, al vanaf het moment dat Blazak met zijn voorstellen kwam.

Ja, Will verachtte Blazaks hebzucht, maar ik kon me nog steeds niet voorstellen hoe Savannah daarin paste. Will zou nooit een elfjarig kind aan zijn strijd opofferen. Zo'n soort man was hij niet.

Wat ze vervolgens zei, verraste me.

'Ik ben zo kwaad op hem, Joe. Al dat gekonkel en gemanipuleer. Ik weet dat jij daarvan op de hoogte was. Ik weet dat ik werd verondersteld daar niets van af te weten. Ergens denk ik dat hem dat de dood in heeft gedreven. Al die dingen die hij 's avonds nog moest regelen. Al die intriges waar hij niet buiten kon.'

Ik voelde mijn gezicht gloeien van schaamte.

'Het geeft niet, Joe. Ik geef jou nergens de schuld van. Wil je dat alsjeblieft geloven?'

Ik kon niets zeggen. Ik kon zelfs op dat moment de geheimen van mijn vader niet aan haar toegeven, ook al moet ze van veel ervan al geweten hebben, zelfs al verraadde mijn gezicht dat ik ervan op de hoogte was.

'Daar was je nu eenmaal zijn zoon voor,' zei ze nuchter. 'Junior kreeg voorspoed. Glenn kreeg geluk. Jij kreeg de waarheid.'

Ik keek met prikkende ogen omlaag. Ik trok mijn hoed wat dieper over mijn ogen, zodat mijn moeder mijn gezicht niet zou zien.

'En vervolgens haat ik mezelf omdat ik kwaad op hem ben, Joe. Ik denk aan wat er is gebeurd en ik kan niet geloven dat ik aan al die pijn, aan al dat verlies, nog woede kan toevoegen. Maar dat doe ik wel.'

'Ik voel dat zelf ook enigszins, mam.'

Ze keek me lange tijd aan. 'Ik durf te wedden dat jij eerder kwaad bent op jezelf, en op die mannen. En ik durf te wedden dat jij jezelf kwelt met gedachten aan hoe het gebeurd is, hoe je het had kunnen voorkomen.'

'Ja.'

'O, mijn lieve, stille Joe.'

Stilte. Mams genegenheid die op me afstraalde.

'Stop,' zei ik.

'Jij wilt wraak, is het niet?'

'Heel erg, ja.'

'Ja, en ook daarom ben ik kwaad op Will, omdat hij jou dit laat doormaken.'

'Nee. Pa heeft pa niet gedood. We moeten de zaken wel helder blijven zien. Anders doen we nog iets stoms en maken we de zaken alleen maar erger.'

'Ik weet het. Ik weet het!'

Ik voelde de warme juniwind op mijn gezicht, dik van de zilte lucht van de oceaan. Ik was me bewust van elke seconde die verstreek. Het waren geen gelukkige seconden, maar ik wilde ze toch meemaken.

'Joe, weet je wat ik soms doe, laat op de avond? Als ik niet in slaap kan komen, sta ik op en ga een eind rijden. Gewoon maar rijden, nergens heen. Zoals Will vroeger ook deed. Er zijn rond die tijd niet veel mensen op straat. Het geeft me het gevoel dat ik een voorsprong heb. Maar een voorsprong *waarop,* dat zou ik niet kunnen zeggen.'

'Ik heb je toch verteld dat je dat prettig zou vinden?'

'Je had gelijk.'

We stonden aan het graf en keken naar de verse rechthoek van gras die nu de aarde bedekte. Bovenaan de helling groef een groepje arbeiders met behulp van een kleine bulldozer een nieuw gat. Het gegrom van de motor maakte ons duidelijk dat leven en dood gewoon doorgingen. Je kon van hieraf Catalina Island zien liggen, ver naar het westen, opduikend uit de nevels. Meeuwen cirkelden krijsend boven het onberispelijk groene gazon.

Op de grafsteen stond slechts:

WILL TRONA
1947-2001
LIEFHEBBEND ECHTGENOOT EN VADER
DIENAAR DER MENSHEID

Ik voelde me heel erg verbonden met mijn moeder terwijl ik daar zo naar het graf stond te kijken. Ik was me er terdege van bewust hoe alleen we waren, hoe ver we afstonden van Will Jr. en Glenn, die hun normale leven inmiddels weer hadden opgepakt. Als moeder had Mary Ann altijd de nadruk gelegd op onafhankelijkheid. Ze had altijd vertrouwen in me gesteld, me mijn vrijheid gelaten en me mijn eigen verantwoordelijkheid gegeven. Ze was een nogal gesloten type en liet niet gauw haar gevoelens blijken. Onberispelijke manieren. Maar ik vroeg me op dat moment af of haar elegante onverstoorbaarheid niet meer een last was dan een zegen.

Ik pakte Mary Anns hand beet. 'Mam? Will vertelde me dat u die avond depressief was. Weer depressief, zei hij. Is er iets wat ik zou moeten weten?'

Ze keek naar het graf en schudde haar hoofd. Toen slaakte ze een zucht en keek naar me op. 'Laten we daar in de auto verder over praten.'

Een half uur later reden we de slingerende lanen van de begraafplaats af. Een man in het zwart wuifde ons naar het hek.

'Hij ontmoette iemand anders. Tijdens de begrafenis realiseerde ik me dat het die aantrekkelijke Mexicaanse vrouw was die op Jaimes kantoor werkt. Het was trouwens niet de eerste keer dat hij me zoiets flikte. Maar jij hebt dat al jaren geweten, is het niet?'

Ik was me bewust van vier verschillende 'affaires' in de vijf jaar dat ik zijn chauffeur, lijfwacht, vertrouwensman, loopjongen, lakei en duvelstoejager was. Twee waren binnen een maand weer voorbij. Twee duurden wat langer. Ik had het vermoeden dat er nog meer waren.

'Ja.'

'Heb je ooit naar me gekeken en gedacht: mam is gewoon een dom blondje, te dom om in de gaten te hebben dat haar eigen man haar ontrouw is?'

'Ik heb altijd gedacht dat u de mooiste vrouw van de wereld was. Ik heb nooit begrepen waarom hij tijd met iemand anders wilde doorbrengen. Eerst dacht ik dat u het niet kon weten. Daarna wist ik dat u ervan op de hoogte was.'

'Hoe?'

'Die avond dat u alleen op uw kamer zat te huilen. Ik had naar een film zitten kijken of een boek zitten lezen waarin de vrouw werd bedrogen en alleen op haar kamer zat te huilen. Het werd me ineens duidelijk. Ik geloof dat ik toen veertien was.'

Ze lachte zacht. 'Tja, ik heb heel wat afgehuild.'

Ik keek haar aan. Ze glimlachte en ik zag een traan onder haar bril vandaan rollen. Haar stem was licht en fragiel, alsof hij bij het minste zuchtje wind zou breken. 'Ik hield zoveel van die man. Maar ik haatte hem soms ook. En het zal me altijd blijven achtervolgen dat Will stierf op het moment dat ik hem haatte.'

Ze legde haar hand op mijn arm en kneep hard.

Ik ging rechtstreeks naar de gevangenis. Zonder eerst langs Af te gaan. Ik keuvelde een paar minuten met Grote Mike Staich in de hoop Sammy's aandacht te trekken. Het werkte. Hij riep me naar zijn cel en gebaarde dat ik dichter bij de tralies moest komen. Ik kwam iets dichterbij.

'Sands was een goeie tip,' zei ik.

'Mooie vrouw.'

'Alex komt niet al te veel langs.'

'Misschien is ze eenzaam. Probeer een afspraakje met haar te maken.'

'Dat zou ik nooit doen.'

Daar leek Sammy over na te moeten denken. 'Ze hadden Alex bijna te pakken, tot tweemaal toe.'
'Hij heeft geluk gehad.'
'Hij is ook behoorlijk paranoïde. Dat helpt.'
Grote Mike mengde zich in het gesprek. 'Het komt gewoon omdat die Feds zo dom zijn.'
'Over eenzaam gesproken, hoe is het met Bernadette?'
Hij bekeek me plotseling met iets van achterdocht. 'Met haar is het prima. Waarom zou er iets met haar zijn?'
'Jij begon zelf over eenzaamheid.'
Grote Mike: 'Ze is eenzaam, Sammy. Vroeg of laat gaan ze zich allemaal eenzaam voelen. En hoe leuker ze eruitzien, hoe eerder dat gebeurt.'
'Houd je kop, Mike. Je irriteert me weer.'
Sammy legde beide handen om de tralies. De oranje gevangenisoverall was hem net iets te groot. Hij zag eruit als een peuter die op zijn bedje stond. 'Wil jij soms een afspraak met Bernadette?'
'Nee. Ik dacht alleen maar dat ik misschien eens bij haar langs kon gaan, als jij dat wilt tenminste. Gewoon even kijken hoe ze het maakt.'
Sammy staarde me aan, niet goed wetend wat hij hiermee aan moest. 'Waarom zou je dat doen?'
'Jij hebt mij geholpen. Nu help ik jou.'
'Ik heb je om een goede rattenval gevraagd.'
'Die kan ik je niet geven. De technische dienst is van plan gif in de verwarmingsbuizen te strooien.'
Grote Mike Staich weer: 'Dan gaan die ratten dood en krijgen wij de stank.'
'De rat zit in mijn cel en niet in de verwarmingsbuizen,' zei Sammy. 'Hij gebruikt die buizen om hier te komen.'
'Als ik mijn eigen rattenklem had, kon ik hem hier vangen.'
'Ja, nou, dat kun je wel vergeten, want die krijg ik nooit. Dat is niet toegestaan. Je kunt de onderdelen daarvan bijslijpen en er een wapen van maken.'
Sammy tuitte zijn lippen.
'Ik heb wel eens zelf een rattenval gemaakt,' zei Staich. 'Toen ik in de tweede klas zat.'

Sammy sloeg zijn ogen ten hemel. 'Hoe oud was je toen – zestien?'
'Wees maar blij dat ik niet bij je kan komen, anders had ik die spleetogen van je vierkant geslagen.'
'De goden zijn gedankt dat ik in Mod J zit. Maar het is evengoed verbazingwekkend wat ik hier allemaal om me heen heb. Ratten en idioten.'
Grote Mike: 'Hang jezelf dan op, man.'
'Mike, ik heb geen veters, geen broekriem en er hangt daar een camera die alles vastlegt wat ik doe.'
Mike: 'Slik je tong in.'
'Het kokhalzen voorkomt zelfmoord. Houd je kop, Mike. Alsjeblieft. Ik kan niet nadenken als jij praat. Het IQ van deze afdeling zakt als jij je mond opendoet.'
Mike: 'Je hoeft geen genie te zijn om te bedenken dat ze zich eenzaam voelt. Ze is eenzaam.'
Sammy keek me aan, duwde zich af van de tralies en ging op zijn bed zitten. Hij keek omhoog naar haar foto.
'Nou ja, je zult hier niet al te lang meer zitten, Sammy. Je krijgt al snel je proces en dan ben je ofwel vrij man of je krijgt een enkele reis naar de gevangenis.'
Hij schudde zijn hoofd. 'Ik kom vrij. Ik ben onschuldig. En ik geloof in Amerika, ik geloof in dit systeem.'
'Nou, veel geluk dan maar, Sammy.'
Hij keek weer omhoog naar de foto van Bernadette. Hij sprong op van zijn bed en kwam weer naar de tralies toe, gebaarde dat ik dichterbij moest komen. Ik liep tot vlakbij hem, maar hield hem nauwlettend in de gaten.
'Probeer de Bamboo 33. Kijk alleen maar of ze daar is. Kijk of niemand haar lastigvalt.'
Ik knikte.
Grote Mike Staich: 'Ze is eenzaam, Sammy. Ze worden allemaal eenzaam.'

Het woord eenzaam bleef door mijn hoofd spoken en ik dacht aan Ray Flatley van de GIU. Ik ging naar het hoofdbureau om hem even gedag te zeggen. Hij had een foto aan de muur hangen waarop hij stond te vissen. Hij stond ver in de rivier en hield een lange hengel omhoog die als een enorme zweep achter hem gebogen stond. Ik vroeg hem ernaar en hij zei dat het de rivier de Green was, in Utah. Hij ging er al jaren heen om te vliegvissen.

Hij keek naar de foto. 'Het heeft iets bijzonders, dat staan in een rivier. Er gaan dingen door je heen. Er komen dingen naar buiten die met het water lijken weg te stromen. Er komen dingen binnen. Ik weet niet goed hoe ik het uit moet leggen. Het is ook niet voor iedereen hetzelfde. De vis doet er eigenlijk minder toe dan de rivier.'

'Het lijkt mij wel prettig,' zei ik.

We gingen zitten en praatten even over de gevangenis, het weer, de Angels. Toen we door onze onderwerpen heen waren, hetgeen algauw het geval was, vertrok ik weer.

Ik mocht Ray graag. Hij deed me aan mezelf denken, maar dan binnenstebuiten gekeerd. Ik weet niet zeker waarom ik dacht dat het praten met een vierdejaars hulpsheriff Ray zou opvrolijken of aan de kwaliteit van zijn leven zou bijdragen. Dat was waarschijnlijk ook niet zo. Maar het is de menselijke natuur, neem ik maar aan, om te denken dat je iemand kunt opvrolijken door even bij hem of haar langs te gaan.

13

Jennifer Avila stemde er in toe me die avond bij het HACF-gebouw te ontmoeten. Ik reed door de barrio, altijd vol leven, en nu zelfs nog meer met de lange dagen en de zomerse hitte. Toen ik over de parkeerplaats van het HACF liep, rook ik gegrild voedsel vermengd met de narcotische geur van trompetbloemen die over een nabijgelegen hek groeiden. Barbecuerook steeg op vanachter de grote, bleke bloemen. Muziek. Stemmen. Gelach.

Jennifer stond al bij de achterdeur te wachten en kwam naar buiten. Ze deed de deur op slot en begon om het gebouw heen te lopen, haar laarzen knarsend op het grind.

'Vind je het goed als we een eindje gaan wandelen?'

'Ja hoor, prima.'

'O – ik heb je geloof ik nog niet eens gedag gezegd. Hallo, Joe.'

'Dag, mevrouw Avila.'

Het was heel moeilijk voor me om naar haar te kijken. Zwart haar en diepbruine ogen en een gladde huid en de donkere lippenstift die ze altijd op had voor ze iets met mijn vader kreeg. Een eenvoudig geel zomerjurkje dat niet veel te raden liet omtrent haar prachtige figuur. Ik zag voor het eerst ook haar armen.

Mijn vingers tintelden. Ik schaamde me voor de aantrekkingskracht die ze op me uitoefende, schaamde me voor het verraad jegens mijn moeder en vader, ook al was het dan alleen maar in gedachten. En ik was ook kwaad op Jennifer. Voor wat ze met Will had gedaan, voor wat ze Mary Ann had aangedaan.

Jennifer had Het Onbekende Iets. Will had het gezien en ik zag het nu ook.

We liepen door de drukke straat, in de schaduw van luifels en magnolia's.

'Wat wil je eigenlijk van me, Joe?'

'Ik wil weten hoe Will Savannah Blazak gevonden heeft.'

'Met onze hulp.'

Kunt u niet iets specifieker zijn?'

'Alex Blazak deed wat zaakjes met de Raitt Street Boys en met Lincoln 18th. Wij kennen mensen die vroeger bij die gangs zaten. We hebben dus gewoon wat informatie door laten sijpelen.'

'Waar leidde dat toe?'

'Tot een pakhuis in Costa Mesa. Een nachtclub in Little Saigon – de Bamboo 33. Een paar hotels. Wij hebben die informatie weer aan Will doorgespeeld.'

'Welke tip leidde naar Savannah?'

'Het Ritz-Carlton. Will kende daar de bedrijfsleider. Die vroeg zijn barkeepers uit te kijken naar Alex. Alex kwam daar een keer laat op de avond samen met Savannah een hapje eten en de barkeeper belde Will.'

'Welke avond was dat?'

'Dat weet ik niet precies. Aan het begin van de week.'

'Ik heb dat pakhuis gezien. En ik denk dat ze er allebei geweest zijn – Alex en Savannah.'

Ze zei niets.

'Wist u wat er in die tennistas zat?'

Ze knikte. 'Het losgeld. Eén miljoen dollar in baar geld.'

'Waarom gaf Daniel het geld niet direct aan Will?'

'Warren had het. Jack wilde dat het op een neutrale plek werd bewaard, als een soort onderpand. Daniel stond in voor Jaime, dus brachten ze het hierheen, waar het tot de laatste minuut is gebleven.'

Ik dacht aan Jaime die een miljoen dollar in bewaring had die zijn HACF heel goed kon gebruiken. Hij had er die avond graag iets van gekregen.

'Wist Jaime van het appartement in Lind Street?'

Ze wierp me een snelle blik toe. 'Dat weet ik niet.'

'Wist u ervan?'

Weer dat flitsen van haar donkere ogen. Ze versnelde haar pas, alsof ze zo de vraag kon ontlopen. 'Waarom zou ik dat moeten weten?'

'Omdat minnaars elkaar dingen vertellen.'

'Bemoei je niet met mijn zaken.'
'Ik moet wel.'
'Luister, ik wist dat Will een regeling probeerde te treffen tussen Alex en zijn ouders. Dat heeft hij me verteld. Ik wist dat een of ander appartement in Anaheim werd gebruikt voor de overdracht. Maar meer wist ik niet.'
'En het adres?'
Ze schudde haar hoofd.
Geef me Pearlita.
We staken een druk kruispunt over en liepen toen terug in de richting van het HACF. Er werd heel wat naar ons gekeken – een prachtige vrouw in een gele jurk en een litteken onder een hoed.
'Wist u wanneer hij in Lind Street zou zijn?'
'Zo ongeveer. Hoezo?'
'Ik moet weten wie er wisten waar Will zou zijn, en wanneer.'
Ze knikte, maar bleef recht voor zich uit kijken. Ze leek zich te concentreren, te proberen de informatie te verwerken.
Toen keek ze me even aan. 'Ja. Oké. Ik wist waar het was. Ik wist niet wanneer.'
'Waarom hebt u Pearlita gebeld?'
Ze bleef staan en keek me nu recht aan. 'Jij bent kennelijk een geboren afluisteraar, is het niet?'
'Ik hoor dingen en vergeet die niet.'
'Mijn god.'
Ze draaide zich om, schudde haar hoofd en liep weer verder. Ik luisterde naar het ritme van haar schoenen op de tegels. Je kunt in voetstappen emoties horen doorklinken. Walging. Woede. Schaamte.
We liepen langs een *joyeria* en langs de *discoteca*, waar muziek de straat op schetterde.
'Ze is een oude kennis. Zij kwam met de Ritz en de Ritz kwam met Savannah, dus vond ze dat Will haar wel iets schuldig was. Ik belde haar toen jullie bij Jaime langsgingen.'
...Oké, oké. Ja, die is op het moment hier.
'Maar ze kwam niet opdagen.'
'Er kwam wat tussen, zei ze.'
'Wat kwam er tussen?'

‘Dat zei ze niet.’

‘Waarom wilde ze hem spreken?’

‘Luz... Pearlita wilde het over haar broer hebben. Haar broer is Felix Escobar.’

En toen begreep ik het. Wills goede vriend, openbaar aanklager Philip Dent, was het niet eens met de straf die Felix Escobar was opgelegd wegens een dubbele moord. Escobar was een Mexicaanse maffiasoldaat die van dichtbij twee mannen had neergeschoten tijdens een overval op een supermarkt. Dent had de veroordeling twee weken geleden doorgekregen, van een jury die er vijfenveertig minuten over beraadslaagde. Hij wilde de doodstraf.

‘Pearlita wilde zijn zaak bepleiten bij Will,’ zei ik, ‘in de hoop dat Will met Dent zou praten.’

‘Ze wilde enige clementie voor hem.’

‘Felix toonde zelf weinig clementie.’

Ze bleef staan voor een caféraam en keek me aan. ‘Ga weg, Joe. Je bent naïef en gevaarlijk.’

‘En u hier zomaar op straat achterlaten?’

‘Blijf uit mijn buurt.’

Mijn oren werden warm. Een auto reed door Fourth Street met de muziek zo hard aan dat de ramen ervan trilden. Ik keek omlaag naar de woede op Jennifer Avila’s mooie gezichtje. Ik wachtte tot de luidruchtige auto voorbij was.

‘Mevrouw Avila, Pearlita wist iets over het wanneer. Ze wist dat hij in het HACF-kantoor was omdat u haar belde toen wij daar arriveerden. En later die avond wist ze dat Will onderweg was omdat ze hem belde. Misschien dat ze die informatie met anderen heeft gedeeld. Hebt u haar van het geld verteld, de regeling? Het *waar*?’

‘Ik herinner me niet elk woord dat ik gezegd heb. Ik help vrienden.’

‘Hebt u Pearlita Wills nummer gegeven?’

‘Mogelijk. Dat herinner ik me niet meer. Wat is een telefoonnummer? Je kunt ieders nummer krijgen als je dat wilt.’

‘U moet geweten hebben hoe gevaarlijk dat kon zijn, met alles wat er gaande was.’

‘Ik help vrienden.’

'Misschien hebben ze uw hulp aanvaard en Will ermee te pakken genomen.'

Ze sloeg me, hard, maar niet op het litteken.

'Wat deed u met het geld dat Will u gegeven heeft? Ik heb het geteld en opgerold, dus ik weet hoeveel en hoe vaak – het was tweeduizend per week gedurende de laatste-'

'Ik weet hoeveel het was!'

Ze spreidde haar armen om de straat te omsluiten. Ik zag het vage litteken van een tatoeage net onder haar schouder, dat helemaal om het zachte vlees van haar arm heen liep.

'Het was voor ons. Voor hen. Voor de armen en zieken. Dat geld moest het HACF openhouden tijdens het onderzoek van het OM. Van het district kregen we geen geld meer nadat de media hadden gemeld dat wij met de stemmen van illegalen hadden gerommeld. Dat was een leugen. Dus hielp Will ons.'

Ze deed een stap in mijn richting en siste in mijn gezicht: 'Je wilt zo graag iets nuttigs doen, Joe? Je wilt net als Will zijn? Beantwoord dan Jaimes telefoontjes. Hij probeert de familie van Miguel Domingo te helpen. Jaime heeft jou net zozeer nodig als vroeger Will. Jij bent toch zijn zoon? Doe dan wat je vader zou doen en praat met Jaime.'

'Mevrouw Avila, bij welke bende zat u? Die tatoeage is de reden dat ik dat vraag.'

'Raitt Street.'

'De bende van Pearlita.'

'Dat was heel lang geleden. Blijf bij me uit de buurt. Ik zou hem nooit kwaad hebben kunnen doen. Hoe durf je te zeggen dat het geven van zijn telefoonnummer aan een vriendin gelijk staat met hem vermoorden? Jij weet helemaal niets van vriendschap en loyaliteit en respect. Jij weet alleen maar hoe je bevelen moet opvolgen van een man die jou gebruikte om de dingen te doen waar hij zelf de *cojones* niet voor had. Hij is er niet meer en jij volgt nog steeds zijn bevelen op. Wees dus nuttig en bel Jaime.'

Ik voelde de hitte nu over mijn gezicht trekken. Ik dacht aan Jaime en Miguel Domingo en Luria Blas. Misschien kon ik Wills naam in ere houden door verder te gaan met de zaken waarin hij geloofde. Ik kon in ieder geval een vrouw helpen van wie hij hield, ook al verachtte ze mij dan.

Ze draaide zich in een werveling van zwart haar en gele jurk om en trok de hordeur van Café Los Ponchos open.

Om 22.17 uur die avond parkeerde ik voor het Amtrak-station in Santa Ana. Ik liep naar binnen en vervolgens naar het perron en keek hoe de rails in de duistere verte verdwenen. Het was weer koel en bewolkt en aan de hemel was geen ster te bekennen.

Toen kondigde de luidspreker de aankomst van de Coast Starlight aan. Ik liep naar de verste kant van de aankomsthal en ging achter een potpalm staan. Slapers kwamen overeind van de houten banken. Een gezin met een hele horde kinderen dromde vlak voor de deur bijeen. Een minuut later voelde ik de trilling en vervolgens het zware, ritmische gedender van de Starlight. Hij ploegde door het duister en stopte langs het perron.

Ik zag hem voor de eerste keer door het raam, toen hij uitstapte. Daarna weer toen hij het station binnenging. Hij zag er net zo uit als op de foto's, als in de dromen: donzig wit haar en baard, buikje; een groot hoofd dat laag op zijn schouders stond, alsof hij zonder nek in elkaar was gezet.

Hij kwam de wachtruimte binnen met een plunjezak over zijn schouder. Ik kwam achter de palm vandaan.

Thor bleef staan en keek me aan. Zijn blauwe ogen vingen het licht. Hij verplaatste de plunjezak. Hij knikte.

'Joe.'

'Thor.'

'Je hebt de politie niet gebeld.'

'Ik ben de politie.'

'Juist. Arresteer me niet. Ik kan niet nog een keer naar de gevangenis. Het zou mijn dood worden.'

Zijn stem was hoog en helder. Als hij praatte, zag je zijn tanden, maar een glimlach kon je het niet noemen.

Achter hem dook een gezin op dat zich in tweeën splitste om hem te passeren. De vader had een kind op zijn schouder en de jongen torende boven Thor uit. Ik had me nooit gerealiseerd hoe klein hij was, hoewel ik me zijn lengte herinnerde van het dossier dat ik uit Corcoran had ontvangen: 1,68.

'Kan ik bij jou logeren?'

'Nee.'

'Ik weet al waar het is.'

'Waag het niet zonder uitnodiging langs te komen.'

Hij zuchtte alsof hij teleurgesteld was. 'Meen je dat?'

'Ja, ik ben uitermate serieus.'

'Ja, nou ja, ik kan het je niet kwalijk nemen. Ik zou ook knap pissig zijn.'

Er keken inmiddels diverse mensen in onze richting. Thor keek naar hen en leek te glimlachen. Een klein meisje in een roze jurk en met glanzende schoenen aan bleef staan en keek naar mij op, trok toen een gezicht en liep achteruit. Haar moeder trok haar mee en ik hoorde hun gedempte stemmen, maar ik besteedde er nauwelijks aandacht aan.

Ik keek naar Thor. Ik had geen bewuste herinnering aan hem. Ik was voorbereid op iets akeligs en onsterfelijks. Maar na al zijn optredens in mijn nachtmerries leek hij nu tamelijk sterfelijk en gewoon.

'Je bent heel wat op tv en in de kranten geweest, Joe. Zelfs in Seattle. Hebben ze dat meisje en haar broer al gevonden?'

'Nee.'

'Krankzinnige wereld.'

'Jij kunt het weten.'

'Ja.' Hij deed twee stappen in mijn richting en zette zijn plunjezak op de grond. 'Geef me een hand.'

Ik gaf hem een hand. Mijn litteken brandde en mijn botten voelden als bevroren. Ik was nauwelijks in staat zijn harde, ruwe hand beet te pakken. Het leek wel of alle slechte emoties in één keer door mijn lichaam raasden, elk afzonderlijke slechte gevoel dat iemand kon hebben, en dat allemaal tegelijk. Geen enkele orde of logica erin.

Ik zag hoe zijn blauwe ogen mij opnamen in het licht van het station. 'Het ziet er eigenlijk niet eens zo beroerd uit, Joe. Doet het pijn?'

'Soms.'

'Je ziet er goed uit in dat pak en met die hoed op. Dure spullen, dat zie ik wel.'

'Ik zoek de koopjes op.'

Hij zweeg even. 'Goed, hier is waar het om gaat. Het spijt me wat ik je heb aangedaan en je moet me vergeven. Ik heb een hele reeks godsdiensten bestudeerd. En bij elk ervan gaat een knaap als ik regelrecht naar de hel, als ze zoiets tenminste kennen.'

'Dan kun je beter een religie zonder hel uitzoeken.'

'Nee. Ik wil een god met haar op zijn tanden. Die softe varianten slaan bij mij niet aan. De bijbel zegt dat ik met jou in het reine moet komen, en daar geloof ik in. Oog om oog, dat soort dingen. Ik heb wat zoutzuur in een jampotje in mijn plunjezak. Dat kun je mij in het gezicht gooien als je me daarmee kunt vergeven. Het is meer dan ik over jou heb uitgegoten. Daarna kun je me dan zeggen dat het over is, wat er is gebeurd. Je ouweheer heeft dan geboet voor het ergste wat jou in je leven is overkomen.'

'Ik vergeef je,' zei ik. Het verbaasde me. 'Maar als ik je ooit nog tegenkom, leeg ik mijn pistool in jouw hart. Vanaf dit moment besta jij niet meer voor mij.'

Met trillende handen trok ik mijn portemonnee en haalde er drie briefjes van honderd uit, die ik hem overhandigde.

'Veel geluk, beste man. Dit moet genoeg zijn om weer thuis te komen.'

'Dank je, mijn zoon. Het was fantastisch om je te ontmoeten. Jij ook veel geluk.'

Ik reed met hoge snelheid over tolweg 241, meer dan tweehonderd per uur toen ik langs de Windy Ridge tolpoort zoefde, met de ramen omlaag en het schuifdak open en de wind die in mijn gezicht sloeg.

Toen met hoge snelheid de 91 op, met gierende banden de afslag bij Green River af, en terug in de richting waar ik vandaan kwam.

Soms kun je gewoon niet hard genoeg rijden om weg te komen. Omdat het binnen in je zit en de snelheid er niet toe doet.

Ik had behoefte aan een doop, maar kon die zo laat niet krijgen. Het was al bijna middernacht. Dus reed ik naar Diver's Cove in Laguna, waar ik toen ik klein was samen met mam ging snorkelen.

Ik stapte uit en liep geheel gekleed, met uitzondering van mijn schoenen, mijn portefeuille en mijn wapens, het water in en ging kopje onder. Ik dreef mijn vingers in het harde zand op de bodem en voelde hoe de stroming me mee probeerde te sleuren. Alsof ik een stuk drijfhout was, of een pluk zeewier. Ik kwam boven, haalde diep adem en verdween weer onder water. Ik hoopte dat ik anderhalve minuut onder zou kunnen blijven, want ik dacht dat ik dan alles van me afgespoeld zou hebben – het litteken, het verleden, de angst – alles, en dat ik glanzend en schoon als een schelp weer zou herrijzen. Toen kreeg ik het zo koud dat het nog erger was dan handen schudden met Thor, dus duwde ik me omhoog naar het oppervlak en dook in een brekende golf die me naar het strand voerde.

Terug thuis haalde ik allebei mijn .45's uit elkaar – eentje ter vervanging van het wapen dat dr. Zussman in beslag had genomen – maakte ze schoon en oliede ze.

Daarna was de .32 aan de beurt. Het kwam allemaal alleen maar voort uit nervositeit, want de wapens waren al schoongemaakt en geolied en verkeerden in perfecte staat. Ik dacht aan Thor en maakte ze nog een keer helemaal schoon. Toen reinigde en oliede ik de patronen alvorens ze in de patroonhouders te stoppen.

Ik belde Jaime Medina. Hij lag al in bed, maar zijn stemming klaarde op toen ik hem vertelde dat ik hem graag wilde helpen. Ik maakte een afspraak om met hem en Enrique Domingo, de broer van de neergeschoten Miguel, te praten.

'Je doet hier heel goed aan, Joe,' zei hij. 'Zo zou je vader het gewild hebben. Weet je, Miguel Domingo was namelijk een held, en niet de krankzinnige misdadiger die de politie van hem heeft gemaakt.'

'Dat is wat de media zeggen, meneer. De politie zegt heel iets anders.'

'Je zult het zelf wel zien.'

'Ik hoop het, meneer.'

Melissa had gebeld, dus ik belde haar terug. Ze zei dat de vingerafdrukken op het zendertje toebehoorden aan Del Pritchard, een automonteur die in dienst was van de Transport Authority van

Orange County. Ze had hem nagetrokken, als speciale gunst voor mij, en Del bleek brandschoon.

Ik nam een lange, hete douche en ging naar bed. Ik staarde naar de zoldering. Ik had daar een foto uit een tijdschrift opgeplakt, net als Sammy met zijn foto van Bernadette. Het was een afbeelding van een enorme eik op een glooiende, door de zomer bruin geworden helling in centraal-Californië. De boom wierp een donkerblauwe schaduw op het droge gras. Boven in de eik was het gebladerte zo donker en dicht dat je er niet doorheen kon kijken. Zelfs de lucht was niet te zien. En daar, in dat donkere bladerdak, bevond zich mijn stille plekje, de plek waar ik heen kon om te zien zonder gezien te worden, te horen zonder gehoord te worden. Ik ging erheen. Mijn vriend de adelaar was er ook. Hij schoof wat op om ruimte voor mij te maken. Ik keek omlaag naar de bruine heuvels en het gouden gras en de gladde, onverharde weg die om een bocht verdween. De grote vogel zette af van de tak en zeilde weg. Ik voelde de tak bewegen, opveren. Ik duwde mezelf dus ook af, spreidde mijn armen en volgde hem.

14

'Del Pritchard? Ik ben Joe Trona.'
'Ik weet wie jij bent.'
'Kunnen we even praten?'
'Ik moet klokken. En daarna moet ik aan het werk.'
Hij liep langs me heen het onderhoudsgebouw van de TA in. Het was maandagochtend. Het had me een uur gekost om van mijn huis in Orange naar het TA-gebouw hier in Irvine te komen – een afstand van misschien twintig kilometer. Mijn enkel was stijf van het intrappen van de koppeling van de Mustang.
Ik volgde Pritchard, ging achter hem staan toen hij zijn kaart in de prikklok stopte en vervolgens in de gleuf in de muur.
'Het zou prettig zijn als we een wat rustiger plekje konden vinden,' zei ik.
'Eerst koffie.'
Pritchard viste wat kleingeld uit zijn zak en en stopte dat in een apparaat in de hoek. De koffie stoomde langs zijn gezicht omhoog toen hij een slok nam. Hij was dik, met een kinderlijk gezicht en blauwe ogen. Ongeveer van mijn leeftijd, misschien iets jonger. Zijn vingers waren zwart gevlekt van zijn werk. Zijn OCTA-shirt was schoon en zijn werkschoenen leken nieuw.
'Waar gaat dit over? Jij bent hulpsheriff, is het niet?'
'Ja. Misschien kunnen we beter even naar buiten gaan.'
Hij keek me doordringend aan en ging me toen voor naar de binnenplaats. De grote OCTA-bussen stonden langs één kant opgesteld. De witte Impala's van de TA-opzichters die Will zo verafschuwde, stonden langs een andere kant geparkeerd. Er waren kleinere busjes die het district inzette op de kortere routes: onderhoudsvoertuigen,

een vloot patrouillewagens van het bureau van de sheriff, nog een vloot ongemarkeerde sedans en een tiental nieuwe Kawasaki 1200 motorfietsen.

Er waren drie grote, hoge garages. Ik keek hoe een elektrische deur omhoogrolde. Daarbinnen nog meer voertuigen. De monteurs waren al bezig motorkappen te openen en trokken hun gereedschapswagentjes bij.

'Jullie onderhouden hier dus alles.'

'Ja. Alles wat van het district is – het wagenpark van de sheriff, van de TA, alle bussen en ambulances. Alles wat rijdt. We doen hier niet de brandweerauto's of de Jeeps die de reddingsbrigade gebruikt. Die hebben hun eigen garages en monteurs. En de vuilophaaldienst doet het ook zelf.'

'En de leaseauto's van de districtscontroleurs?'

'Jazeker. Maar daar zijn er maar, hoeveel, zeven van.'

'Dat klopt. Mijn vader reed in een zwarte BMW. Een van die grote uit de zeven-serie.'

'Ja, die herinner ik me. Sorry, over wat er allemaal gebeurd is en zo.'

'Bedankt.'

Del Pritchard nam nog een slok koffie en staarde naar de OCTA-bussen. 'Maar waarom ben je nu eigenlijk hierheen gekomen?'

'Omdat ik wil weten wie het zendertje onder de auto van mijn vader gemonteerd heeft. Rechterkant, tussen het chassis en de bodemplaat. Jouw vingerafdrukken staan er op.'

Zijn gezicht werd rood. 'Daarvoor moet je bij mijn chef zijn. Ik doe alleen maar wat me opgedragen wordt.'

'We kunnen hem er buiten houden als jij me vertelt wie jou die opdracht gegeven heeft.'

Hij wierp een blik op de binnenplaats en keek toen mij weer aan. 'Ik weet niets van een zendertje. Helemaal niets. Alles gebeurt hier strikt volgens de regels.'

'Breng me dan maar naar je baas.'

'Kom mee.'

De chef van de werkplaats was Frank Beals. Pritchard zei dat ze een probleem hadden, waarna Beals hem wegstuurde, mij in zijn kantoor binnenliet en de deur sloot. Beals wist niets van een zendertje. Hij belde de TA-manager van de afdeling Onderhoud, Soessner, die ongeveer dertig seconden later het kantoortje in beende. Hij had ook al geen idee waar ik het over had en zei dat ze auto's repareerden, niet met zendertjes knutselden. Hij zei dat ik met hem mee moest komen.

Soessner nam me mee naar het kantoor van de technisch directeur van de Transport Authority, Adamson.

Adamson, keurig in het pak, hoorde me aan.

'Maakt dit deel uit van een officieel onderzoek?'

'Ja,' zei ik.

'Ik dacht dat de afdeling Moordzaken zich met deze zaak bezighield.'

'Ik werk samen met Birch.'

'Rick is een goeie kerel.'

Ik wachtte.

Adamson pakte zijn gsm. 'Carl, we hebben hier een hulpsheriff, Joe Trona, die iets wil weten over een zendertje onder de auto van een districtscontroleur. Hij zegt dat op het zendertje vingerafdrukken van een van onze monteurs zitten. Pritchard.'

Adamson luisterde en knikte en hing toen op.

'Rupaski zegt dat jullie vandaag een lunchafspraak in de Grove hebben. Ik moest tegen jou zeggen dat hij dan de zaak zal ophelderen.'

Ik was een paar minuten te vroeg bij de Grove. De bewaker bij het eerste hek noteerde mijn naam en kenteken, plus de naam van het lid dat ik zou ontmoeten, schoof een kaart onder de linkerruitenwisser en liet me binnen.

De weg slingerde door de heuvels. Die waren inmiddels bruin en zouden pas bij de eerste regen weer groen worden – misschien in november, waarschijnlijk nog later. Het was warm en vrijwel windstil. Door het dichte gebladerte kon ik purperen bougainville zien trillen tegen de wit gestucte muren van de in haciendastijl opgetrokken gebouwen. Ik parkeerde in de schaduw.

Een bijklussende agent bij de ingang herkende me, belde naar binnen en opende toen de deur. Ik zette mijn hoed af en liep de hal in

– geuren van eten, het vage gerinkel van serviesgoed, zachte muziek en gedempte stemmen.

De maitre d' glimlachte en streepte mijn naam van een lijst. 'De loge van meneer Rupaski is die kant op, meneer Trona.'

We liepen door het restaurant en gingen de trap op naar de lounge. Ik keek naar de gepolijste redwoodvloer, de grote houten kroonluchters die aan kettingen aan het plafond hingen, naar de biljarttafels waar ik het gesprek van Will en dominee Daniel had afgeluisterd. Ik herkende Rupaski's chauffeur – Travis – die in zijn eentje aan de bar zat en op iets kauwde. Hij knikte me toe.

Rupaski's loge bevond zich in een hoek. Hij kwam overeind en schudde me de hand, gebaarde dat ik kon gaan zitten. De maitre d' wilde de gordijnen dichttrekken, maar Rupaski hield hem tegen.

'Dat is niet nodig, Erik. We hebben niets te verbergen. Eindelijk eens een keertje niet.'

Hij lachte en Erik lachte. 'Maar ik wil wel een Partagas Churchill en een Glenfiddich in een waterglas. Joe, wil jij iets roken of drinken?'

'Frisdrank, alstublieft.'

Rupaski was een grote man, zeventig schat ik, met een hoog voorhoofd. Hij was van boven kaal, met opzij lang grijs haar dat naar achteren was gekamd. Het haar vormde op zijn achterhoofd een soort eendenstaartje. Zijn ogen waren donkerbruin en lagen diep in de kassen. Zware wenkbrauwen. Zwart pak en wit overhemd, geen das. Het jasje was te klein voor zijn brede borst en hij zag er ongemakkelijk in uit. Zijn handen waren dik en grof, met stompe vingers. Hij kwam oorspronkelijk uit Chicago en was tien jaar geleden hierheen overgeplaatst. Hij kwam uit een arm gezin, had zijn opvoeding op straat genoten en wist hoe hij dingen gedaan moest krijgen. Hij was een goede leider en een gewiekste bureaucraat.

'Haal je geen muizenissen in je hoofd,' zei hij. 'Will vroeg me er eentje onder zijn auto te bevestigen, dus dat heb ik gedaan. Zo simpel is het.'

'Meneer, mij klinkt het niet zo simpel in de oren.'

Hij trok zijn borstelige wenkbrauwen op en glimlachte. Zijn tanden waren groot en en zijn gebit onregelmatig. 'Ik zal woordelijk herhalen wat hij tegen mij gezegd heeft. Hij zei dat Mary Ann enkele vreemde afspraakjes had, laat op de avond. Meestal gebruikte ze haar eigen auto. Soms gebruikte ze de zijne. Hij wilde haar op discrete afstand volgen. "Discrete afstand." Dat waren zijn woorden. Dus liet ik Pritchard op een ochtend een zendertje onder Wills auto aanbrengen. En ik gaf Will een zendertje voor de auto van Mary Ann. Een gevalletje met kleefband dat hij er zo onder kon plakken.'

Ik zou het bijna geloven. Ik wist dat Mary Ann graag in die chique, nieuwe leasebak reed. Wij gebruikten 's avonds af en toe Mary Anns Jeep als zij de BMW wilde. En ze had me verteld dat ze soms graag 's avonds laat een eindje ging toeren. Maar Will had daar nooit iets over gezegd. Als hij zich zorgen maakte, zou hij het mij toch wel verteld hebben? En ik had Will ook nooit met een radio-ontvanger gezien – niet in de auto, niet in zijn aktetas, nergens. En bovendien waren Will en Rupaski vijanden van elkaar. Waarom zou je een vijand zoiets toevertrouwen? Waarom zou je dat niet door je zoon, je chauffeur, je lijfwacht en je duvelstoejager laten doen?

'Het is me nu duidelijk,' zei ik.

'Mooi. Ha, daar heb je mijn rokertje en mijn borrel.'

Een ober in smoking zette een grote glazen asbak neer, met daarin een lubber, houten lucifers en een dikke sigaar. Vervolgens een eenvoudig waterglas, voor een kwart gevuld met een gouden vloeistof. En mijn frisdrank.

'De specialiteit van vandaag is gepocheerde Chileense zeebaars in een limoensaus, begeleid door andijviesalade en een knoflook-paddestoelencouscous.'

'Steak, gebakken aardappelen en een salade met Thousand Island voor mij,' zei Rupaski. 'Een T-bone dus, saignant. En doe voor Joe maar hetzelfde. Hij moet er nog van groeien.'

'Zal ik uw sigaar lubben en aansteken, meneer?'

'Ja, doe maar.'

'Recht afgeknipt of een inkeping?'

'Recht natuurlijk, Kenny. Jezus, moet je me dat nu elke keer weer vragen?'

'Ja, meneer. Natuurlijk.'

Toen Kenny klaar was met de sigaar, stopte Rupaski hem in zijn mond en hield hem omhoog terwijl de ober hem met een verbazend krachtige gasaansteker aanstak. Dikke, machtige rookwolken zweefden lui naar het plafond. Kenny boog en vertrok. Rupaski pakte de sigaar tussen duim en wijsvinger.

'Sommige knapen beweren dat hij beter trekt zonder bandje.' Zijn stem klonk verstikt, alsof er een deken over hem heen lag. 'En ik beweer dat dat gelul is.'

Hij trok nog eens aan de sigaar en blies weer een grote wolk uit. 'Dat is het mooie van een privé-club, dat je kunt doen wat je wilt. Hier in Californië, Joe, lopen tieners op school rond met vuurwapens, maar een sigaar roken in een bar is er niet bij. Er klopt iets niet als de rechten van het individu afnemen en de misdaad groeit.'

We keken hoe een elegante jonge vrouw de trap naar de tweede verdieping afkwam. Ze was alleen, kordate tred, klein tasje in de ene hand, die ze iets van haar lichaam af hield, vanwege het evenwicht. Rood haar tot net onder haar schouders, groene satijnen jurk. Ik hoorde haar schoenen op het hout.

'Ja, meneer, de rechten van het individu. U hebt hier met Will en Dana Millbrae geluncht de dag voordat hij stierf. Kunt u me ook vertellen waar u het toen over hebt gehad?'

Hij rukte zijn blik los van de vrouw en keek me aan. Hij grinnikte. Hij nam een slokje van zijn whisky en trok nog eens aan zijn sigaar. 'Je draait er niet omheen. Dat mag ik wel. We hadden het natuurlijk over de vraag of het district de tolwegen moest aankopen en dat nieuwe vliegveld moest bouwen. Will was in beide gevallen tegen, maar dat wist je al, neem ik aan. Wij probeerden gewoon hem het licht te laten zien.'

'Welk licht was dat, meneer?'

'Simpele logica en gezond verstand. Die tolwegen kunnen namelijk winst opleveren als de TA ze onder haar hoede krijgt. Veel winst zelfs, na verloop van tijd. Het is een heel goede investering voor het district, als je het op de lange termijn bekijkt. Maar je vader wilde dat niet inzien. Hij vond dat het particuliere consortium het risico maar moest dragen. Ik zal je eens iets vertellen – particuliere wegen, dat werkt niet hier in het westen. Veel te grote afstanden. Hoe sneller het district ze onder zijn beheer krijgt, hoe beter. Volgens mij wist

Will dat ook. Maar hij had er nu eenmaal moeite mee om gemeenschapsgeld te gebruiken om particuliere ondernemingen uit te kopen. Het vliegveld was van hetzelfde laken een pak. We hebben op zekere dag toch een nieuw vliegveld nodig, en die dag nadert snel. Wij wilden proberen Will over te halen zijn stem en zijn invloed voor onze zaak aan te wenden. In november zijn er vrije verkiezingen, maar voor ons was het noodzakelijk dat Wills eerste district achter onze plannen stond.'

Rupaski hoestte en keek naar de sigaar die in de asbak lag. 'Het spijt me, Joe. Ik vind het verdomde erg wat er is gebeurd. Will en ik waren het over alles oneens. Maar ik mocht hem. Hij was een goeie vent en een goeie vijand en ik respecteerde hem. Hoe houdt Mary Ann zich er onder?'

'Redelijk goed, meneer, naar omstandigheden.'

Hij knikte. 'Waar ging ze eigenlijk heen, zo 's avonds laat, en zonder iets tegen haar man te zeggen?'

'Ze ging graag zomaar een eindje rijden.'

Rupaski schudde zijn hoofd en bromde iets. Toen nam hij nog een slok, draaide zijn drankje rond in het glas en zette het weer neer. 'Ik heb je hier niet uitgenodigd om over politiek te praten. Of over je familie. Ik heb je uitgenodigd om je een baan aan te bieden.'

'Ik heb al een baan, meneer.'

'Luister nu eerst maar eens naar me. Ik verdubbel je salaris, zodat je begint met om en nabij de vijfenzestig per jaar. Voornamelijk 's avonds, zodat je overdag vrij bent om te studeren, uit te slapen, een vrouw te neuken, wat je maar wilt. Je levert je politiepenning in en krijgt er eentje van de TA voor terug. Dat wil dus zeggen dat je voor mij gaat werken, en ik ben geen slechte baas. Het levert je een nieuwe auto van de zaak op – een van die grote Impala's met de V-8, zoeklichten aan de zijkant en een kortegolfradio. Je krijgt toestemming om een wapen te dragen, zolang het maar niet zichtbaar is. Het geeft je macht binnen de jurisdictie van de TA, die groot is en nog groter wordt – de afdeling Vervoer, de dienst Wegen en Snelwegen, het vliegveld. Zat te doen. En de vooruitzichten zijn fantastisch, veel beter dan bij de politie.'

'Wat zou mijn werk zijn?'

'Je zou voor mij doen wat je voor Will gedaan hebt. Joe, ik maak me zorgen. De mensen zijn volkomen de weg kwijt tegenwoordig. Kijk maar naar wat er met Will gebeurd is. Een man met zijn kwaliteiten, met zijn aanzien. Jij hebt twee van die klootzakken neergeschoten. Ik wil iemand die daartoe in staat is. Ik wil iemand die een klein beetje angst aanjaagt. Jij dus.'

Ik keek hem aan, maar zei niets. Iedereen wil wel iemand die een beetje angst inboezemt. Om te doen waar ze zelf bang voor zijn, om naar de duistere plekjes te gaan, vuile handen te maken. Will had me geleerd hoe ik dat moest doen. Ik begreep al tijdens mijn opvoeding waarom en ik begrijp het nog steeds.

'Mijn aanwezigheid heeft anders niet kunnen voorkomen dat Will werd vermoord, meneer.'

Zijn glas bleef halverwege zijn mond en de tafel hangen. 'Daar geef je toch hopelijk jezelf niet de schuld van, hè?'

'Ik zie gewoon de feiten onder ogen, meneer.'

'Je bent waardevol, Joe. Iedereen wil wel iemand als jij om zich heen hebben. Je hebt manieren en hersens en lef. Je hebt stijl – kijk maar naar jouw optreden tegen die knapen die Chrissa Sands schaduwden. Dat was echt klasse. Je bent zelfs al een beetje een beroemdheid. Je hebt een gezicht dat iedereen kent. De mensen hebben respect voor de manier waarop jij met je problemen omgaat, voor het feit dat jij gewoon verdergaat met je leven waar anderen misschien in een donker hoekje weg zouden kruipen. Je hebt heel veel van Will geleerd, en hij was een fantastisch mens. Ik weet dat jij dingen weet. Maar geef me de kans te laten zien wat ik weet. Joe, met jouw jaren als hulpsheriff, en nog een paar bij de TA, kun je in het district alle kanten op. Je zou contacten hebben en weten hoe de zaken werken. Ik zie jou op een dag nog wel als districtscontroleur. Of als hoofd van de TA, als je dat meer aantrekt. Of zelfs als kamerlid of afgevaardigde in de Senaat. Jij hebt grote mogelijkheden, Joe. Ik kan je gebruiken en ik kan je helpen.'

'Wat zou Travis daarvan vinden?'

'Hij zou er gelukkig mee zijn als ik hem vertelde dat hij dat moest zijn.'

'Nou, bedankt meneer, maar ik blijf toch liever hulpsheriff.'

'Hou je van de gevangenis?'

'Ik sta aan de goede kant van de tralies.'

Rupaski glimlachte en nam nog een slok. De ober bracht onze lunch. 'Denk er over na, Joe. Beloof me alleen maar dat je er over na zult denken.'

'Goed, dat zal ik doen. Meneer, waarom laat u Chrissa Sands eigenlijk schaduwen?'

'Vanwege de kleine kans dat zij ons naar Savannah Blazak zal leiden.'

'Maar ze volgden haar al op woensdagochtend, de dag dat Will stierf. Blazak bracht de ontvoering pas donderdagavond in de media.'

Rupaski knikte. 'Precies, maar in kleine kring heeft hij er wel over gesproken. Met mij bijvoorbeeld. Wij zijn vrienden, Joe. We praten met elkaar. Ik wist dat zijn zoon gestoord was – vorig jaar nog reed dat stomme joch een van Jacks Jaguars tegen een tolpoort bij Windy Ridge. De auto was total loss. Hij was dronken en high en toen mijn mensen hem uit de wagen trokken, probeerde hij zijn pistool te trekken. Gelukkig hadden ze de tegenwoordigheid van geest om hem volkomen in elkaar te tremmen. Maar goed, ik heb aangeboden om Savannah te helpen zoeken. Volgens mij is Savannah Blazak een van de liefste kinderen die ik ooit heb ontmoet. Ik ben dol op haar. Dus lieten we zijn vriendin schaduwen. We schaduwen nog steeds zijn vriendin. Een paar jaar geleden hielp Jack Blazak het district overtuigen dat er een Transport Authority moest komen. Hij hielp mij aan deze baan. Hij is een vriend en vrienden helpen elkaar. Net zoals ik de macht van de TA zou aanwenden om jou te helpen, als jij een van ons was.'

'U zou uw mannen moeten vertellen dat ze haar met iets meer respect behandelen.'

'Bedankt dat je dat onder mijn aandacht brengt, Joe. En onder de hunne.' Rupaski's ogen twinkelden vrolijk onder de zware wenkbrauwen. 'Joe, ik ga gewoon zorgen dat je voor mij gaat werken, of je dat nu wilt of niet.'

'Hoe dacht u dat te doen?'

'Dat weet ik nog niet. Waarschijnlijk zal ik met een beter aanbod moeten komen. Wat dacht je bijvoorbeeld van Wills auto? Die is voor twee jaar geleasd, is het niet? Ik kan regelen dat jij hem houdt en dat je hem na de leasetijd voor een prikkie kan overnemen. Zie het maar als een bonus voor je handtekening. En dat aanbod van die Impala blijft ook staan; die kun je voor je werk gebruiken.'

Ik moest onwillekeurig glimlachen. 'Ik zal er over nadenken.'

De lunch was uitstekend. De enige manier waarop het nog beter had kunnen zijn, was als de ingrediënten elkaar op het bord niet hadden kunnen aanraken.

Halverwege de lunch kwam een jonge kerel in smoking de trap naar de gastenverblijven op de tweede verdieping af. Zijn haar glinsterde van het douchewater, of misschien van de gel. Hij had een hoog glas met sinaasappelsap in zijn ene hand en een zilveren Halliburton-koffertje in zijn andere. Hij hief zijn glas naar Rupaski toen hij ons zag.

Ik reed terug over de tolweg en dacht aan iets wat Will wel honderd keer tegen me gezegd had: *Koester je vrienden, gebruik je vijanden.*

Enrique Domingo was klein en mager, met grote, heldere ogen en zwart haar. Zijn Engels was slecht, dus spraken we Spaans. Will had er op gestaan dat ik Spaans leerde en het was me op school niet slecht afgegaan.

We zaten met zijn drieën in het kantoor van Jaime. Jennifer Avila knikte me bij binnenkomst toe, maar zei verder niets.

Jaime vroeg Enrique om mij zijn verhaal te vertellen. Dat deed hij, met zachte stem.

Hij legde uit dat hij veertien jaar was. Miguel, zijn broer, was zestien geweest toen de politie hem neerschoot. Zijn oudere zus, Luria Blas, was achttien geweest toen ze op de Pacific Coast Highway door de Suburban werd geschept.

Zijn zus.

Ik zag hem plotseling met andere ogen, nu ik wist dat hij niet alleen een broer was kwijtgeraakt, maar ook een zus, en dat binnen enkele weken. Hij leek me zo verschrikkelijk alleen, zelfs hier met Jaime en mij. De eenzaamheid omringde hem, als de ringen rond een planeet.

Ik vertelde hem dat ik totaal niet geweten had dat Luria zijn zus was. Waarom had ze een andere naam?

Hij zei dat Blas de naam was die ze gebruikte bij haar werk als huishoudelijke hulp in de *Estados Unidos*. Ze had hem gebruikt om in aanmerking te komen voor een werkvergunning, zeggende dat ze de zus was van een vriend van de familie die al Amerikaans staatsburger was.

Enrique bloosde toen hij me dit vertelde.

'Komt wel vaker voor,' zei Jaime. 'Ze doen alles om aan die *papeles* te komen.'

'Waarom hebben de politie en de kranten dat verband niet gelegd?' vroeg ik.

Jaime spreidde zijn handen. 'Ze weten het wel, maar het kan hen niet schelen. Als de politie zegt dat het een ongeluk is, is het een ongeluk. Of een toevallige samenloop van omstandigheden. De Engelstalige kranten hebben er nauwelijks woorden aan vuilgemaakt. Zo weinig dat zelfs jij er niets over gelezen hebt, niet dan? Onze Spaanse krant heeft het verhaal veel uitgebreider gebracht, maar wie leest dat? Daarom hopen we ook op jouw hulp.'

Ik vertelde Enrique dat ik het heel erg vond van zijn broer en zus. Hij wendde zijn blik af.

Toen vertelde hij me dat het hem en Miguel en Luria een tijdje heel goed was gegaan. Ze hadden wat geld kunnen sturen naar hun familie in Guatemala. Enrique en zijn broer werkten beiden als tuinman, maakten deel uit van een vast ploegje dat het gras bijhield en wat licht snoeiwerk deed. Acht dollar per uur. Luria was werkster en had twaalf huizen waar ze regelmatig schoonmaakte – twee per dag, zes dagen per week. Vijfenzestig dollar per huis. Ze was populair want ze werkte hard. Ze was lief, mooi en niet duur.

Maar na een aantal maanden werd Luria steeds norser en afweziger, ze was niet langer zichzelf. Ze was altijd een heel opgeruimde meid geweest. En ze begon 's avonds uit te gaan met vriendinnen met een auto en met dure, Amerikaanse kleren. Ze kwam dan pas heel laat weer thuis. Ze dronk vaak sterke drank en verwaarloosde haar werk, waar ze uiteindelijk helemaal mee ophield. Maar het leek wel dat hoe minder ze werkte, hoe meer geld ze te spenderen had. Ze stuurde echter minder naar huis, zei Enrique.

Hij bloosde opnieuw toen hij me dat vertelde.

Op een avond was ze thuisgekomen met een blauw oog. Ze was heel erg bang. Miguel was woedend.

Twee weken later werd ze gedood, vlak bij hun appartement in Fullerton.

Enrique keek uit het raam van Jaimes kantoor toen hij me dit vertelde. Zijn ogen stonden hoog in zijn gezicht en waren amandelvormig. Het leek of hij in gedachten elders was, terug in een tijd dat zijn broer en zus nog leefden misschien, terug in een tijd dat hij tevreden was met het kleine beetje dat hij had. Ik vroeg me af of hij misschien ook een stil plekje had om zich in terug te trekken, een adelaar om naast te hurken, een blik op een betere wereld als hij daar behoefte aan had.

Hij zei dat Miguel Luria's dood niet vertrouwde. Enrique had gezien hoe hij op de avond na Luria's dood had geprobeerd een machete tussen een paar oude jassen te verbergen. Miguel zei tegen Enrique dat hij onderzoek deed naar haar dood. Miguel, zo zei hij, was een heel opvliegende man.

Hij keek me aan en zei met zachte stem dat vijf dagen na Luria's dood Miguel werd neergeschoten door de politie.

Enrique vertelde me dat Luria meer *sympatico* met Miguel was geweest dan met hem, want Enrique was te jong en begreep de grotemensenproblemen niet.

Ik dacht even na, maar zag niet in wat Miguel had moeten onderzoeken. Luria's dood was een ongeluk. De vrouw die haar had aangereden, was gestopt en had geprobeerd haar te helpen.

'Ik dacht precies hetzelfde als wat jij nu denkt, Joe,' zei Jaime. 'Ik heb dus een vriend op het kantoor van de lijkschouwer gebeld. Ze hebben een autopsie op Luria verricht, zoals ze altijd doen bij een gewelddadig of onduidelijk sterfgeval. Maar ze willen niet op vragen van mij ingaan. Omdat ik geen familie ben. Omdat ik niet van de politie ben. Dat geeft mij aanleiding te denken wat iedereen met gezond verstand zou denken – dat ze iets te verbergen hebben.'

Ik overdacht de mogelijkheden, maar zei niets.

'Ik vermoed vuil spel, Joe. Dit is opnieuw een bewijs van de vuile spelletjes die met de Latino's in Amerika worden gespeeld, maar niemand die zich daarvoor interesseert. Het OM beantwoordt mijn telefoontjes niet. De politie in Newport zegt dat Miguel Domingo met wapens dreigde en zich niet wilde overgeven aan de dienaren van het recht. De politie in Fullerton zegt dat Laura alleen maar stierf ten gevolge van een ongeluk. Hoe kan ik dit geloven? Wat als deze mensen nu eens geen arme Latino's waren geweest? Wat als het jou was overkomen, Joe? Je vader zou dit nooit over zijn kant hebben laten gaan. Daarom was Will ook zo'n fantastisch mens. Maar goed, wat kun jij doen om ons te helpen?'

'Daar moet ik eerst eens even over nadenken.'

'Je vader zou meer doen dan nadenken.'

'Hij zou ook eerst nadenken, *señor* Medina. En houd u alstublieft eens op met me te vertellen wat Will zou doen. Met alle respect, *señor*, maar ik kende hem heel wat beter dan u, wat hij ook voor het HACF gedaan mag hebben.'

Jaime kwam overeind en zuchtte diep. 'Het spijt me, Joe. Je hebt gelijk. Ik ben net als Miguel. Ik wind me verschrikkelijk op als ik onrecht meen te zien. Alsjeblieft, mijn excuses daarvoor.'

'Ik zal kijken wat ik kan doen.'

Ik zei tegen Enrique dat ik de namen en adressen van Luria's twaalf werkgevers nodig had. Hij zei dat hij zou proberen daar achter te komen, maar dat hij er een hard hoofd in had. Luria vertelde niet alles tegen hem, zoals ze wel tegen de oudere Miguel had gedaan.

Jaime liep met me mee naar de deur. 'Ik heb me vergist. Jij bent net als je vader, Joe.'

'Bedankt, meneer. Maar ik weet dat het niet zo is.'

Ik reed naar het kantoor van de patholoog-anatoom, vlakbij het hoofdbureau, liep naar binnen en vroeg naar de directeur. Brian McCallum was een goede vriend van Will geweest – ze vormden een dubbel in het tennis en dronken graag een borrel na hun wedstrijden. McCallum was een zwaargebouwde man die op een tennisbaan verbazend goed uit de voeten kon. Ik herinnerde me dat ik een keer tegen hem zei dat hij wel heel sterke polsen moest hebben, gezien het gemak waarmee hij het racket hanteerde. Hij vertelde me toen dat hij op college honkbal had gespeeld, hetgeen veel verklaarde.

Hij noodde me in zijn kantoor en knikte voortdurend terwijl ik hem deels vertelde wat Enrique Domingo en Jaime Medina mij hadden verteld.

'Ja,' zei hij, 'ik was degene die met Medina praatte. Hij is erg bemoeizuchtig, drammerig, en hij gedraagt zich of deze tent van hem is omdat ons salaris uit de belastinggelden wordt betaald. Hij vertelde ons dat Blas en Domingo broer en zus waren en ik gaf die informatie door aan Newport en Fullerton. Hij wilde informatie over Blas, maar onze politiek is dat als je geen familie of rechtshandhaver bent, we geen mededelingen doen over autopsies. Dat doen we nu eenmaal niet. Punt uit.'

'Kunt u het mij wel vertellen?'

'Wil je het weten om hun een gunst te verlenen?'

'Ja, meneer.'

Hij keek me even aan en ging toen achterover zitten. 'Luria Blas werd van achteren aangereden door een Chevy Suburban. Het tijdstip was ongeveer drie uur in de middag, op een donderdag. Ze werd geraakt tegen haar schouderblad en door de botsing werd ze van de auto weggesmeten in plaats van er onder te raken. De dood trad binnen twintig minuten in. Haar longen en hart hadden een zware klap gehad en haar nek was op twee plaatsen gebroken. Twaalf fracturen in acht verschillende botten. De röntgenfoto van haar linkerschouder toonde... nou ja, ontelbare breuken. De interne bloedingen waren hevig, terwijl haar hart nog maar enkele minuten leven in zich had. Doodsoorzaak was een dichtgeklapte long als gevolg van de klap. Als ze dankzij een wonder toch was blijven leven, zou ze vanaf haar nek verlamd zijn geweest.'

Ik stelde me het tafereel voor, hoewel ik dat eigenlijk niet wilde. 'Hoe hard reed die auto?'

'De technische recherche houdt het op zeventig tot tachtig kilometer. Remsporen *na* de botsing. De chauffeur zei dat ze het meisje helemaal niet gezien had. Alsof ze plotseling de boulevard op was gesprongen.'

Het viel niet mee om de krantenfoto's met daarop Luria's prachtige glimlach in overeenstemming te brengen met een Suburban die tachtig reed.

'Er was meer, Joe. Ten eerste was die vrouw behoorlijk in elkaar geslagen voordat ze stierf. Maag, ribben, borstbeen, allemaal met kneuzingen. Twee ribben gebroken. Bloedingen in lever en alvleesklier, die *niet* in verband worden gebracht met de klap van de auto.'

'Geslagen waarmee?'

'Dat is moeilijk te zeggen. Waarschijnlijk vuisten. Er zijn geen sporen op haar huid te vinden die op iets anders duiden. Geen houtsplinters of scherven of wat dan ook.'

'Hoe lang voordat ze stierf?'

'Frank Yee zei binnen vierentwintig uur. Hij is goed in dat soort zaken. Ze was trouwens zwanger. Zes weken. De klappen hebben de foetus niet gedood. Daar heeft de Suburban voor gezorgd.'

Opnieuw stelde ik me Luria Blas voor terwijl ze haar einde vond tegen een Suburban die tachtig reed. 'Ze wankelde de boulevard op,' zei ik. 'Ze had zichzelf niet onder controle vanwege die afranseling?'

McCallum knikte. 'Ja, inderdaad, ze zou best eens in de war geweest kunnen zijn. Ze leed beslist pijn. Geen drugs in haar bloed. Geen alcohol. Ze zou zich voor de auto gegooid kunnen hebben, dat is een mogelijkheid. Er is één houvast in deze zaak – er zat vlees onder haar nagels. Misschien dat we een stukje van haar aanvaller hebben. Ze heeft een stukje vlees van iemand. We hebben haar zorgvuldig onderzocht op zoek naar aanwijzingen dat ze misschien zichzelf heeft toegetakeld. Dat was niet het geval. Maar zeg maar tegen Jaime Medina dat hij zich geen zorgen hoeft te maken – de politie in Fullerton geeft deze zaak de hoogste prioriteit.'

Ik bleef even zwijgend zitten en dacht aan Enriques verhaal over zijn ongelukkige, teruggetrokken zus. Jong, arm, ongetrouwd, in een vreemd land en zwanger.

Wat zou je in zo'n geval zelf doen?

Het deed me denken aan Will, want elke droeve gebeurtenis doet me aan Will denken. Ik schudde mijn hoofd, probeerde die twee zaken te scheiden, probeerde Luria Blas het respect te geven dat ze verdiende.

'Waar denk je aan, Joe?'

'Hoe eeuwig zonde het allemaal is.'

'Ja, soms overvalt je die gedachte.'

'Medina wilde meer informatie omdat hij zich het lot van Luria's broer nogal aantrekt.'

'Ik dacht al zoiets. Ik weet dat Jaime probeert mensen te helpen.'

'Zij denken dat haar ongeluk in verband staat met het neerschieten van haar broer.'

McCallum trok zijn wenkbrauwen op en schudde zijn hoofd. 'Ik zou niet weten hoe.'

'Mag ik misschien de persoonlijke bezittingen van Miguel Domingo zien, de spullen die hij bij zich had toen hij stierf?'

'We hebben hier alles behalve de wapens.'

Hij ging me vóor naar de ruimte waar de persoonlijke bezittingen bewaard werden en praatte met de wachtbrigadier. Die belde. Een paar minuten later kwam er een agent binnen die een plastic doos op de balie zette. McCallum tekende er voor en we namen de doos mee naar het lab.

Er zat niet veel in: een plastic zak met daarin $ 6,85; een doosje lucifers afkomstig van een supermarkt; een zwarte, plastic kam; een buskaartje van OCTA; een portefeuille en een balpen. Een bloederig shirt gewikkeld in wit papier. Bebloede broek. Nog een zak met daarin sokken en ondergoed. Twee afgedragen sportschoenen met de veters losjes aan elkaar geknoopt.

'Die portefeuille, mag ik?'

'Ga je gang.'

Ik opende de zak en haalde er de portefeuille uit. Hij was oud en versleten en uit zijn model, zoals een portefeuille kan zijn. Een foto van vijf kinderen en twee volwassenen voor een muur met klimrozen. Ik herkende een gezicht dat op dat van Enrique leek, eentje dat op dat van Luria leek. Geen ID. In het vakje voor papiergeld zat een klein, opgevouwen stukje krant. Ik vouwde het open en zag het artikel dat in de *Journal* was verschenen over het dodelijke ongeluk van Luria Blas. Ik vouwde het weer op en stopte het terug.

'De broek?' vroeg ik.

'Daar is niet veel van over.'

Ik maakte het witte papier los. Een zwarte spijkerbroek met donkere, roestkleurige bloedvlekken er op. Niets in de zijzakken. Niets in de achterzak. Ik stak een vinger in het horlogezakje en voelde daar een kleverige verdikking. Ik wurmde mijn vinger er omheen en probeerde het er uit te krijgen, maar het zat vast. Ik gebruikte het pincet van het zakmes dat ik altijd bij me draag. Het pincet gleed er twee keer af voordat het opgedroogde bloed meegaf en er een stukje papier tevoorschijn kwam. Ik vouwde het open en streek het glad op de tafel. Het zag er uit als een stukje van een envelop – je kon de diagonale naad nog in het papier zien zitten. Het was min of meer vierkant en aan elke kant zo'n twaalf centimeter lang.

Het handschrift was kriebelig en moeilijk te lezen.

Señora Catrin – Puerto Nuevo
Señor Mark – Punta Dana
Señora Julia – Laguna
Señora Marcie – Puerto Nuevo

De eerste drie namen waren doorgehaald. Señora Marcie uit Newport Beach was niet doorgestreept. Ik las de namen twee keer door.

Ik herinnerde me de woorden van Bo Warren toen we in de woonkamer van de Blazaks bij elkaar zaten: *Marcie, dat is de meid hier.*

'Jezus,' zei McCallum. 'Dat hebben wij helemaal over het hoofd gezien. Wat zijn dat, alleen maar namen en plaatsen?'

'Miguel was achterdochtig. Hij wilde onderzoek doen naar Luria's dood. Dit zijn misschien contacten, of verdachten.'

'Nou, de chauffeur van de Suburban was Gershon – Barbara Gershon. Haar naam heeft in de kranten gestaan. Er werd niet geheimzinnig over gedaan.'

Ik probeerde met een logische verklaring te komen, maar kon niets verzinnen. Ik wist wel dat ik een telefoontje moest plegen, en snel ook.

'Joe, ik zal dit moeten melden, de politie in Newport moet hiervan op de hoogte gesteld worden.'

'Ja, meneer.'

'Gaat het een beetje?' vroeg McCallum.

'Jawel. Ik heb alleen schoon genoeg van kogels en bloed en gebroken botten.'

'Tja, dat hoort nu eenmaal bij het werk,' zei hij.

*

Ik ging even langs bij de bank om het kluisje leeg te halen. *Troep. Niets.* Dat mocht dan zo zijn, ik moest dit toch afhandelen. Ik deed de inhoud van de kluis in Wills aktetas, meldde me af en reed naar de schietbaan.

Ik trok en schoot honderd keer met mijn beide .45's, de helft rechts, de helft links. Vervolgens vijftig schoten met de .32 op mijn enkel. Ik schoot de Lange neer, en degene die Luria Blas in elkaar had geslagen en degene die Savannah had ontvoerd, als zij tenminste ontvoerd was. Ik schoot ook op Thor, maar dat gaf me minder voldoening dan normaal. Toen schoot ik wat monsters en geesten en duiveltjes neer. Ik schoot op satan zelf, recht in zijn hart.

Ik ben goed met links, maar ik houd het minder lang vol. De laatste tien schoten gingen allemaal over de twintig meter verderop staande torso heen, maar ik raakte in ieder geval de pop. Ik gebruik voor mijn schietoefeningen geen oefenpatronen, maar de echte, van een koperen mantel voorziene politiekogels. Ik wil niet dat mijn wapen zich ineens anders gedraagt als het er op aankomt. Als ik tegenover de duivel sta, bijvoorbeeld.

Toen ik klaar was, haalde ik de wapens uit elkaar en maakte ze schoon. Dunne olie. Heerlijke geur, die wapenolie van Hoppe. Mijn linkerhand voelde verdoofd aan en allebei mijn handen roken naar kruit.

'Luz Escobar,' zei Ray Flatley. 'Ook bekend als Pearlita. Dat is haar naam bij de Raitt Street Boys. Ze droeg al op dertienjarige leeftijd een met parelmoer ingezette Derringer bij zich. Voorzover ik weet, heeft ze die nog steeds.'

'Mag ik haar dossier zien?'

Hij schoof het over zijn bureau naar me toe. Ik keek naar de foto's van haar. Ze was één zeventig en woog negentig kilo. Kort kroeshaar.

'Ze kleedt zich als een man,' zei Flatley. 'We hebben haar opgepakt voor een schietpartij vanuit een auto. Maar onze getuige werd op een avond doodgeschoten in zijn woonkamer. Toen konden we die zaak tegen Pearlita dus vergeten. Ze is een matrone, Joe. Regelt de overvallen en vergeldingsacties. We houden onze getuige tegen Felix in een andere staat in voorlopige hechtenis, ter bescherming. We zitten gewoon te wachten tot die jongens van Pearlita in actie komen, maar voorlopig leeft hij nog.'

Ik keek nogmaals naar de foto's. Ik had nog nooit zoveel kwaadaardigheid in iemands gezicht gezien, terwijl ik in de gevangenis toch heel wat moordenaars en verkrachters ben tegengekomen. Ze zag er niet uit als een vrouw. Ze zag er trouwens ook niet uit als een man. Ze zag eruit als iets neutraals; ze zag er vooral heel gemeen uit.

'Wat is er aan de hand?' vroeg Flatley. 'Vanwaar die belangstelling voor Luz Escobar?'

'Will heeft haar aan de telefoon gehad op de avond dat hij stierf. Ik denk dat zij wilde dat hij zijn invloed aanwendde bij Phil Dent.'

Flatley keek me strak aan. 'Weet Rick dit?'

'Ik heb hem alles verteld, meneer. Alles.'

'Mooi zo, Joe. Want Pearlita is slecht gezelschap. En als Will niet met Phil Dent wilde praten over een koelbloedige moordenaar, zou er wel eens een van Pearlita's beruchte woede-uitbarstingen hebben kunnen volgen.'

'Hebben de Raitt Street Boys en de Cobra Kings connecties met elkaar?'

'Ze haten elkaar.'

Ik bracht een paar minuten door in Mod F, opgesloten in de onderhoudsbuis. Ik zat achter een cel met daarin een Aziatische kruimeldief genaamd Hai Phan. Ik leunde achterover tegen de stoffige muur en keek naar de pijpen en leidingen. Phan zat te praten met de knaap naast hem – ook een Aziatische gangster – maar ze spraken Vietnamees. Ik zat doodstil en probeerde te luisteren of ik iets hoorde dat in verband zou kunnen staan met Will of Savannah of Alex.

Niets. Ik had net zo goed kunnen luisteren naar twee vechtende katten of naar bomen die ruisten in de wind.

Daarna ging ik naar het bewakersstation in de kantine en keek hoe de gedetineerden binnenkwamen voor het avondeten. Die maaltijd begint om vier uur. Het zag eruit zoals het er altijd uitzag: een eetzaal in een inrichting, bewakers met hun rug tegen de muur, een schijnbaar eindeloze stroom oranje overalls naar binnen en naar buiten. De Mexicaanse wagen was zoals gewoonlijk de grootste, daarna de Schetenwagen, de zwarte wagen en de Aziaten. Stuurs. Kalm. Ordelijk. Weer een vredige dag, zo leek het.

Ik ging naar mijn kast en haalde mijn post op.

Slechts één poststuk: een ansichtkaart uit Las Vegas. Er stond een groot hotel op dat op een Italiaanse stad moest lijken. Het handschrift was groot en netjes.

Lieve Joe,
Jij hebt mijn leven gered en ik maak het voorlopig prima. Ik ben erg bang voor wat er zou kunnen gebeuren.

S.B.

Hij was drie dagen eerder op de bus gedaan. Ik belde Steve Marchant.

'Ik wil dat jij twee dingen doet,' zei hij. 'Ten eerste: stop die kaart in een papieren zak en raak alleen de randen aan. Gebruik maar een pincet of zo. Ten tweede: breng die zak hierheen, en wel onmiddellijk.'

Marchant nam me mee naar een kleine werkkamer op de tweede verdieping en sloot de deur. Hij pakte de zak, liep naar een tafel met een lichtbak en liet er de ansichtkaart op glijden, waarna hij zijn pen gebruikte om hem recht te leggen. Hij trok een infraroodlamp boven de lichtbak en klikte hem aan.

'IR doet de zouten in de lichaamsvetten oplichten,' zei hij. Toen: 'Kijk dit eens.'

Hij stapte opzij en liet mij kijken. Ik zag nu ook de mooie vingerafdruk. Het leek wel of hij net gemaakt was.

'Wacht hier.'

Hij sloeg de deur achter zich dicht toen hij het vertrek uit liep en sloeg hem dicht toen hij weer binnenkwam. Hij legde twee vingerafdrukkaarten en een map naast de ansichtkaart en zwaaide toen een vergrootglas dat aan de tafel bevestigd was tot boven de lichtbak.

'Aha, interessant. Heel interessant.'

Hij fluisterde iets wat ik niet kon verstaan en deed toen een stap opzij. Ik keek door het vergrootglas naar de afdruk, vervolgens naar de kaarten en toen weer naar de afdruk.

'Zo voor het blote oog is die vingerafdruk van Savannah Blazak,' zei Marchant. 'Ik zal de hele boel naar Washington sturen om het officieel te laten bevestigen.'

Hij klikte het IR-licht uit en duwde het vergrootglas weer tegen de muur. Hij draaide zich naar me om en keek me aan, en ik kon de woede in zijn ogen zien.

Hij haalde een handgemaakte moederdagkaart uit de map. Er stond op: 'Mam, ik houd meer van jou dan van alle sterren bij elkaar. Jouw meisje, Savannah.' Marchant duwde de kaart tot naast de ansichtkaart en draaide hem toen met behulp van een pincet om.

Ik keek over zijn schouder. Het handschrift was identiek.

Hij haalde nu een vel briefpapier uit de map met boven in reliëf 'Alex Jackson Blazak' en onderin zijn huisadres. Ik las de aanhef en de eerste twee regels.

Lieve Chrissa,
Het lijkt wel eeuwen geleden sinds ik jou voor het laatst gezien heb. Dat diner op Valentijnsdag was gaaf.

'Savannah heeft die ansichtkaart geschreven,' zei Marchant.

'En ze is bang voor wat er zou kunnen gebeuren.'

Hij deed een stap achteruit en keek me aan. 'Ik zal die knaap te pakken krijgen, en ik zal zorgen dat het meisje er ongeschonden uit komt. Daar kun je me aan houden.'

Ik knikte.

'Bedankt, Joe. Bedankt voor je snelle reactie. En wil je me nu excuseren, want ik moet met Las Vegas bellen. Met een minderjarige naar een andere staat reizen, met immorele bedoelingen. Daar staat een flinke straf op.'

'Gelooft u zelf in die immorele bedoelingen?'

Marchant dacht even na. 'Ik ga je iets vertellen wat ik je waarschijnlijk niet aan je neus zou moeten hangen. Je mag het beslist niet verder vertellen. Wij hebben mamma en pappa aan de leugendetector gezet toen ze hier de ontvoering van hun dochter kwamen melden. Ze kwamen er beiden ongeschonden doorheen, maar toch vielen me bij Jack een paar dingen op die me helemaal niet aanstaan. Meer wil ik er nu niet over zeggen.'

'Ik kwam gisteren pas achter die afspraak met Ellen Erskine.'

'Je vader hield haar in het ongewisse, gaf haar zelfs Savannahs naam niet. Erskine wist niet zeker of hij wel eerlijk spel speelde.'

Ik wachtte, maar Marchant zei niets meer. Toen: 'En hoe zit het met jou? Denk jij nog steeds dat hij te goeder trouw was?'

'Ja. Daar durf ik mijn leven onder te verwedden.'

Op weg naar huis belde Lorna Blazak me op mijn gsm.

'Meneer Trona, hebt u al iets van haar gehoord?'

'Ze heeft me een ansichtkaart uit Las Vegas gestuurd. Ik heb hem een uur geleden ontvangen. Het gaat goed met haar, mevrouw Blazak, maar ze is bang.'

'Lieve god... en mijn zoon?'

'Ik kan alleen maar aannemen dat hij bij haar is.'

'Ik weet niet wat ik moet doen. Vertel me wat ik kan doen.'

'Wachten, mevrouw Blazak. Help de FBI bij hun onderzoek.'

Stilte.

'Mevrouw Blazak, heeft u een meisje als werkster gehad met de naam Luria Blas?'

'Nee. Waarom?'

'Ik heb aanwijzingen dat zij contact had met Marcie.'

'Dat kan best zijn, maar er heeft hier niemand met de naam Luria Blas gewerkt. Zij was dat meisje dat in Fullerton om het leven is gekomen, niet?'

'Dat klopt, ja.'

'Ik heb te doen met haar en haar familie, meneer Trona. Maar zet u haar alstublieft niet op onze lijst met rampspoed.'

'Dat doe ik ook niet, mevrouw Blazak. Ik wilde alleen een mogelijke aanwijzing nagaan. Het is belangrijk om alles na te trekken.'

'Ik begrijp het.'

'Marcie is uw huishoudelijke hulp, is het niet?'

'Ja.'

'Kunt u me haar achternaam geven?'

Weer een stilte. 'Diaz. Meneer Trona, u moet wel beseffen dat er in dit district meer dan één Marcie in de huishouding werkt.'

'Ik zal er aan denken. En bedankt, mevrouw, we doen er alles aan om uw dochter en zoon te vinden.'

'Het is uitermate frustrerend, meneer Trona. Ze worden gezien en verdwijnen weer. Ze worden gezien en verdwijnen weer.'

'Hebt alstublieft geduld.'

'Ik heb iets nodig waar ik me aan vast kan klampen.'

'Klamp u maar vast aan de wetenschap dat Savannah in leven is. Klamp u daar stevig aan vast, mevrouw Blazak.'

'Bedankt. En bedankt dat u me te woord hebt willen staan.'

15

Ik wist niet goed wat voor cadeautje ik mee moest nemen op mijn eerste echte afspraakje met June Dauer, maar ik wist dat ze van robijnen hield. Ik kocht een armband bezaaid met robijnen en liet hem mooi inpakken. Toen realiseerde ik me dat bloemen ook gebruikelijk waren bij zo'n gelegenheid, dus kocht ik die ook, met een doosje chocolaatjes erbij, en een grote doos luxe toffees en bonbons, want die waren net in de aanbieding.

Het kostte me bijna een maandsalaris, maar dat had ik toch nauwelijks nodig, want mijn huis is vrij. Will en Mary Ann hadden het voor me gekocht toen ik met werken begon. Mary Ann wilde me zo vroeg mogelijk op de duizelingwekkende onroerendgoedmarkt van Orange County hebben. Het huis is inmiddels al zo'n $ 50.000 meer waard dan zij ervoor betaald hebben en het enige dat ik er aan doe is stofzuigen en de planten water geven.

Junes huis was een appartement met uitzicht over Newport Harbor. Ik stond in haar portiek en luisterde naar de touwen die tegen de masten kletterden en de over het water echoënde kreten van de zeemeeuwen. Mijn knieën knikten. Ik had mijn beste pak aan en mijn mooiste hoed op. Ik belde aan en wachtte.

Ze deed open en stapte opzij om mij binnen te laten. Haar glimlach werd een grijns toen ze naar het juwelenkistje en de doos met bonbons in mijn ene hand en de bloemen en chocolaatjes in mijn andere hand keek.

'Fantastisch om je weer te zien,' zei ik.

'Joe, leuk om jou ook weer te ontmoeten, maar je had niet al die dingen mee hoeven nemen.'

'Je hoeft ze niet te accepteren.'

De donkere blos die over haar gezicht trok, was oprecht. Ik had het gevoel of mijn hart ophield met kloppen.

'Kom verder.'

'Dank je.'

Het appartement was overgoten met zonlicht. De muren en het tapijt waren wit. Buiten het grote panoramavenster glinsterde het water in de jachthaven en schommelden de blinkend schoongemaakte boten. Een groot jacht voer op zijn motor de haven uit.

'Het is hier prachtig,' zei ik. 'Het lijkt wel een ansichtkaart.'

'Er is er ook eentje gemaakt, vanaf het dak hier. Kom, dan neem ik die cadeautjes van je over, want daar kom ik toch niet onder uit, ben ik bang.'

Ze pakte de geschenken en legde ze op een glazen eettafel. Ze droeg een zijden, koffiekleurige jurk en bruine schoenen met hoge hakken. Haar benen glansden. Ik rook zeewier door de openstaande ramen, maar ik rook ook haar parfum. Ze keek naar de doos met bonbons en de chocolaatjes, naar het juwelenkistje en de bloemen.

'Misschien een beetje te veel van het goede?' opperde ik.

'Uh-huh. Daar komen we later nog wel op terug. Ik ga eerst deze rozen in het water zetten. Ze zijn prachtig, Joe. Ik ben altijd al dol geweest op die lavendelkleurige. Ze symboliseren iets, maar ik ben vergeten wat.'

Ik keek hoe ze een grote, kristallen vaas uit een kastje haalde, er wat water in deed, de stelen iets afsneed en de bloemen schikte. Ze droeg de vaas naar de schoorsteenmantel. De bovenkant van haar armen was donker en de onderkant bleek. Ik hielp haar wat foto's opzij te schuiven zodat de vaas er tussen kon staan.

Ze liep iets naar achteren en bekeek het resultaat. De lavendelkleurige rozen staken af tegen de witte verf van de schoorsteenmantel en de muur er achter. En dat gold ook voor June Dauer. Ik had me nooit gerealiseerd dat bruin zo'n mooie kleur was. Of hoe harmonieus twee tinten bruin konden samengaan: het enigszins doffe donkerbruin van de zijde en het helderder bruin van haar huid. Ze zag er fris en gracieus uit, alsof ze zojuist aan iets droogs was ontsproten.

Het Onbekende Iets. Het had me weer te pakken.

'Mooi,' zei ze. Ze keek me aan en glimlachte nu voor de eerste keer echt. Het zonlicht dat door het raam achter haar naar binnen stroomde, viel op haar krullen. Haar ogen waren donker en sprankelend. 'Bedankt, Joe.'

'Het genoegen is geheel mijnerzijds.'

Ze schudde haar hoofd, maar bleef glimlachen. 'Weet je wat voor effect je op mij hebt, met al dat beleefde gedoe en dat alstublieft en dank u wel en geheel tot mijn genoegen?'

'Nee.'

'Ik krijg de neiging om heel hard obsceniteiten te schreeuwen.'

Ik glimlachte en wendde mijn blik af. 'Die behoefte voel ik ook wel eens.'

'Echt?'

'De gedachten die door mijn hoofd gaan als ik praat, komen niet altijd overeen met de woorden. Ik noem een man "meneer" terwijl ik het liefst zijn arm zou breken.'

'Heb je dat wel eens gedaan?'

'Eén keer.'

'Echt waar?'

Ik haalde mijn schouders op. 'Ik werd er min of meer toe gedwongen. Het was op de politie-academie. Rivaliteit, treiteren, je weet wel. Het pakte gelukkig goed uit. Ze wilden toch al van die knaap af.'

'Blij dat te horen. Zullen we dan nu maar gaan eten?'

Ik had een zaak uitgezocht die een van Wills favorieten was, een rustig Italiaans restaurant op Balboa Island. Het tafeltje was tamelijk klein en het dwong ons tegenover elkaar te gaan zitten op een manier die ik met ieder ander dan June Dauer als heel onprettig zou hebben ervaren.

Ze werd met de minuut aantrekkelijker. We bestelden een fles chianti waar we de hele maaltijd mee deden, en daarna namen we een dessert en cognac. Mijn oren zoemden aangenaam en mijn lichaam voelde warm en licht aan. Alsof ik gevuld was met helium en zo naar het plafond op zou kunnen stijgen als ik mijn vingers niet om de stoelleuning klampte.

*

Na het eten maakten we een wandeling over het eiland en June liet me de plekken zien waar ze gewoond had toen ze nog studente was aan UCI. We keken naar de ondergaande zon in het westen, waar de ramen van de huizen langs de baai oranjerood reflecteerden en de veerboot volgeladen met auto's heen en weer ploegde. Haar huid leek wel van goud en haar ogen werden lichtbruin terwijl ze over de baai uitkeek. Als de flanken van een leeuw. Meer bruintinten dan ik ooit had gezien – subtiel en glorieus.

Toen de zon onderging, stak er een koele zeebries op en ze kwam tegen me aan staan. Ik sloeg mijn arm om haar schouder. Ik had nog nooit zoiets bij een vrouw gedaan, maar ze kromp niet ineen of trok zich terug. Ik wilde hem alweer weghalen en me verontschuldigen, maar bedwong mezelf.

Haar huid was koel, met kleine bobbeltjes er op. Ik had nog nooit zoiets opwindends gevoeld.

Toen ze ons weer in haar huis binnenliet, was het donker. Maar je zag wel het zilveren water van de haven en een bleek oplichtende mistbank die vanaf het westen op ons af kwam.

Ze deed de openslaande deuren naar het terras open en knipte toen de lamp bij de bank aan, één klikje maar. De kamer vulde zich met zacht licht en vage schaduwen en er stroomde een koele, vochtige bries naar binnen. Toen pakte ze het juwelendoosje van de tafel.

'Kom bij me op de bank zitten,' zei ze.

Ik ging op eerbiedige afstand naast haar zitten en keek uit het raam. De toppen van de lange masten zwaaiden heen en weer in het maanlicht.

June zette het doosje op haar rechterknie. 'Ik durf het haast niet open te maken.'

'Het is alleen maar om te laten zien hoe gelukkig ik ben.'

'Je kunt ook overdrijven, Joe.'

'Daar ben ik goed in, June.'

Ze keek naar het doosje. Het was in zilverpapier gewikkeld dat het licht weerkaatste. Op haar been het dichtst bij de lamp viel hetzelfde licht, maar het been het dichtst bij mij lag in de schaduw. Ik keek naar de plek waar haar benen haar jurk ontmoetten en voelde een diep, langzaam opstijgend verlangen.

Ze pakte het cadeautje uit zoals alleen vrouwen dat kunnen: eerst het strikje er af schuiven, dan met een vingernagel het plakband losmaken, het papier er af wikkelen, dat netjes opvouwen en het opzij leggen. Het doosje was van zwart satijn. Ze maakte het open. Zelfs in het gedimde licht zag ik de rode glinstering van de robijnen op de zwarte bekleding. Als honderden kleine remlichtjes op een miniatuursnelweg.

'O, Joe.'

Uit haar intonatie kon ik niets opmaken.

'Het zijn robijnen,' zei ik.

'Ja, dat zie ik. Dit is veel te... veel. Echt.'

'Echt?'

Ze keek me aan. 'Ja.'

'Oké, geef maar hier.'

Ik stond op en stak mijn hand uit. Ze legde het doosje er in. Ik liep het terras op.

'Joe, *nee.*'

Ik liet het drie meter omlaag vallen, in de baai.

Ze stond plotseling naast me aan de leuning en keek omlaag.

'Shit, Joe – mijn armband!'

'Hij drijft nog.'

'Maar niet voor eeuwig! Ik had hem toch liever om mijn arm gehad dan op de bodem van de baai.'

'Dat had je moeten zeggen voordat ik hem er in gooide.'

Ik trok mijn schoenen en jasje uit en gaf haar mijn portefeuille. Mijn pistolen had ik in de kofferbak van de Mustang gestopt.

'O, man,' zei ze.

Ik dook en probeerde een zo klein mogelijke plons te veroorzaken. Ik kwam weer boven water en zwom met de schoolslag naar het dobberende doosje. Het water was koud maar het voelde goed op mijn gezicht. Als ijs. Ik klemde het doosje tussen mijn tanden en draaide me om om terug te zwemmen.

Toen hoorde ik een plons achter me en het oppervlak brak en June Dauers glanzende, natte hoofd dook naast me op.

'Koud,' zei ze.

Ik probeerde ja mevrouw te zeggen, maar er kwam niet meer uit dan 'Jamef'.

'Wat is dat in je mond, Fido, een doosje met robijnen?'

Ik knikte. Ze kwam wat dichter naar me toe. Ademde snel in en uit, zoals je doet als het koud is. Ik voelde haar benen trappelen naast de mijne en rook haar warme adem op het oppervlak van het water. Onze voeten raakten elkaar, en toen onze knieën. Ze klemde één hand om de kraag van mijn overhemd en trok het doosje uit mijn mond. Daarvoor in de plaats kwam haar mond, en een warme tong. Ik trok haar met mijn ene arm dichter tegen me aan en voelde de echo van haar pompende benen in de soepele spieren van haar zij. We begonnen te zinken. Ik moest haar loslaten en mijn beide handen gebruiken om onze hoofden boven water te houden. Dat maakte dat mijn lichaam iets van haar afdreef. Ze lachte en pakte mijn overhemd beet, trok zich dichter naar me toe en stopte het doosje weer in mijn mond. Ze lachte zacht en een beetje ondeugend en legde toen zelfverzekerd een hand op mijn persoonlijke bezit.

'Je bent een koude, harde man, Joe Trona.'

'Jamef.'

'Ja, nu kun je geen ja mevrouw, nee mevrouw, leuk u te ontmoeten, hoe gaat het met u, geheel tot mijn genoegen meer zeggen, hè?'

'Ik kaw now wel wop mijn gewoegen zeggen.'

'Je kunt tot mijn genoegen zeggen? Bedoel je daar dit mee?'

Het water voelde daar beneden aan als ijs. Ze bracht nu beide handen omlaag en ik voelde een ruk. Toen voelde ik haar hand *direct op mij*, dwars door al het ijs heen, en het was een onvoorstelbare sensatie.

'Wow,' fluisterde ze.

Ik haalde het doosje uit mijn mond en bleef water trappelen terwijl ik het in mijn hand klemde.

Ze liet me los en nam toen mijn gezicht in haar handen en kuste me hard. Ik probeerde het zaakje terug te krijgen waar het hoorde, maar de rits bleef steken en ik begon te zinken. Toen schoot ze met veel geplas van zilver water weg en zwom naar een ladder die van haar terras omlaag liep.

Ze klom voor mij uit naar boven met haar zijden jurk tegen haar lichaam geplakt en haar benen die zich strekten op de sporten en het licht op het terras dat op het van haar af stromende water viel.

Ze hielp me op het terras te klimmen, pakte het doosje uit mijn mond en legde het op de terrastafel. Ik wendde me af, nog steeds proberend mezelf een beetje te fatsoeneren, maar ze legde haar hand op mijn schouder en draaide me om en drukte haar mond op de mijne. Ze dirigeerde me in de richting van de openslaande deuren. Ik schuifelde achteruit. Ik botste overal tegenaan, maar niets brak of viel op de grond. Door de woonkamer met de lavendelkleurige rozen op de schoorsteenmantel. Langs de keuken, langs de eetkamer met de chocolaatjes en de uitverkoopbonbons, door de hal met de ingelijste schilderijen die aan beide kanten langs mijn gezichtsveld schoven, maar het enige dat ik echt zag, was haar voorhoofd dat enigszins naar mij was opgeheven en één wang en de glinsterende waas van een oog terwijl ze me de slaapkamer in duwde en me onder een hoek van negentig graden links de badkamer in dirigeerde. Haar mond liet de mijne geen moment los. Ik voelde haar naar iets reiken en hoorde toen het gesis van de douche. Ze reikte naar iets anders en ik hoorde gezoem boven mijn hoofd en voelde de behaaglijke straling van een warmtelamp in mijn nek. De deur ging dicht en het werd donker. Bijna donker. Toen ik langs Junes gekantelde wang keek, zag ik de bovenste helft van ons beiden weerkaatst in een spiegel boven de wasbak.

Het duurde even voor we onze kleren uit hadden. We hielden elkaar vast en kusten elkaar hongerig en huiverden terwijl we wachtten tot de warmtelamp ons wat opwarmde en de douche op temperatuur was. Het duurde niet lang. Of misschien wel. Die kus zou wel eens van invloed kunnen zijn geweest op mijn tijdsbesef en ik kreeg niet de kans op mijn horloge te kijken.

Toen de klik van de douchedeur en het opstapje, en heet water dat over ons heen stroomde. Zeepsop en badschuim en dat soepele, gladde, sterke, rubberachtige lichaam tegen het mijne, handen die tastten en voelden en streelden en weer tastten. Ondraaglijk genot. Ze zonk op haar knieën en waste me. Ik zei dat ze mijn persoonlijke bezit maar een beetje moest ontzien, maar het leek wel of ze dat met opzet niet deed. Ik stond daar, hard als een standbeeld, de armen schrap tegen de tegels, trillend terwijl zij me in het donker streelde. Toen ze klaar was, hurkte ik voor haar neer en waste haar op dezelfde manier. Ze was natter dan water. Toen schreeuwde ze het zachtjes uit en begroef haar nagels in de achterkant van mijn hoofd en trok mijn gezicht tegen zich aan. Weer een zachte kreet. Een gegrom, eigenlijk. Toen een soort kramp. Vingers krachtig tegen mijn schedel. Terwijl de rillingen in haar lichaam elkaar steeds sneller opvolgden, drong het hete water eindelijk door mijn huid heen en trok in mijn spieren en botten. En ik voelde me opnieuw zo licht, net als in het restaurant. Ik dacht dat ik naar het plafond zou zweven, om daar de douchekop te pakken en als een ballon gevangen in een boom omlaag naar June te kijken.

Niet dat ik dat wilde. We stapten uit de douche en probeerden ons in de stoom af te drogen. Vochtig van het zweet trok ze me mee naar het bed. Toen mijn huid in aanraking kwam met de koele nachtlucht, kwam er kippenvel op onder het zweet en het voelde aan alsof zich onzichtbare bloemen ontknopten. Ze sloeg de deken terug en trok het laken over ons heen.

We begonnen onze vrijpartij om 22.13 uur. Ik weet dat omdat June een digitaal klokje op het nachtkastje had staan, met grote, groene cijfers er op. We begonnen opnieuw om 00.25, 03.19, 05.58 en 08.44 uur. Om 23.40, 02.05 en 08.20 uur aten we in bed – ijs met chocoladesiroop; restjes uit het restaurant; worstjes uit de magnetron en een pannenkoekontbijt opgediend op kleine, in vakjes verdeelde borden met de stroop heet borrelend in een van de vakjes. We vrijden later die ochtend nog een keer en daarna vertrok ik. Toen ik de trap van haar appartement afliep, deden mijn benen pijn en voelde mijn persoonlijke bezit rauw aan, en dat gold ook voor mijn kaken. En ik was gelukkiger dan ik ooit in mijn leven was geweest, uitgezonderd misschien de eerste keer dat ik het huis van Will en Mary Ann in de Tustin Hills binnenstapte. Die twee ervaringen leken heel veel op elkaar. Mijn hart bonkte en mijn oren tuitten. En gretig zag en rook en voelde ik alles wat ik kon zien en ruiken en voelen, want ik was er behoorlijk zeker van dat mijn nieuwe thuis – en June Dauer – al weer heel snel van me zouden worden afgenomen.

16

De nachtclub Bamboo 33 lag aan Bolsa, midden in Little Saigon. Ik parkeerde in een hoekje van de parkeerplaats en zette de motor van Wills auto af. Het was elf uur de volgende avond en de parkeerplaats was halfvol. Het was een heldere avond: geen mist, geen wolken. Alleen maar een warme bries vanuit de woestijn in het oosten, en een hemel bezaaid met sterren.

Birch en Ouderkirk arriveerden een paar minuten later en ik gaf hun een signaal met mijn koplampen.

We leunden tegen de Crown Victoria van Birch. Ik rook de geuren van de eethuisjes vermengd met de vage lucht van de woestijn die op de bries meedreef. De lichten van Little Saigon schenen fel langs Bolsa en het weinige verkeer dat er was reed hard.

'Ik denk niet dat ze de loper voor je uitleggen,' zei Rick. 'Als je Bernadette vindt, laat haar dan de foto van haar en Gaylen zien. Zeg haar dat het heel eenvoudig is om die foto bij Sammy in zijn cel achter te laten. Probeer haar mee naar buiten te krijgen, zodat we even rustig met haar kunnen praten.'

Ik had al over die aanpak nagedacht. 'Dat zou wel eens verkeerd kunnen overkomen – als zij met mij naar buiten gaat. Dat zal ongetwijfeld Sammy ter ore komen.'

Birch gaf me een kopie van de foto, die ik opvouwde en in mijn jaszak stopte. 'Als ze jou geeft wat we nodig hebben, neem dat dan en vertrek. Als je hier niet over een uur terug bent, komen wij daar binnen poolshoogte nemen.'

Ik ging in de korte rij voor de ingang staan, liet mijn penning zien. Twintig dollar entree. De vrouw achter het loket keek me niet aan, maar ze wuifde het geld weg en wees naar de deur.

De portier was een reus en zag er Hawaiiaans uit. Zijn uniform was geperst en in zijn wapenstok zaten butsen. Hij keek naar mijn penning en fronste zijn wenkbrauwen. 'Geen problemen, hoop ik. We hebben hier nooit problemen.'

'Houden zo.'

'Wie zoekt u?'

'Bernadette.'

'Tafeltje boven.'

'Hartelijk dank.'

Hij wierp me nog een blik toe en deed toen de deur open. Ik kwam in een grote, open ruimte. De dansvloer was één grote werveling van lichamen en licht. Boven de dansers hing een glitterbol en stroboscopisch licht maakte dat hun bewegingen er hoekig en onaf uitzagen. Rond de dansvloer stonden cafétafeltjes. Veel mensen aan de tafels. Voorzover ik kon zien allemaal Vietnamezen – sommigen jong, anderen oud. Voornamelijk nette pakken en jurken, de lucht bezwangerd door sigarettenrook.

De band stond op het podium en speelde 'Beast of Burden' van de Stones. De zangeres was een slanke, heel aantrekkelijke vrouw, gekleed in een zwarte broek en een hemdje van leer of kunstleer. De bar was rechts van mij. Aan beide kanten van het vertrek liep een trap naar boven die leidde naar tafeltjes met uitzicht op de dansvloer.

Er werden heel wat ogen op mij gericht. Ik liep naar de trap en ging naar boven. Nog steeds blikken in mijn richting. Een ober in een zwart pak liep snel de trap af, langs mij heen, balancerend met zijn dienblad en zijn ogen op zijn voeten gericht.

Ik bleef boven aan de trap even staan en keek de rijen tafeltjes op het balkon af. Bernadette Lee zat alleen, daar waar het balkon de hoek omging. Ze keek naar mij en vervolgens weer naar de dansvloer onder haar.

Toen het liedje over was, liep ik naar haar toe.

'Ik ben Joe Trona.'

'Dat weet ik. Sammy's vriend.'

'Ik ben alleen maar zijn bewaker. Mag ik gaan zitten?'

Ze knikte en ik ging zitten. Bernadette Lee was ongelooflijk mooi. Haar ogen waren donker en ze glinsterden. Hoge, gebogen wenkbrauwen. Krachtige jukbeenderen, een kleine neus, sierlijke lijnen die uitmondden in volle, rode lippen. Haar huid was heel bleek en ze had een zwarte jurk aan met kant in het decolleté en langs haar armen. Het haar was zwart en viel tot op de schouders, met een lange pony. Slanke witte vingers, lange rode nagels. Ze tikte met een ervan op de gsm die voor haar op tafel lag.

'Heeft Sammy jou hierheen gestuurd?' Haar stem klonk zacht en enigszins schor.

'Hij maakt zich zorgen over u.'

'Waarom?'

'Omdat die nieuwe knaap naast hem steeds maar tegen hem zegt dat u eenzaam bent.'

'Grote Mike?'

'Grote Mike. Mevrouw Lee, ik zou graag met u over een bepaald iemand praten. En ik bedoel niet Sammy.'

'Wie dan wel?'

Ik boog me naar haar toe, maar niet te dicht bij. Haar parfum was zacht, met de vage geur van kaneel.

'John Gaylen.'

Ze keek me aan en alle schoonheid leek uit haar gezicht weg te trekken. 'Ik heb nog nooit van hem gehoord.'

'Mevrouw Lee, ik heb een foto in mijn zak waarop u in zijn auto stapt.'

Ze keek de andere kant op, naar de dansers, en toetste zonder te kijken een nummer in op haar gsm. Ik kon niet horen wat ze zei. Ze schoof haar stoel naar achteren, stond op en pakte een tasje van de stoel naast haar.

'Kom mee.'

Twee jonge Vietnamese mannen verschenen aan de tafel. Slank, donker pak. Eentje ging ons voor en de ander volgde toen we achter elkaar de trap afdaalden. We glipten achter de dansvloer om naar de andere kant van het vertrek. Nog weer een andere jongeman stond bij een deur en liet ons binnen. De deur ging achter ons dicht. De gang was vaag verlicht en ik kon de band door de muren heen horen. Bernadettes schoenen klikten op de oude linoleumvloer toen ze ons voorging door de gang en door een volgende deur, een kleine kamer binnen. In het midden stond een vergadertafel met zes stoelen en langs de muur een koelkast. Tl-buizen aan het plafond die flikkerden en zoemden. Posters van Vietnamese zangers aan de muur. Een klein raam met gesloten blinden.

Bernadette gooide haar tasje op de versleten vergadertafel. 'Laat maar zien,' zei ze. Ze stak een sigaret op en ging zitten.

Ik vouwde de fotokopie open en legde hem voor haar neer. Ze wierp er nauwelijks een blik op en keek toen op naar mij.

'Grote Mike had dus gelijk. Ik was eenzaam.'

'En hoe zat het op woensdagavond, de dertiende juni?' Was u toen ook bij hem?'

Ze tikte met haar vingernagels op tafel, snel en licht. Ze zuchtte, zocht in haar tasje en haalde er een kleine agenda uit. Een metalen flapje scheidde het heden van het verleden. Ze bladerde in het boekje, keek even op een bepaalde bladzij en sloeg het toen weer dicht.

'Nee.'

'Waar was hij, mevrouw Lee?'

'Ik heb geen idee. Ik heb hem maar een paar keer ontmoet.'

'Maar wel vaak genoeg om uw agenda te moeten raadplegen.'

Haar prachtige ogen kregen een kille blik en haar rode lippen vertrokken zich tot een minieme sneer. 'Ja, dat wel. Maar wat kan jou dat eigenlijk schelen?'

'Hij heeft mijn vader vermoord.'

Ze haalde haar schouders op en haar blik dwaalde door de kamer. 'Ik denk dat iedereen krijgt wat hij verdient.'

'Gold dat ook voor Dennis Franklin?'

'Sammy heeft hem niet vermoord. De politie heeft bewijsmateriaal in elkaar geflanst en het OM wilde dat maar al te graag gebruiken.'

'Er zijn twee ooggetuigen, mevrouw Lee. En een kogel in Franklins hoofd kwam uit Sammy's wapen.'

'Bewijsmateriaal kan worden vervalst. Dat weet je zelf ook.' Ze nam een bevallig trekje van haar sigaret en tipte de as af in een asbak. De rook steeg op naar de zoemende lampen. 'En, ga jij mij er nu bij Sammy inluizen?'

'Dat weet ik nog niet. Zou u dat verdienen, mevrouw Lee?'

Ze keek me weer aan. 'Jij bent een van de akeligste mannen die ik ooit heb ontmoet. Jij denkt dat je manieren zo fantastisch zijn, maar ze zijn vals.'

'Ik heb er anders hard genoeg aan gewerkt,' zei ik.

'Vooruit, ga Sammy die foto maar laten zien. En zie daarna maar met je geweten in het reine te komen. Maar ik was die avond niet bij John Gaylen. Ik was hier op de club, alleen. Zoals gewoonlijk.'

'Waar was Gaylen?'

Ze keek me woedend aan.

'Het zou misschien helpen als u wist waar Gaylen was, mevrouw Lee.'

'Fuck!' ze veegde de asbak en haar tasje op de grond en kwam zo snel overeind dat haar stoel achterover viel. *'Klootzak. Weet je hoe Sammy jou in zijn brieven noemt? Hij noemt je Godzilla!'*

Dat wist ik eerlijk gezegd al, door zijn post door te lezen en door zijn vrienden af te luisteren in de onderhoudsbuis van Mod F.

'Het is anders alleen maar littekenweefsel,' zei ik. 'Waar was John Gaylen die avond, mevrouw Lee?'

'Rot toch op, man.'

'Nog even niet.'

'Goed, dan zal ik je een aanbod doen. Jij belooft eerst dat je die foto niet aan Sammy laat zien. En dan vertel ik je wat Gaylen over die avond gezegd heeft.'

'Ik beloof dat de foto Sammy niet onder ogen komt.'

'Geef hem aan mij.'

'Het is maar een kopie. U zou er weinig aan hebben.'

Ze zette met haar voet de stoel overeind en ving de achterkant met haar ene hand op, terwijl ze met de ander haar tasje van de vloer raapte.

Ik legde de foto op tafel.

'John zei dat hij die avond een klusje moest opknappen. En hij zou de daaropvolgende dagen waarschijnlijk even uit de buurt blijven. De avond ervoor heeft hij stevig zitten drinken. Hij zei niet veel. De drie knapen die werden gedood en die ene die nog in het ziekenhuis ligt – die waren bij hem.'

'Wanneer heb je hem daarna weer gezien.'

'Een paar dagen later. Ook weer hier. Hij wilde dat ik met hem uitging, maar ik zei nee. Ik had al helemaal nooit met hem uit moeten gaan. De Cobra Kings houden zich niet aan de regels.'

'Sammy's regels?'

'Welke regels dan ook.'

'Zei Gaylen nog iets over die klus?'

'Hij zei dat het prima gegaan was en dat hij nu zin had in een feestje.'

Ik hoorde de band aan een nieuw liedje beginnen. Het tl-licht flikkerde en trilde.

'Mevrouw Lee, Gaylen ruimde twee van zijn eigen mensen uit de weg. Is dat wat u bedoelt met die regels?'

Ze keek naar mij, en vervolgens omhoog naar de lampen. 'Mogelijk.'

'Mevrouw Lee, had John Gaylen contact met Alex Blazak?'

Weer een boze blik. 'Niet dat ik weet. Ik ken niemand die met die jongen in contact wilde komen. Hij is gestoord en levensgevaarlijk. Hij gedraagt zich niet zakelijk.'

Ik zweeg een tijdje.

'Ik heb iets voor je,' zei ze. 'Ik kan het jou geven. Maar dan moet je wel een rattenval voor Sammy regelen. Hij haat ratten. Het is het enige waar hij bang voor is.'

'Ze zullen daar nooit toestemming voor geven. Ze zijn van plan om gif in de luchtverversingskanalen te leggen. Dat heb ik ook al tegen hem verteld.'

'Wat meer telefoontijd dan?'

'Ik heb hem al meer telefoontijd gegeven.'

'Maar nog niet genoeg.'

Ik dacht even na. Meer telefoontijd regelen was geen probleem. 'Ik kan zorgen dat hij er nog vijf minuten bij krijgt.'

Ze slaakte een kleine zucht en blies nog wat rook uit. 'Vijf minuten? Ik dacht dat jij een belangrijk man was.'

Ik wachtte.

'De avond voor de moorden zag ik dat John hier op de parkeerplaats een paar mensen ontmoette. Twee. De een zat achter het stuur, de ander ernaast. De bijrijder draaide het raampje omlaag en ze praatten met elkaar. Vijf minuten, misschien iets langer. Hij vertelde me later dat het over die klus ging.'

'Zou je hen kunnen identificeren?'
'Nee.'
'Beschrijf de auto.'
'Een roodwitte Corvette. Oud. Goed in de verf, heel glanzend.'
BoWar.
Bernadette bekeek me als een pokeraar. 'Daarna schoot de Corvette met gierende banden weg.'
Warren, dacht ik, maar wie zat er naast hem?
'Ik zal jou eens iets leren, meneer Trona,' zei Bernadette Lee. 'Je hoeft Sammy hier helemaal niets voor te geven. Luister alleen maar naar mij en knoop het in je oren. Het is net als in het oude Rome, of China of waar dan ook. Als een man als jouw vader wordt vermoord, zijn het zijn vrienden die daar achter zitten.'
'Zijn vrienden hebben hem niet vermoord, mevrouw Lee. Dat hebben zijn vijanden gedaan.'
'Vrienden? Vijanden? Noem hen zoals je wilt. Het is allemaal één pot nat. Mensen die hem kenden. Mensen die met hem samenwerkten. Dat zijn de mensen die het gedaan hebben. Niet John Gaylen. Jullie Amerikanen zijn ook zo naïef. Jullie kijken nooit naar het voor de hand liggende.'
Ik dacht weer even na. 'Dan heb ik nog iets voor de hand liggends waar ik waarschijnlijk over moet nadenken. Mijn vader heeft jou en Sammy op een avond voor het hoofd gestoten, bij de officiële opening van deze club. Sammy verloor zijn gezicht. Dat is een reden tot moord, als je gangster bent.'
Ze schudde haar hoofd. 'Sammy is dat soort ideeën al jaren geleden ontgroeid.'
'En u?'
'De belediging was het niet waard om onze energie aan te verspillen. Onze gedragscode geldt de mensen die we serieus nemen. En je vader hoorde daar niet bij. Hij was maar een politicus.'
Wat ik vervolgens zei, verbaasde me. Het kwam er uit voordat ik erover had kunnen nadenken. Het leek gewoon de juiste handelswijze.
'Cao is vanmiddag bij bewustzijn geweest,' zei ik. 'Slechts een paar minuten, maar de arts vertelde me dat zoiets gewoonlijk betekent dat ze het zullen halen.'

Bernadette Lee nam me onderzoekend op. Haar blik was kalm en haar ogen knipperden niet.

'Wat heeft hij gezegd?'

'Dat heb ik niet gehoord. Maar de volgende keer dat hij bijkomt, zullen er twee rechercheurs aanwezig zijn. Ze zullen met hun taperecorders en pennen in de aanslag zitten.'

Ze stak nog een sigaret op. 'Leugenaar.'

Ik glimlachte. Ik glimlach nooit, omdat het er zo akelig uitziet, maar ik dacht dat het de voldoening zou overbrengen die ik zou voelen als Cao echt uit zijn coma was ontwaakt.

Ze tuitte haar lippen richting het plafond en blies een rookwolkje uit. Haar blik was geen moment van mijn gezicht. Ik zag voornamelijk oogwit, als van een haai.

Buiten op de parking vertelde ik Birch en Ouderkirk wat ze had gezegd.

'Gaylen had op woensdag de dertiende iets om handen,' zei ik. 'En hij was niet bij Bernadette Lee.'

Birch noteerde iets in zijn opschrijfboekje en keek me toen over de rand van zijn bril heen aan. 'En alle vier die mannen waren de avond ervoor in zijn gezelschap?'

'Dat zei ze, ja.'

Ik vertelde hun over Gaylens vluchtige ontmoeting met twee mannen in een oude, glanzend roodwitte Corvette. Ik vertelde hun ook aan wie die naar alle waarschijnlijkheid toebehoorde.

Birch keek me aan. Zijn gezichtsuitdrukking deed me denken aan die van Bernadette – beheerst maar gretig. 'Blazak vroeg dominee Daniel of die hem wilde helpen zijn dochter te vinden, niet?'

Ik knikte. 'En dominee Daniel gebruikte zijn beveiligingsman, Warren, om het losgeld en de uitwisseling te regelen. Totdat Will op de proppen kwam.'

Birch zweeg even. Hij schreef weer iets op. 'Gaf Gaylen dus informatie door aan Warren, of was het andersom?'

'Ik loop daar al over te piekeren sinds ze me over die Corvette vertelde.'

We stonden een minuut lang zwijgend tegen zijn Crown Vic geleund. De auto's reden af en aan op de parkeerplaats van de Bamboo

33. Het waren veelal lage Honda's met felle koplampen.

Ik keek ernaar, maar zag ze niet echt. Ik werd achtervolgd door het beeld van Warrens roodwitte Corvette die hier geparkeerd had gestaan, en John Gaylen die zich naar het passagiersraampje over boog.

Wie was de Geheimzinnige Persoon op de passagiersstoel?

Waarom praatten Warren en de GP met Gaylen?

Een van de kleine Honda's gierde met wegslippende achterkant over het asfalt. Een zurige, witte rook steeg op van de achterbanden en de muziek bonkte uit de woofers in de kofferbak.

Dat bracht me terug in het heden.

'Meneer, ik heb mevrouw Lee verteld dat Cao vanmiddag uit zijn coma is ontwaakt, heel kort, en heeft gepraat. Ik heb haar verteld dat ik niet wist wat hij heeft gezegd. Dat een arts me vertelde dat iets dergelijks meestal betekent dat de patiënt het haalt. Dat twee rechercheurs er bij zouden zijn, de volgende keer dat Cao ontwaakte. Ik zei het voordat ik kon nadenken over het feit dat ik naar de gevangenis zou kunnen worden gestuurd wegens vervalsing van bewijsmateriaal.'

Birch en Ouderkirk staarden me nu allebei aan. Toen begonnen ze te lachen. Ik wist niet goed hoe ik dat moest opvatten. Maar ze wisten van geen ophouden. Ik draaide me om, niet wetend wat ik moest doen.

'Joe is een agent,' zei Birch. 'Moet je toch zien, een vierentwintigjarig groentje en nu al een echte agent.'

Ouderkirk schudde zijn hoofd. 'Ik regel een twintig-vier-zeven voor Gaylen, Rick.'

'Heel goed, Harmon. Heel goed, Trona.'

'Hoe zag Lee er uit toen je dat haar vertelde?' vroeg Ouderkirk.

'Als een witte haai, meneer.'

Weer gelach.

'Man, wat houd ik toch van dit werk,' zei Ouderkirk. 'Joe, als jij oud genoeg bent voor Moordzaken, neem ik jou als partner.'

'Ik ben zeer vereerd.'

Bernadette Lee beende in snel tempo over de parkeerplaats, een afstandsbediening in haar hand. Ik hoorde een alarm piepen en zag een licht aan gaan.

'Heren?' Ik knikte in haar richting.

'Laat haar maar instappen,' zei Birch.

Zodra dat gebeurd was, stapten wij in de Ford. Ik zat achterin en keek tussen Birch en Ouderkirk door hoe Lees Jaguar Bolsa opreed. Rick volgde met gedoofde lichten, tot ook hij de boulevard opreed.

'Ik voorspel Garden Grove, Washington Street zeven-vier-een,' zei Ouderkirk. 'Daar woont Gaylen namelijk.'

Maar ze stopte niet in Garden Grove. Ze reed Bolsa helemaal af, tot waar die overging in First Street in Santa Ana. Vervolgens linksaf naar Raitt Street en zo verder de barrio in. Ze sloeg plotseling rechtsaf en ik wist dat ze ons zou zien als Rick haar volgde, maar hij bleef koel en reed recht de kruising over, om vervolgens een snelle bocht te maken, maar niet zo snel dat de banden piepten. We zagen de Jag een oprit oprijden, door een gietijzeren hek dat geopend werd door twee Latino's in te ruime kleding. Twee pitbulls snuffelden aan de banden toen de auto binnen het hek tot stilstand kwam.

Birch reed een blokje om en parkeerde de auto toen aan de overkant van de straat, vier huizen van de oprit vandaan.

'Laten we deze situatie eens uitvergroten,' zei Ouderkirk, terwijl hij een kleine verrekijker uit het handschoenenkastje haalde. 'Aha. Twee ongeïdentificeerde personen van het mannelijk geslacht en de Drakenvrouw, die door de voordeur naar binnengaan. De honden zijn Staffordshire terriërs, beter bekend als pitbulls. Eentje gevlekt, de ander wit. Het huis heeft geen nummer. Er zijn zo te zien twee kamers verlicht. IJzeren hek, ijzeren ramen, ijzeren deur. Leuk filigrijn er op, alsof ze het toch nog een beetje mooi wilden maken. Bloempotten in het portiek, maar geen bloemen. Bomen en heggen keurig gesnoeid – geen beschutting voor een sluipschutter. Schijnwerpers in de zijtuin en op de oprit, vandaar mijn gedetailleerde verslag. O, de schijnwerpers zijn nu uit – automatische schakelaar zeker.'

'Hé,' zei Birch. 'Kun je misschien ook nog de naamplaatjes van die honden lezen?'

'Op de een staat *"Gang"*, op de andere *"Banger"*.'

'Beeldend,' zei Birch.

We zaten en wachtten. We moesten de ramen omlaag doen om te voorkomen dat de ruiten zouden beslaan. Maar desondanks moest

Birch af en toe met zijn hand over de voorruit.

Het nummer van het huis rechts was op de stoeprand geschilderd. Ik kende daardoor de twee mogelijkheden voor het nummer van ons huis en herkende eentje daarvan van de uitdraai met Wills gsm-gesprekken.

'Het is Pearlita's huis,' zei ik zacht.

Birch draaide zich naar me om en ik zag de onzekerheid over zijn gezicht kruipen, gevolgd door erkenning. 'De uitdraai,' fluisterde hij. 'Je hebt een goed geheugen, Joe.'

'Het is eidetisch.'

'Zo'n gave kan heel handig zijn,' zei hij. 'We hebben nu dus een vrouw met een vriendje bij de Cobra Kings en met dringende zaken bij de Raitt Street Boys. Dit is interessant. Je gaat je afvragen wat twee van die uiteenlopende gangs samenbrengt.'

'Geld, geld en geld,' zei Ouderkirk.

Een half uur later gingen de buitenlichten aan en stapte Bernadette het portiek in. De twee mannen in slobberbroeken waren bij haar, plus nog een andere, veel grotere kerel. Hij woog minstens honderd kilo, schatte ik. Hij droeg een ruimzittende broek en iets wat leek op een Pendletonshirt, dat over zijn broek hing. Hij had glanzende, zwarte laarzen aan. Zijn haar was kortgeknipt en hij droeg geen pet. Zonnebril, zelfs in het donker. Hij liep met Bernadette Lee mee naar haar auto. Hij had een soepele, bijna kuierende manier van lopen. Ik kon zien dat ze met elkaar praatten, maar het enige dat ik in de vochtige zomerlucht hoorde, was een vaag gemompel. De pitbulls kwamen naar het hek en staken snuivend hun neus omhoog.

'Geen Pearlita,' fluisterde Ouderkirk. 'Ze is niet thuis, of ze is binnen gebleven.'

'Dat is ze,' fluisterde ik terug. 'Die kerel is Pearlita. Ze kleedt zich als een man. Ik heb foto's van haar gezicht gezien en dat is haar gezicht.'

'Dat meen je niet.'

'Jawel.'

'Als ik zo lelijk was zou ik ook mensen neerschieten.'

'Die anderen zouden broers van haar kunnen zijn,' zei Birch. 'Ze heeft er nog twee. Eenentwintig en vijfentwintig of zoiets. Geen bendeleden, beweren ze.'

'Nee, dat zal wel niet,' zei Ouderkirk.

Voor ons draaiden koplampen de straat in en kwamen onze kant uit. We werden één met het kunstleer en doken weg tot onder het raam.

'Ik voel me altijd een kleuter van vijf als ik dit doe,' fluisterde Ouderkirk. 'Het is gewoon leuk.'

'U zou eens sleetjerijden in de gevangenis moeten proberen, meneer.'

'Wat is dat?'

'Dat vertel ik u later wel.'

Ik luisterde naar het naderen van de auto en zag het licht van de koplampen door het interieur glijden.

Enkele ogenblikken later zaten we alledrie weer rechtop. Lee's Jaguar reed achteruit het bijna helemaal openstaande hek uit. De dikke gangster stond met haar handen op haar heupen toe te kijken. De twee anderen draaiden zich om en gingen naar binnen.

Bernadette draaide de straat op, zette de wagen in zijn vooruit en trok snel op. Pearlita keek haar na. Ze schudde een sigaret uit een pakje dat in haar flanellen shirt zat en stak hem met een aansteker aan. Direct daarop gingen de schijnwerpers uit, maar ik kon haar nog steeds voor het portiek zien staan, met het af en toe opgloeiende uiteinde van haar sigaret. Toen een waaier van vonken. De deur ging open en Pearlita liep met de voor haar uit dartelende honden naar binnen.

Vijf minuten later trokken wij op van het trottoir, maakten een U-bocht en vertrokken in tegenovergestelde richting van Lee.

Gaylen en Pearlita, dacht ik. De Cobra Kings en de Raitt Street Boys. 'Sinds wanneer kan het straatbendes iets schelen wie het district bestuurt?'

'Dat kan hen nog steeds niets schelen,' zei Birch. 'De vraag is niet wie Gaylen hielp, maar wie hem inhuurde.'

Op weg terug naar de Bamboo 33 kon ik alleen nog maar denken aan Bo Warren en zijn GP, die met John Gaylen zat te smoezen op de parkeerplaats.

Ik vertelde Ouderkirk wat sleetjerijden inhield – door de cellengang in Mod F van Mannen Centraal rollen, gelegen op de slede van de onderhoudsmonteur, om vervolgens stiekem te kijken waar de gedetineerden mee bezig waren. Hij zei dat hij dat ook wel een keertje wilde proberen en ik vertelde hem dat hij dan maar met brigadier Delano moest gaan praten.

Een halfuur later parkeerde ik drie huizen bij het huis van John Gaylen vandaan. Dezelfde Zwitserse raampartijen, dezelfde niet-Zwitserse palmen. Dezelfde lampen aan, binnen en in het portiek. Ik verwachtte half en half Bernadette Lees Jaguar hier aan te treffen, maar dat was niet zo. Ik verwachtte half en half dat Lee hem al had gebeld om te zeggen dat Cao het zou overleven en dat Gaylen nu zijn Mercedes aan het pakken was voor een lange trip.

Maar ook dat leek niet het geval.

Dus legde ik mijn hoofd tegen de hoofdsteun en keek.

Veertig minuten later ging de voordeur open. Gaylen kwam naar buiten, liep halverwege de tuin in en bleef onder een van de palmen staan. Hij droeg jeans, geen shirt en geen schoenen. Hij zag eruit als een knaap die veel hardliep en met gewichten werkte – wel gespierd, maar niet overdreven.

Hij haalde iets uit zijn zak en keek omlaag. Beide ellebogen kwamen omhoog, maar ik kon niet zien wat hij in zijn handen had. Iets kleins en wits fladderde naar de grond.

Toen keek hij omhoog naar de hemel en stak een sigaar op, waarbij het uiteinde ronddraaide in het vlammetje van de aansteker. Hij blies een wolk rook naar de boomstam.

Een meisje kwam het huis uitlopen. Veertien, zestien, achttien – moeilijk te zeggen. Klein, heel slank, steil zwart haar. Een strak sluitende zwarte jurk, blote voeten. Ze kwam van achteren op hem af lopen en sloeg haar armen om hem heen. Haar zwarte haar viel over haar gezicht. Ze pakte Gaylens sigaar, nam een trekje en gaf hem weer terug.

Ze pakte zijn vrije hand en trok hem mee naar de deur, maar hij sloeg haar speels van zich af. Ik kon haar zachte lach horen.

Een paar minuten later gingen ze naar binnen. Ik wachtte nog een uur en schakelde toen de interne verlichting uit, zodat die niet aan zou gaan als ik het portier opende. Ik stapte uit en sloot de deur met een duwtje van mijn heup.

Ik bleef op het trottoir aan de overkant van de straat en rende toen in een rechte lijn naar Gaylens tuin. Ik vond het witte ding op het gras onder de palmboom en pakte het als een vlinder in de kom van mijn handen. Met lange, lichte stappen haastte ik me terug naar het trottoir.

Eenmaal op de snelweg knipte ik het binnenlicht aan en haalde het witte voorwerp uit mijn jaszak.

Bingo, net wat ik had gedacht: een Davidoff-sigarenbandje, keurig op de naad losgemaakt en nog in zijn ronde vorm.

Ik vroeg me af waar Gaylen en Alex Blazak die avond in het pakhuis over hadden gepraat. Ik vroeg me af wat een halve sigaar kostte om te beslissen.

Hoor jij bij Alex?

Hoor jij bij Alex. Gelach. *Dat onderdeurtje is dus te schijterig om zijn gezicht te laten zien, hè?*

17

De volgende ochtend zat ik in mijn keuken en legde de inhoud van Wills kluis op de eettafel. Vervolgens legde ik de voorwerpen iets anders neer. En toen weer anders.

Het was een warme dag en ik deed de ramen open zodat de bries voor enige verkoeling zou zorgen. De sinaasappelboom in mijn achtertuin zat vol fruit en ik wist dat de scherpe, zoete geur van citrus om me heen hing terwijl ik aan de keukentafel zat.

Maar ik kon het niet ruiken. Het enige dat ik rook was mijn eigen adem, mijn eigen lichaam, en de vaag metaalachtige geur van bloed. En het enige waaraan ik kon denken, waren Alex en Savannah Blazak, Luria Blas en Miguel Domingo. En Will. Altijd Will, het ijkpunt in mijn leven.

Ik verlegde de voorwerpen opnieuw en probeerde er enige orde in aan te brengen. Logica. Reden. Rationaliteit. Begrijpelijkheid. Orde – al was het maar een beetje – voor mij op tafel uitgespreid als een soort talisman tegen alles wat er de afgelopen weken was gebeurd.

Er waren zeven voorwerpen. Vier waren persoonlijk en eigenlijk nogal verrassend in hun alledaagsheid.

Het eerste was een stapeltje liefdesbrieven die ongeveer vier decennia geleden aan hem geschreven waren door een meisje genaamd Teresa. Ze was een vriendinnetje van high school. Hij had me nauwelijks iets over haar verteld. Maar ik herinner me nog wel dat hij op een keer had gezegd dat jonge liefde het zuiverst was. De brieven waren vergeeld en gekarteld – heel vaak doorgelezen, zo te zien.

Ik bladerde ze even voorzichtig door en legde ze toen opzij, aan mijn rechterkant, de kant van het goede, van liefde en licht.

Het volgende item was een zwartwitfoto van Will op ongeveer

achtjarige leeftijd, knielend naast een hond. Het was een vuilnisbakkenras en zijn tong hing uit een bek die bijna leek te glimlachen. Sparky, Wills eerste hond. Ik wist niet dat het beest zoveel voor hem had betekend.

Ik schoof de foto tegen het stapeltje brieven. Liefde en trouw gaan samen, dacht ik.

Vervolgens een envelop met kleurenfoto's uit de oorlog. Een van de foto's toonde het interieur van een bar of restaurant, vier soldaten aan een tafel, vier frêle Vietnamese vrouwen met hun armen om de mannen heen geslagen. Will zag er heel erg dronken uit, en veel te jong voor dat uniform. Hij was nog zo slank toen, zonder al dat gewicht dat hij op middelbare leeftijd had verzameld. Ik herinner me hoe hij vertelde over zijn weinig succesvolle tijd als atleet op de middelbare school, hoe hij aan drie sporten tegelijk deed en meestal op de reservebank zat. Hij was gek op sporten, maar zat nooit in vertegenwoordigende teams.

Er was ook nog een foto van Will alleen, mogelijk in een hotel, met geel zonlicht dat door de jaloezieën naar binnen viel. Hij zat iets voorovergebogen op een bed, naakt tot op het middel. Zijn identiteitsplaatjes bungelden voor zijn borst. In een asbak naast hem brandde een sigaret. De uitdrukking op zijn gezicht was een van de meest desolate die ik ooit had gezien. Ik had hem nog nooit zo eenzaam gezien. Hij haatte alleen-zijn. En nog een paar andere foto's: een maat van hem met een enorme joint in zijn mond; een paar prostituées die elkaar omhelsden; een Amerikaanse soldaat die in een boom hing, met zijn gezicht en één arm weggeschoten. De andere arm was om de boom heen geslagen, als om te voorkomen dat hij er uit zou vallen.

De laatste foto was een kiekje van Will in een Jeep met zijn M16 op schoot. Hij keek van de camera weg. Het viel me op hoe hij zijn geweer vasthield, krampachtig en weg van het lichaam, met de loop omlaag. Alsof het iets heel gevaarlijks was. En ik bedacht hoe onzeker Will altijd was geweest als het om vuurwapens ging, hoe ze er in zijn handen altijd verkeerd uitzagen, zelfs toen hij nog bij de politie was. Ik dacht aan Will die mij op tienjarige leeftijd voorstelde aan de schietinstructeur van de politie, zodat ik alvast de beginselen van het schieten onder de knie kon krijgen – dingen die duizenden andere vaders hun zonen zelf elk weekend van het jaar bijbrachten. Wapens, dacht ik: een van de weinige dingen die hem angst aanjoegen.

Ik stopte de foto's terug in de envelop en deed de flap dicht, waarna ik hem onder het stapeltje liefdesbrieven schoof, omdat liefde sterker is dan oorlog.

Het volgende voorwerp was een klein, leeg schildpaddenschild. Op het rugschild waren rode letters geschilderd. Ze vormden het woord DEKEY! Ik keek door de voorste pootgaten, vervolgens door de achterste, en hield het schild in het zonlicht dat door het raam naar binnen viel. Van binnen was het schild glad als de bolling van een lepel. Will had me nooit iets over een schildpad verteld.

Ik legde het kleine schild achter de liefdesbrieven, buiten mijn gezichtsveld. Ik had genoeg van dingen die ooit in leven waren en nu niet meer.

Sparky glimlachte.

De liefdesbrieven lagen er intact, veilig, goed gelezen bij.

Item nummer vijf was een dichtgevouwen stuk papier met daarin een minicassettebandje en de volgende notities, opgeschreven in Wills handschrift:

Rup tegen Millie, van B. Gesprek van 5/02/01:
1/22/01-25
3/14/01-25
4/07/01-35
Windy Ridge zie bijg. bandje gemaakt 5/12/01

Ik speelde het bijgevoegde bandje af. Eerst tien seconden geruis, toen het uitwisselen van wat vriendelijke woorden die niet echt vriendelijk waren.

SCHORRE STEM, MANNELIJK: *Oké, Milky, laten we ter zake komen. Het is de gebruikelijke plek.*

VOORZICHTIGE STEM, MANNELIJK: *Begrepen.*

SCHORRE STEM: *Het is beter als je haar niet stuurt.*

VOORZICHTIGE STEM: *Laat het mij nu maar op mijn manier doen.*

SCHORRE STEM: *Ik kan niet genoeg benadrukken hoe belangrijk donderdag is.*

VOORZICHTIGE STEM: *Er zouden wel eens wat problemen kunnen rijzen.*

SCHORRE STEM: *Waar heb je het verdomme over.*

VOORZICHTIGE STEM: *Gewoon, voorzichtigheid. Ik weet het niet. Een voorgevoel.*

SCHORRE STEM: *Het grootste probleem zou een rood licht op donderdag zijn.*

VOORZICHTIGE STEM: *Maak je maar geen zorgen.*

SCHORRE STEM: *Ik haat dat soort opmerkingen. Het betekent altijd ellende. Doe nou maar gewoon je werk, Milky. Jammeren en zeuren doe je maar tegen je vrouw.*

VOORZICHTIGE STEM: *Ja, ja. We spreken elkaar.*

Ik luisterde het bandje nog een keer af. Ik herkende Rupaski's schorre, oude stem. Milky/Millie was Dana Millbrae – de ene keer Wills medestander, de andere keer zijn tegenstander bij de Raad van Districtscontroleurs. De B in regel één was Bridget Andersen, Millbraes secretaresse en een van de uiterst geheime vrienden van mijn vader.

Het gesprek zelf was vrijwel zeker afgeluisterd via een aftapinstallatie die op Millbrae's telefoonlijn was aangesloten. Ik wist van die aftapinstallatie omdat ik hem zelf op een zaterdag had gemonteerd terwijl Will de wacht hield in Millbrae's lege receptieruimte, waar hij met zijn voeten op Bridgets bureau in een tijdschrift zat te bladeren. Will had voor de aftapinstallatie gezorgd. Ik weet niet waar hij hem vandaan had, maar ik had daar wel zo mijn ideeën over. Je had er alleen maar een elektrische boor, een paar klemmetjes en een paar schroeven voor nodig. Ik verborg de microfoon tussen de wirwar van snoeren die in het kabelgat in het bureau verdwenen. Vervolgens verbond ik hem via een snoertje met de aftapper. Elke stem zou de recorder activeren en de aftapinstallatie zou beide partijen in het telefoongesprek op de band vastleggen. Het kostte me ongeveer twintig minuten en Will zei keurig: *Dat is voor Bridget, jongen. Je hebt net iets goeds voor die meid gedaan.*

Dat was het laatste wat ik erover gehoord had, tot nu dan.

Ik dacht aan Bridget, een knappe vrouw van even in de veertig, die alle zes jaar dat Millbrae districtscontroleur was zijn secretaresse was geweest. Ze was verschrikkelijk verlegen. Weduwe. Toen ik in februari van dit jaar die cassetterecorder installeerde, nam ik aan dat Bridget hem zou bedienen, maar ik maakte me niet de illusie dat het aftappen ten gunste van Bridget zou gebeuren en niet van Will.

Het volgende item was een niet dichtgeplakte envelop voor briefpapier. Erin zaten twee reçuutjes van donaties van elk $ 10.000 van Will aan het Hillview Kindertehuis. Will en Ellen Erskine hadden er hun handtekening onder gezet.

Het laatste ding op de keukentafel was weer een envelop. Deze zat ook niet dichtgeplakt en ik zag of voelde er niets in zitten.

Ik maakte hem open en schudde er twee strookjes achtmillimeterfilm uit, elk met ongeveer twintig opeenvolgende beeldjes. Het leken identieke foto's van hetzelfde onderwerp: dominee Daniel en een vrouw. Hij had beide handen losjes in haar hals gelegd, met de duimen onder haar kin. Zijn gezicht was vlak bij het hare en enigszins naar haar toegebogen. Hij keek nogal dromerig. Het zag er naar uit dat hij op het punt stond haar te kussen, hoewel dat natuurlijk niet per se zo hoefde te zijn. Ze keek naar hem op met in haar blik een soort voorwaardelijke overgave. Ze was jong, had zwart haar en een donkere huid.

Het vertrek waarin ze zich bevonden zag eruit als een van de gastenverblijven boven de lounge van de Grub.

Ik herkende de vrouw uit de krant en van de nieuwsuitzendingen op tv: Luria Blas. Ze had dezelfde grote, heldere ogen als haar broertje Enrique.

Ik stond op van tafel en liep de achtertuin in. De zon stond al hoog aan de hemel en er waaide een briesje dat de smog bijna verjoeg.

Ik ging op een bank bij de sinaasappelboom zitten en keek naar de lucht. Een eekhoorn rende over de elektriciteitskabel boven me en ik volgde haar schaduw over het gras. Toen nog een, een kleinere.

Ik wilde ook bij mijn mammie zijn. Ik belde haar dus en we maakten een afspraak.

*

Bridget Andersen vertelde me dat het haar niet zo'n goed idee leek om samen met mij gezien te worden. We spraken voor die middag af in een park in de heuvels. Ik was vroeg, dus zocht ik een picknicktafel in de schaduw en ging zitten. Ik rook de alsem en luisterde naar de auto's die op de avenue ver beneden me langssuisden.

Bridget, helblond en met een grote, donkere bril op, parkeerde haar auto en liep op me af. Blauwe rok en hoge hakken, witte bloes, tasje over haar schouder. Ze streek met haar linkerhand haar rok glad toen ze tegenover me ging zitten. Ze zag er weinig op haar gemak uit, zoals zo vaak. Alsof ze niet wist wat ze aan moest met het feit dat ze aantrekkelijk was. Toen ze haar bril afzette, zag ik dat haar verbluffend blauwe ogen enigszins roze doorlopen waren.

'Wat? Hebben de oogdruppels het rood niet verdreven?'

'Niet helemaal, mevrouw Andersen.'

'Bridget. Waarom heb je niet eerder gebeld?'

'Ik ben soms wat langzaam. Maar ik heb dan toch eindelijk het bandje van Millbrae en Rupaski gehoord.'

'Ach, natuurlijk. Je vaders bonus.'

'Ik wist niet goed wat ik ervan moest denken.'

'Will wel.'

'Kunt u het me uitleggen?'

Ze zette haar bril weer op. 'Ik vertrouwde je vader. Kan ik jou ook vertrouwen?'

'Ik ben hier voor hem, niet voor mezelf.'

Haar blik was kalm en kritisch, ondanks de bloeddoorlopen ogen. 'Hij heeft je goed afgericht.'

Zelfs een hond kan geheimen bewaren.

'Hoor eens, Joe,' zei ze. 'Iedereen wist dat Rupaski's officieuze bazen tolweg 91 aan het district kwijt wilden, want ze lijden er dik verlies op. Je kent de rolbezetting – Blazak en zijn projectontwikkelaars, dat slag. De prijs? Laten we het op 27 miljoen houden, een mooi rond bedrag. Maar de Raad van Districtscontroleurs moest de aankoop goedkeuren. Drie tegen. Drie voor, met Millbrae die sinds februari blanco stemde. Nou, het Research & Action Committee van de Grove Club hoestte wat fondsen op om de juiste mensen te beïnvloeden. Het meeste ervan ging naar PR-activiteiten, om het publiek hun gezichtspunt op te dringen en ze de stemming te laten beïnvloeden. Er ging ook wat geld naar ambtenaren, het gebruikelijke smeergeld. Een deel was minder onschuldig. Will meende zwakheid bij Millie te bespeuren. Hij was er klaar voor.'

'Hij liet mij die cassetterecorder installeren.'

Ze glimlachte zonder ook maar een greintje tevredenheid. 'Mooi werk, Joe. Je hebt zelfs de troep van het boren opgeruimd.'

'Dank u.'

'Rupaski hield zich bezig met de serieuze uitbetalingen. Millies deel werd in bruine zakken gestopt en in een greppel gelegd, bij een bosje op precies dertig meter ten noordoosten van de Windy Ridge-tolpoort. Dat bosje bestaat uit wilde boekweit, om precies te zijn. Dat was wat Rupaski "de gebruikelijke plek" noemde. Ik weet dat omdat Millbrae mij er op uit stuurde om die zakken op te halen.'

Wills handgeschreven notities, dacht ik: data en bedragen. 'Daar ging dat opgenomen gesprek dus over.'

'Precies – weer een toiletemmer die klaar stondvoor Millies bleke, hebzuchtige vingers. En het was de grote emmer, want de volgende donderdag zou de stemming plaatsvinden. Dit was ongeveer een maand voordat je vader werd vermoord.'

'Maar Millie stemde tegen de aankoop. Hij koos de kant van Will.'

'Ja, dat deed hij inderdaad.'

Die avond stond me nog heel helder voor de geest. De uitdrukking op Rupaski's gezicht. De manier waarop Millbrae de vergadering ontvluchtte. Will die zich later in de auto verkneukelde over het gedrag van Millbrae, *die eindelijk eens tegen die klootzak had gestemd.*

Plotseling besefte ik wat er echt was gebeurd.

'O,' zei ik, 'ik begrijp het.'

'Zo vader, zo zoon.'

'Will liet Millbrae vlak voor de stemming het bandje horen.'

'Dat noemen ze chantage, Joe.'

Ik dacht even na. Millbrae die smeergeld kreeg van het Research & Action Committee van de Grove Club. Rupaski de koerier. Will met het belastende bewijsmateriaal. En Bridget die de zakken met geld ophaalde.

'Wist Millbrae dat jij Will hielp?'

'Nee. Millie denkt dat iedereen evenveel van hem houdt als hijzelf.'

'Vertelde Millbrae tegen Rupaski waarom hij tegen moest stemmen?'

'Jazeker. Het eerste wat iedere politicus leert, is de schuld van je afschuiven. Millie heeft daar een natuurlijke aanleg voor.'

'Dus ze wisten beiden dat Will hen in de tang had?'

Ze knikte en keek me onderzoekend aan. 'Ze waren doodsbang dat hij naar de rechter zou stappen, of naar zijn vriendjes op het bureau van de sheriff. Dat had hij natuurlijk nooit gedaan, want dat zou mij de kop kosten, en hemzelf misschien ook.'

'Dat wisten zij niet.'

'Nee, dat wisten zij niet. Will had hen echt goed te pakken. Ze maakten zelfs ruzie over wiens telefoon er was afgeluisterd. Ik had de cassetterecorder al verwijderd voor Millie ernaar begon te zoeken.'

Bridget haalde diep adem en zuchtte. Ze keek langs me heen met een van die blikken die niets zien behalve de achterkant van je gedachten.

Toen lachte ze zachtjes. 'Will reed samen met mij naar Windy Ridge op de avond van de laatste uitbetaling, voor hij dat bandje afspeelde voor Millie. Hij haalde het geld uit de tas, stopte er wat zand en stenen in en gaf toen de tas aan mij. Ik leverde hem af bij Millie, zoals gebruikelijk. De onschuldige, loyale Bridget die haar slavenarbeid verricht. Ik heb Millies gezicht niet gezien toen hij de zak openmaakte, helaas niet. Will vertelde me dat Jaime van het HACF wel wat steun kon gebruiken. Negentigduizend is geen gek bedrag.'

Hebben die negentig niet geholpen?

Will, dacht ik. De Robin Hood van Orange County. Prachtig, totdat het je dood wordt.

'Joe, ik zou Millie met giftige pijltjes hebben bestookt als Will me dat had gevraagd. Ik hield van je vader.'

'Dat weet ik.'

'Wat heeft hij over me gezegd?'

'Hij zei dat u het grootste, gemeenste hart van Orange County had.'

Daar dacht ze even over na, maar eindelijk glimlachte ze toch. 'Hij hield ervan om mij dingen te laten doen die tegen mijn aard ingingen. Ik kreeg bijna een maagzweer wegens dat aftappen van de telefoon.'

Ik had kunnen zeggen dat Will me had verteld dat Het Onbekende Iets in Bridget Andersen tekeerging, maar dat deed ik niet.

Ze stond op en liep terug naar haar auto.

Terugrijdend door de heuvels realiseerde ik me dat Rupaski en Millbrae goede redenen hadden om mijn vader te haten. Voldoende reden om hem ook te laten vermoorden?

Ik kwam mijn afspraak met dr. Zussman na, ook al had ik hem eigenlijk niets te vertellen. Alleen al de gedachte aan June Dauer verwarmde mijn hart, maar dat was niet voor dr. Zussmans oren bestemd, voor niemand trouwens. Zij was voor mij. Dus vertelde ik hem over mijn jaren in Hillview en mijn relatie met Will en Mary Ann en mijn broers. Toen praatten we weer over de schietpartij en ik vertelde hem dat ik daar nog steeds dezelfde gevoelens over had. Hij bracht me in herinnering wat ik had gezegd over dat halve kopje koffie spijt en ik zei dat die vergelijking nog steeds opging. Hij leek teleurgesteld. Hij bleef me maar vragen stellen over spijt en ontkenning en woede en sublimatie. Ik begreep dat ik hem niet vertelde wat hij wilde horen. Hij zei dat hij dacht dat ik over een week wel weer aan het werk zou kunnen. Toen was het mijn beurt om teleurgesteld te zijn, en dat vertelde ik hem ook. Hij glimlachte en knikte en we maakten een nieuwe afspraak.

Een deel van de middag bracht ik in de onderhoudsbuis van Mod F door. Ik luisterde zomaar wat, in de hoop iets nuttigs op te vangen. Ik ontdekte dat er verdovende middelen naar binnen werden gesmokkeld via het personeel van de keuken en dat sommige gedetineerden op zondagochtend in de kapel vliegertjes aan elkaar doorgaven. Dat opgesloten zitten in die nauwe buis gaf me iets van geborgenheid. Ik pakte de slede van de onderhoudsmonteur voor een ritje langs de cellen en kreeg een goede blik op een paar griezels van de Aryan Brotherhood in het dagverblijf die de Mexicaanse gangster in de cel ernaast aan het pesten waren. De Aryans zongen keihard en met geheven arm een van hun racistische liederen en lachten tussen de coupletten door de gangster uit.

Later, toen ik brigadier Delano vertelde wat ik had gehoord en gezien, kreeg ik de wind van voren omdat ik zo stom was geweest hierheen te komen terwijl dat niet hoefde. Maar hij liet me nog een tijdje rondhangen in de koepel – dat is het centrale bewakersstation in de ruimte waar de gevangenen worden in- en uitgeschreven – niet werken, alleen maar aanwezig zijn.

Ik maakte een praatje met de bewakers en gedetineerden van Mod F. Sammy Nguyen had die rat weer gezien en zeurde om de val waarvan hij wist dat hij hem nooit zou krijgen. Hij vroeg me om een kleine zaklamp, een van die degelijke MacLites, zodat hij die kloterat in het donker kon zien en er iets naar toe kon gooien. Zaklantaarns waren in de gevangenis verboden en dat zei ik hem ook. Ik vertelde hem dat het met Bernadette goed ging en dat ze hem erg miste. Hij schonk me een achterdochtige blik, plofte toen op zijn bed en staarde omhoog naar haar foto.

Grote Mike Staich zat in de isoleerruimte omdat zijn cel werd doorzocht: iemand had hem verlinkt en gezegd dat hij een wapen bezat. Ik keek hoe de zoekploeg de kleine cel uitvlooide. Ze vonden niets, lieten de weinige bezittingen van Grote Mike op de vloer liggen en verdwenen.

Dr. Chapin Fortnell zat op dit moment in de rechtszaal.

Dave Hauser, de assistent van de openbare aanklager die drugshandelaar was geworden, liet me een foto zien van het stuk land dat hij en zijn gezin zouden kopen zodra 'dit stomme misverstand uit de weg was geruimd'. Op het terrein stonden palmen, er was een wit zandstrand en een baai met water van dezelfde kleur blauw als de hemel erboven.

Serieverkrachter Frankie Dilsey lag op zijn bed te neuriën, met zijn rug naar de tralies. Zijn voeten bewogen, als een hond die rent in een droom.

Diepvriesmoordenaar Gary Sargola keek me treurig aan toen ik voorbijkwam, maar zei niets. Volgende week zou zijn echte straf ingaan en het OM had de doodstraf geëist. Hij was een papperige, bebrilde man en het was moeilijk voor te stellen dat hij had gedaan wat hij had gedaan. Maar als je er goed over nadacht, zagen die knapen hier binnen er niet echt anders uit dan de mensen erbuiten. Ze zagen er wat mij betreft zelfs beter uit.

Ik zat een tijdje bij wat andere bewakers in de personeelskantine. We roddelden over de gedetineerden en de chefs en dronken koffie. Sommigen waren hier nog maar net en hadden de hele vijf jaar nog voor zich liggen. Anderen zaten in hun laatste paar maanden, weken zelfs. Bij mij begon het ook al op te schieten – vier jaar gedaan en nog één te gaan.

Toen brigadier Delano binnenkwam, gingen we iets rechter op zitten en hielden op met praten.

'Trona,' zei hij, 'er is een dringend telefoontje voor je op vier.'

Ik liep naar het bewakersstation, toetste de code voor de uitgaande lijn in en zei hallo.

Het was Rick Birch. Hij zei dat het surveillanceteam John Gaylen was gevolgd naar een openbaar park in Irvine. Gaylen had twee uur op een bankje bij een meer gezeten. Hij had zelf drie keer gebeld met zijn gsm en was twee keer gebeld.

'Dat was tussen twaalf en twee vanmiddag,' zei hij. 'Om half twee schoot iemand een kogel door het hoofd van Ike Cao in het ICU. Geluidsdemper. We zijn er nog mee bezig, maar vlak voordat het gebeurde was er een nieuwe verpleegster op de afdeling. Niemand heeft haar daarna nog gezien.'

'Hoe zag ze er uit?'

'Net uit de operatiekamer – handschoenen, haarnetje, masker, mogelijk een stethoscoop en een klembord. Klein, breed, veel te zwaar. Donker haar en donkere ogen. Ze hebben haar op de bewakingscamera. Het beeld is verschrikkelijk slecht. Zoals met de mist op die avond – moeilijk te identificeren.'

'Pearlita,' zei ik.

'We hebben zes teams op Raitt Street gezet. Als ze daar op komt dagen, is ze voor ons.'

Mijn trucje had gewerkt. Het had zo goed gewerkt dat Ike Cao nu dood was. Ik voelde me beroerd, eventjes maar, want ik wist dat hij een huurmoordenaar was en dat zijn eigen bendeleider hem vermoord had.

Birch las mijn gedachten.

'Trek het je niet aan, Trona. Ike Cao heeft geholpen jouw vader te vermoorden. Hij zou jou ook gedood hebben als hij daar de kans toe had gekregen.'

'Dank u, meneer,' zei ik.

'De kogel zat nog in Cao's hoofd. We zullen hem er uit halen en hem door de FBI laten natrekken.'

Het gezicht van dominee Daniel Alter werd vuurrood toen ik hem de filmstroken uit de kluis liet zien. Ik wendde uit respect voor hem mijn blik af en keek uit het raam van de Kapel van het Licht. De lange zomeravond begon net te vallen. De hemel was bleekblauw en de maan stond als een witte krul boven Saddleback Mountain.

'Ik ben vernederd,' zei hij. 'En verschrikkelijk kwaad.'

'Ja, meneer.'

'Wat moet ik hier in vredesnaam op zeggen?'

'Ik weet het niet.'

'In Wills kluis?'

Ik knikte. 'Maar dat wist u toch, dominee? Hij bewaarde ze niet in die kluis omdat ze iets speciaals voor hem betekenden. Hij bewaarde ze daar omdat ze waardevol voor hem waren. Hoeveel moest u hem betalen?'

Zijn ogen werden groot, nog versterkt door de dikke brillenglazen. Ongeloof. Maar zelfs ik – een groot fan van zijn optredens – zag hoe geforceerd het dit keer was. Hij zuchtte en liet de verbaasde blik varen. Hij keek naar me op.

'We kwamen tienduizend per maand overeen, en dat gedurende een jaar. Ik heb twee keer betaald, dus ik ben nog tien afbetalingen schuldig.'

'Dat is niet veel geld toch, eerwaarde? Voor zo'n rijke man als u?'

'Will zei dat als ik nog verder was gegaan, hij me arm gemaakt zou hebben. Ik lachte daar toen om, want we wisten beiden dat hij dat niet zou doen. Kijk, Will maakte op illegale wijze misbruik van me, dat weet ik. Maar ik betaalde het geld niet echt aan hem, want hij doneerde die tienduizend direct weer aan het Hillview Kindertehuis. Hij was niet geïnteresseerd in het geld als zodanig. Hij was geïnteresseerd in wat je ermee kon doen. Hij betrapte me dus op een zonde en ik betaal daarvoor. Ik haatte Will niet om wat hij deed. Ik vond het eerlijk gezegd wel...eerlijk.'

Ik dacht aan de reçuutjes voor tienduizend dollar die ik in zijn kluis gevonden had.

'Wanneer werd die film gemaakt?'

Hij staarde uit het raam. 'Twee maanden geleden. In de Grove. Luria was aantrekkelijk en eenzaam en toen ik naar boven ging om een dutje te doen, volgden zij en een vriendin van haar me naar mijn kamer. We praatten en praatten. Zij dronken iets. Nou ja, ze dronken eigenlijk als tempeliers. Op een gegeven moment kwam Will binnen – er waren ook al anderen langs geweest – om ook even te kletsen en de dames van nieuwe drankjes te voorzien. De bar bij de gastenverblijven was open. Mensen kwamen en gingen. Iedereen was een beetje gek. De televisie vertoonde nogal wat provocatieve programma's. En dat moment op die film, nou ja, inderdaad, ik heb haar gekust. Dat beken ik. Ik kon het niet helpen, Joe. Het had trouwens een beroepsmatige kus moeten zijn – een zoentje op de wang. Maar ze draaide op het allerlaatste moment haar lippen naar me toe en ik was... nou ja, Joe, ik viel voor haar. En zodra ik het gedaan had, wist ik dat het heel erg verkeerd was. Dus verontschuldigde ik me en ging naar beneden, naar de lounge. Ik had behoorlijk wat op, dat moet ik wel zeggen. Vervolgens liet ik me door iemand naar huis brengen. Naar mijn Rosemary. De vrouw van wie ik hou. Nou ja, ik moet erbij zeggen dat ze op dat moment eigenlijk niet thuis was. Ze zat op Majorca voor een goed doel... nou ja, waarschijnlijk gewoon voor zichzelf. Geloof me, toen ik later dat filmpje zag, vervloekte ik Will en zijn stiekeme camera. Dat hij tot zoiets verraderlijks in staat was.'

Daniel leek plotseling kleiner geworden, alsof hij de afgelopen vijf minuten een maatje gekrompen was. Hij ontweek mijn blik.

'Twee weken later werd Luria gedood op de Coastal Highway.'

'Ik was verpletterd. Ik herkende haar foto in de kranten. Ik heb voor haar gebeden. En ik heb voor mezelf gebeden, dat je vader nooit aan anderen zou laten zien wat ik met haar had gedaan.'

'Wist u dat de jongen die bij het hek van Pelican Point werd neergeschoten haar broer was? Luria was zwanger. Ze was behoorlijk in elkaar geslagen voor die auto haar raakte. Miguel Domingo wist dat allemaal. Zijn antwoord was een machete en een schroevendraaier.'

'Jaime heeft het me verteld.'

Hij boog zijn hoofd.

'Wie heeft haar meegenomen naar de Grub, dominee?'

'Ik heb geen idee, Joe.'

'Je komt er niet binnen zonder uitnodiging, hoe aantrekkelijk je ook bent.'

'Ja, ja.'

Hij tuitte zijn lippen en fronste zijn wenkbrauwen. Hij sloot zijn ogen. 'Ik geloof, Joe, dat het feestje was georganiseerd door het Comité tot Herverkiezing van Dana Millbrae. In samenwerking met het Research & Action Committee van de Grove Foundation.'

Ik herinnerde me die avond nu weer. Het was in april en ik was er ook geweest, beneden in de bar, waar ik aan de frisdrank zat terwijl het feest boven verderging. Ik herinner me ook Daniel nog, enigszins aangeschoten. Will leek overal tegelijk te zijn – beneden in het restaurant, in de bar, boven in de gastenverblijven en weer beneden. Heel veel aantrekkelijke, alleenstaande vrouwen, hoewel ik Luria Blas niet gezien had.

'Dominee, uw bewakingsman, Bo Warren, heeft de man ontmoet die Will vermoord heeft. Dat was op de avond voordat het gebeurde. Waarom?'

Dit keer was Daniels verbazing echt. 'Ik... dat kan ik me niet voorstellen, Joe, laat staan dat ik er een verklaring voor heb. Ik kan het gewoon niet geloven.'

'Ik heb een getuige. Er zat nog iemand in de auto bij Warren. Ik moet weten wie dat was.'

'Ik zal met hem praten. Ik zal beslist met hem praten.'

'Wilt u het me alstublieft vertellen, meneer, zodra u het weet?'

Ik stond op en pakte mijn hoed en aktetas. Ik liep naar het raam en keek uit over de oude dag en de jonge avond.

'Joe, ik... ben bereid jou die resterende honderdduizend dollar te betalen. Het Hillview Kindertehuis zal het geld goed kunnen gebruiken. Als jij zorgt dat die belastende film hier op mijn bureau verdwijnt, heb je er een legitieme donatie voor een heel goed doel voor terug.'

'Will kon net doen of die tien mille uit het familiekapitaal kwam, maar dat kan ik niet, meneer.'

'Dan doe ik zelf die donatie wel, dat bespaart jullie een hoop kopzorgen.'

Ik vroeg me af waarom Daniel niet al direct die betalingen aan het Hillview zelf had gedaan. Het kostte me ongeveer een seconde om het vanuit Wills standpunt te bekijken en toen had ik mijn antwoord: Will vertrouwde hem niet voldoende.

Ik draaide me om en keek naar Daniel. Ik wilde dat hij een heilige was, maar dat was hij niet. Ik wilde dat hij sterk was, maar hij leek me zwak als het er op aan kwam en sterk als er niets op het spel stond. Ik wilde dat hij eerlijk en recht door zee was, maar ook dat was hij eigenlijk niet.

'Je ziet er zo teleurgesteld uit, Joe.'

'Ik heb heel wat bloed vergoten, meneer, maar toch is Will gestorven. Ik dacht dat u dicht bij God stond, maar met alle respect, dominee, u komt nu toch wat oneerlijk op mij over. Weet u wat ik denk? Ik denk dat als er één man was opgestaan en het juiste had gedaan, deze hele keten van gebeurtenissen niet had plaatsgevonden. Leugen op leugen, en vervolgens nog meer leugens. Hebzucht op hebzucht op nog meer hebzucht. Niemand deed er iets aan. Niemand probeerde er iets aan te doen.'

'Daar vergis je je toch in. We doen allemaal ons best. Elke dag weer. Maar we zijn niet volmaakt, we vertonen gebreken. Dus falen we. Verwar perfectie niet met goede bedoelingen.'

'Dat is waar. Maar de kloof is wel enorm, meneer.'

'Ja, dat weet ik. Ga alsjeblieft nog even zitten, Joe. Alsjeblieft.'

Ik liep terug naar de stoel, zette het koffertje neer, legde mijn hoed weg en ging weer zitten.

'Joe, Will was geen heilige. Ik zie dat jij daar nu ook achterkomt. Een man moet in zijn leven vele moeilijke beslissingen nemen, Joe. En mannen met macht, zoals je vader, nog veel meer dan anderen. Dat is zwaar. Daarom hebben we ook God nodig om ons te leiden. We kunnen niet in ons eentje het schip drijvende houden.'

'Dominee, ik heb altijd in Will geloofd. Ook als ik hem iets zag doen wat niet juist was, dacht ik dat het uiteindelijk de zaak ten goede zou komen. Ik dacht dat als ik wat ouder en wijzer zou zijn, ik de achterliggende doelen wel zou zien. Ik dacht dat zijn misstap-

pen… noodzakelijke omwegen waren.'
'En dat was waarschijnlijk ook zo.'
Ik raapte mijn spullen weer bij elkaar en stond op. 'En als dat nu eens niet zo was?'
'Hier,' zei hij. Hij gaf me de envelop met de filmstrookjes terug. 'Die zijn van jou.'
'U kunt ermee doen wat u wilt, meneer.'
'Dat stel ik bijzonder op prijs. Doe jij dan hiermee wat je juist acht.'
Hij gaf me een andere, verzegelde envelop. Hij was dik en zwaar en ik wist wat het was. Ik woog hem in de palm van mijn hand en keek dominee Daniel aan.
'Voor het Hillview Kindertehuis,' zei hij. 'Voor Luria's familie, als je die kunt vinden. Ter nagedachtenis van Will en al het goede dat hij heeft gedaan.'
'Stop het maar terug in het offerblok, eerwaarde,' zei ik.
Ik legde de envelop op zijn bureau en vertrok.

Ik trof Carl Rupaski in zijn kantoor. Zijn secretaresse was er niet en Rupaski zat achter zijn bureau, zijn grote, bruine schoenen op het blad. Hij keek door het raam naar buiten. Zonlicht filterde omlaag door de smog en zette Santa Ana in een oranje gloed.
Hij glimlachte toen ik binnenkwam, maar hij stond niet op. 'Je komt dus toch voor de Transport Authority werken?'
'Nee, meneer, hoewel ik zeer vereerd was door het aanbod.'
'Wat heb je daar?'
'Een cassetterecorder, meneer. Ik wil u iets laten horen.'
'Als het iets is wat ik gezegd heb, kan het niet veel goeds zijn.'
'Het is interessant. En ik heb een paar vragen, meneer.'
Daarop tilde Rupaski zijn voeten van het bureau en boog zich naar me toe. 'Is dit een officieel bezoek, Joe?'
'Nee, meneer. Ik heb deze opname en nog wat bijbehorende aantekeningen gevonden en ik vroeg me af of u misschien enige opheldering kunt verschaffen.'
'Wills bandje?'
'Ja, meneer.'

Hij liet zich met een plof achterovervallen en vouwde zijn handen achter zijn hoofd.

Ik speelde het bandje af.

Zijn gezicht verstrakte toen hij zijn stem hoorde en toen die van Millbrae. Hij keek me strak aan. Bruine ogen onder borstelige wenkbrauwen. Kleine ogen, scherpe blik, als van een gier. 'En?'

'De *gebruikelijke plek* was de wilde boekweit ten noordoosten van de tolpoort bij Windy Ridge. *Haar* is Bridget. *Donderdagavond* was de tiende mei, de avond dat de districtscontroleurs zouden stemmen over de aankoop van de tolweg. De reden van het gesprek was geld – negentig mille – dat u Millbrae betaalde om op uw voorstel te stemmen. Millbrae hield er uiteindelijk niets aan over omdat Will het geld in beslag nam. En meneer Millbrae stemde die avond tegen u omdat Will ditzelfde bandje voor hem afspeelde.'

De wenkbrauwen gingen omhoog en weer omlaag. 'Wat vind je van deze uitleg, Joe: de *gebruikelijke plek* was de Grove, voor een drankje en een strategische bespreking. *Haar* is Bridget, inderdaad, die maar al te graag haar neus in Millies zaken steekt en zijn beslissingen beïnvloedt op een manier die me eerlijk gezegd niet aanstaat. *Donderdagavond* was de avond van de stemming, en die was belangrijk, zoals ik op het bandje ook aangeef. De reden voor het gesprek was om Millbrae in de korte tijd die ons nog restte in ons kamp te krijgen. En nu wil ik wel eens weten, Joe, hoe jij verdomme op dat idee van die negentig mille en chantage komt.'

Ik kon daar geen antwoord op geven zonder Bridget te verraden, dus gokte ik op iets anders.

'Will heeft het me allemaal verteld. Ik heb die avond het geld opgepikt bij Windy Ridge. Ik heb de zak met stenen gevuld.'

Rupaski's gezicht werd rood. Hij haalde zijn schouders op. Hij keek uit het raam. 'Wat wil je nu eigenlijk, verdomme.'

'Ik wil weten wie John Gaylen betaalde om mijn vader uit de weg te ruimen.'

'En dat zou ik moeten weten?'

'Toen ik dat bandje hoorde, meneer, realiseerde ik me dat hij Millbrae chanteerde. U hebt een zendertje onder Wills auto laten aanbrengen. U zei dat hij u daarom had gevraagd, maar dat geloof ik niet. Ik denk dat het net zo'n verhaaltje is als u me daarnet voorschotelde – overtuigend en snel bedacht en een leugen. Ik denk dat u dat zendertje aanbracht in de hoop dat u hem kon pakken zoals hij u en Millbrae gepakt had. Iets om hem onder druk te zetten. Wat dan ook – een minnares, omkoping, wat u ook maar tegen hem zou kunnen gebruiken. Uw mannen volgden hem op de dinsdag voor zijn dood. Ze volgden hem naar een strand in Laguna en zagen hem met Alex en Savannah Blazak. U vertelde het aan Jack. Hij vertelde u dat Alex Will gebruikte om Savannah uit te wisselen tegen het geld. Dus u wist dat Will naar het meisje zou gaan, zodra Alex hem had verteld waar ze was. U had een motief om Will het zwijgen op te leggen, en u had de middelen om hem te lokaliseren. Een van uw mannen kon hem met behulp van het zendertje op afstand volgen en vervolgens aan Gaylen doorgeven waar hij was. Daar was niet meer dan een telefooncel voor nodig.'

'Dus ik heb hem aan Gaylen uitgeleverd?'

'Dat is een mogelijkheid die ik overweeg, meneer.'

Hij schudde zijn hoofd en bleef me aanstaren. 'Dat bandje geldt niet als bewijsmateriaal, dat weet je. Het is illegaal – je kunt geen gesprek afluisteren dat als privé te boek staat. En het is niet officieel aan de politie overgedragen. Ik heb het er al met het OM over gehad – een hypothetische zaak natuurlijk. Het is nutteloos.'

'De kamer van onderzoek zou daar wel eens anders over kunnen denken, zeker als ik hun vertel over die negentig mille voor Millbraes stem. Will is namelijk dood, meneer. Als het uitkomt dat hij u chanteerde, nou ja, dat zal hem geen pijn meer doen na Gaylens kogels.'

'Zou je dat doen? Zijn naam op die manier door het slijk halen?'

'Om er achter te komen wie John Gaylen heeft ingehuurd? Ja, meneer.'

Rupaski kwam overeind en keek op me neer. Toen liep hij naar een grote kaart van het district die aan zijn muur hing en waar alle wegen op stonden die het district wilde gaan aanleggen. De wegen hadden verschillende kleuren: zwart voor nu; blauw voor het volgende decennium; rood voor het decennium daarna.

'We hebben hier een fantastisch district, Joe. En Will, jij, ik – wij hebben allemaal ons aandeel geleverd.'

‘Will moest van de meeste blauwe en rode wegen niets hebben. Hij lag daarover met u in de clinch.’

‘Zijn aandeel was om die plannen te bestrijden. Dat is wat hij altijd zei.’

Ik keek naar het duizelingwekkende blauw en rood van de toekomst. De lijnen leken op aderen die rond een vreemd gevormd hart liepen.

‘Ik zal open kaart spelen, Joe. Die zogenaamde negentig mille aan smeergeld? Daar weet ik niets van, en ook niet van een zak vol met stenen. Als jij je vader te kijk wilt zetten als chanteur, dan ga je je gang maar. Maar ik geef wel toe dat mijn mannen Will hebben gevolgd. Waarom? Omdat Jack naar mij toekwam toen Savannah verdwenen was, zoals ik je al eerder verteld heb. En Jack nam mij in vertrouwen toen Will zich ermee ging bemoeien. Dus liet ik in de garage een zendertje monteren onder zijn BMW, in de hoop dat hij ons zo naar het meisje zou brengen. *Ik deed het voor Savannah.* Het werkte, want we troffen ze alledrie op het strand in Laguna. Ja, mijn jongens volgden het radiosignaal daarheen. Ik vertelde Jack wat we hadden ontdekt. Dus besloten we jullie te blijven volgen, opdat we Savannah niet kwijt zouden raken. Om eerlijk te zijn had ik mijn beste mensen op jullie gezet, de avond dat Will stierf. Maar ergens tussen de Grove en Lind Street hebben jullie ze van je afgeschud, Joe. Je rijdt verdomme te goed. Die stomme BMW rijdt te hard. Je was ons te snel af. Het zendertje had maar een bereik van hooguit drie kilometer. En ik zal je nog eens iets vertellen, jongeman – ik had nog nooit van John Gaylen gehoord, tot jij hier binnenkwam en me over hem vertelde.’

Ik had zelden een man ontmoet die zo overtuigend kon zijn als Rupaski. Hij had me al half en half om de tuin geleid met zijn oorspronkelijke verhaal over dat zendertje. En nu dit weer. Ik pakte de cassetterecorder en stopte hem weer in mijn koffertje.

‘En dan nog wat, Joe. Bridget is een goede vrouw en een goede werknemer en ik neem niet aan dat je wilt dat zij hieronder lijdt. Ik krijg het gevoel dat Bridget achter dat afluisteren zat. Ik kan het niet bewijzen. Maar een rechtbank kan haar een verklaring onder ede afdwingen en haar moeilijke vragen stellen. Meineed is een misdaad.

Jij bent dan misschien niet begaan met haar welzijn, maar Will was dat wel. En ik ook.'

'Bridget heeft hier niets mee te maken.'

Hij glimlachte. 'Mag ik je dan nog iets vragen? Ben je echt bereid Wills naam door het slijk te halen? Een illegale bandopname, chantage van een collega, negentigduizend dollar *stelen* die niet van hem waren?'

Ik stond op. 'Ik zal de moord op hem oplossen.'

'Tot elke prijs?'

'Absoluut, meneer.'

Hij schudde zijn hoofd. 'En als hij dat nu zelf eens niet gewild zou hebben?'

'Dan zou ik het nog doen.'

'Misschien dat je toch niet zoveel van hem geleerd hebt als ik dacht. Je zoekt de schuld op de verkeerde plaatsen. Je bent kwaad. Ik begrijp het wel. Maar wees voorzichtig, Joe. Maak van je vaders vrienden geen vijanden.'

'Heel veel mensen zeggen dat ze zijn vriend waren, meneer. Alleen zeiden ze dat niet toen hij nog in leven was.'

'Het is een systeem, Joe. Het is een proces. Behouden en gebruiken. Bouwen en afwijzen. Belasten en uitgeven. Conservatief en liberaal. Het maakt allemaal deel uit van hetzelfde systeem. Denk aan een *bos*, Joe, niet aan de bomen. Miljoenen bomen, maar slechts één bos. En dat is de plek waar wij allemaal leven.'

18

Later die avond liep ik het huis in de Tustin-heuvels binnen, zoals ik al honderduizend keer had gedaan. En ik voelde weer precies hetzelfde als die andere honderduizend keer, behalve misschien de eerste paar honderd keer: geborgenheid en acceptatie.

Er was niet veel veranderd. Dezelfde afgetrapte Mexicaanse tegels, dezelfde witte muren in de hal, dezelfde zwarte gietijzeren tafel met de grote kobaltblauwe vaas met bloemen er op, dezelfde spiegel die jouw gestalte reflecteerde zodra je de deur opendeed. Ik was elf voordat ik groot genoeg was om mijn hele gezicht in die spiegel te zien en ik herinner me dat ik dacht dat als ik groot genoeg was om mijn gezicht te zien, ik een man zou zijn en niet langer een jongen. Ik herinner me ook dat ik geloofde dat als ik groot genoeg was om mijn hele gezicht te zien, ze er een remedie voor zouden hebben gevonden. Geen van beide was waar, maar het geloof erin was oprecht.

Ik omhelsde mijn moeder en volgde haar de gang in, langs de tv-kamer links en vervolgens de hoek om, de grote woonkamer in. Dezelfde degelijke leren fauteuils, dezelfde geur van pas geplukte bloemen en gesauteerde knoflook en de vage, maar doordringende stank van de spiritus die Mary Ann elke week gebruikte om de ramen schoon te maken. *Vuile ramen vertroebelen de blik, Joe.* Vroeger hielp ik haar altijd met dat karweitje, zij binnen en ik buiten, terwijl we ons best deden met behulp van zeem en krantenpapier de strepen te verwijderen. Het was een van de weinige klussen die ze niet aan de werkster overliet. Wij tweeën lieten nooit ook maar één streep achter.

'Ga zitten, Joe, dan schenk ik iets voor je in.'

'Laat me je helpen.'

'Oké, haal dan maar een citroen voor me, wil je?'

Ik liep door de schuifdeur de achtertuin in en plukte een mooie citroen. De Tustin-heuvels zijn prachtig zo tegen de avond, als het licht langzaam wegsterft en de bladeren van de bomen slap hangen in de hitte en je door het gebladerte de scherpe contouren van de huizen om ons heen ziet. Ik wilde weer tien zijn en hier wonen met Will en Mary Ann en Junior en Glenn.

Mam maakte limonade met wodka, sneed twee schijfjes citroen af en liet die boven op de vloeistof drijven. We namen de drankjes mee naar buiten en gingen bij het zwembad zitten. Het meubilair rond het zwembad was nieuw – helderblauw canvas op wit gelakte frames. Een grote parasol die iets naar het westen gekanteld was. Je kreeg het gevoel alsof je op vakantie was. Ik zette mijn hoed af en legde hem op tafel, hing mijn jas over de rugleuning van mijn stoel.

'Wat is er aan de hand, Joe?'

Ik vertelde haar over Luria en Miguel, Ike Cao. Ik vertelde haar over Savannah en Alex. 'Soms wilde ik maar dat ik het allemaal kon wegwassen.'

'Dat werken in de gevangenis doet er ook geen goed aan.'

'Nee.'

Mam schraapte haar keel en nam een slokje van haar cocktail. 'Heb je er ooit over gedacht om ander werk te zoeken? Ik weet dat je graag bij de politie wilde. Ik weet dat Will je ertoe aanspoorde, want hij is zelf ook zo begonnen. Maar echt, jij hebt vier jaar college achter de rug en een goed stel hersens. Je hebt vrienden hier in het district, mensen die jou kennen. Je kunt iets anders kiezen, als je dat zou willen.'

'Ik houd van mijn werk.'

'Maar wat vind je er dan zo fijn aan?'

Daar moest ik even over nadenken. Antwoorden is moeilijk voor iemand die niet heeft geleerd dingen in twijfel te trekken. 'Ik voel me nuttig.'

'Omdat je bij de politie bent?'

Ik knikte. Ik keek naar de koele glinstering van het zwembad en dacht aan de doop die ik op een warme ochtend in mei in Los Angeles had ondergaan, een volledige onderdompeling met op de achtergrond een band die christelijke rock speelde. Een van de beste die ik ooit had meegemaakt, hoewel ik vind dat christelijke rockmuziek slecht is voor zowel God als voor de rock-'n-roll. Ik weet niet waarom, maar die doop leek echt alles van me af te spoelen, en dat gevoel duurde een volle week.

'Er zijn nog miljoenen andere manieren om je nuttig te maken, Joe. En die hebben niet tot gevolg dat je hart aan het einde van de dag bezoedeld is. Will is er net op tijd uitgestapt. Hij heeft bijna twintig jaar voor de sheriff gewerkt. Toen hij tot districtscontroleur werd gekozen, was het of er een nieuwe wereld voor hem openging.'

'Hij heeft het zelf zo gepland.'

'Misschien dat jij dat ook zou moeten doen.'

'Carl Rupaski heeft geprobeerd me bij zijn TA te krijgen. Een enorme salarisverbetering, ander soort werk. Hij zei dat ik daarna alle kanten uit kon. Het zou meer een kantoorbaan zijn. Ik geloof trouwens dat hij inmiddels van mening veranderd is.'

Ze zweeg een tijdje. 'Rupaski heeft geen principes.'

'Hij heeft een zendertje in de auto van pa gemonteerd.'

'Waarom?'

'Volgens hem omdat hij hoopte dat Will hem naar Savannah zou leiden. Maar ik denk dat Rupaski iets zocht waarmee hij pa de mond kon snoeren. Iets wat hij tegen hem kon gebruiken. Pa had bewijzen dat er een behoorlijke som geld van het Grove Action Committee via Rupaski naar Millbrae ging. Dat was bedoeld om Millbrae voor aankoop van de tolweg te laten stemmen. Will gebruikte zijn bewijs om Millbraes stem terug te kopen.'

'Will chanteerde hem.'

'Ja.'

Ik vertelde haar over het bandje waar ik net naar had geluisterd, en over Wills aantekeningen. Ik vertelde haar zelfs hoe de minirecorder was bevestigd aan het bureau van Dana Millbrae.

Ze zuchtte en zette haar glas op tafel. 'Altijd dat geheimzinnige gedoe. Altijd maar proberen dingen over anderen te ontdekken. Het leek zo onschuldig toen we nog jong waren, want Will werkte toen bij de zedenpolitie en dat is nu eenmaal wat dat soort agenten doet. En hij was altijd vriendelijk. Dus accepteerde ik het. Maar hoe ouder hij werd, hoe...slinkser hij te werk ging. Ik bedoel, een week voor zijn dood gaf hij driehonderd dollar uit aan een apparaatje om via de telefoon je stem te vervormen. Hij... hij heeft ons zelfs een keer buiten mijn medeweten om gefilmd in de eetkamer. Ik was woedend toen hij me de beelden liet zien. Hij had de camera verborgen in een speciale aktetas met een gaatje voor de lens. Weer zo'n stom speeltje, dacht ik. Ik vind het verschrikkelijk dat hij jou er ook toe aanzette de wet te breken, alleen maar ten bate van zijn eigen carrière. *Het afluisteren van een collega-districtscontroleur!* Als ik er aan denk word ik weer kwaad, Joe. Ik wil dat eigenlijk niet, maar het is niet anders.'

'Ik wilde hem maar al te graag helpen.'

'Ja, omdat hij je zo heeft opgevoed. En zal ik je eens wat vertellen, Joe? Ik heb hem er een keer naar *gevraagd*. Ik heb hem gevraagd of hij jou bij al dat gedoe in de avonduren, bij al die spelletjes van hem betrok. Hij zei dat hij dat niet deed. Hij zei dat jij alleen maar reed en een oogje in het zeil hield. Wat was ik toch een idioot. Wat een naïeveling.'

Ik was zelf ook laakbaar, en ik wist het. Ik had haar in de loop der jaren best een keer kunnen vertellen wat Will mij zoal vroeg te doen. Het aanbrengen van dat afluisterapparaat was slechts één van de bedenkelijke klusjes die ik voor hem had opgeknapt. Je had bijvoorbeeld ook nog het vakantiebaantje dat hij voor me had geregeld bij de eerstehulpdiensten van het district, zodat ik kon doorgeven welke hulpsheriffs en brandweerlieden rugklachten voorwendden en onterecht een uitkering opstreken. Ik was toen achttien. En dan was er de Cadillac van de beroemde strafpleiter die ik een keer 's avonds laat bij een jachthaven in Newport Beach onklaar had gemaakt; de professor die was beschuldigd van verkrachting van een minderjarig meisje en die ik op een parkeerplaats van de universiteit een aframmeling heb gegeven, mijn gezicht verborgen in een afgeknipte panty van Mary Ann. Je had het huis waar ik had ingebroken terwijl Will een liefdadigheidsdiner bijwoonde, gegeven door de eigenaar van dat huis. Ik had gevonden wat Will er verwachtte – vervalste aandelen en obligaties – en weken later werd die knaap gearresteerd. Er waren de enveloppen met inhoud die ik ergens ophaalde en ergens anders weer afleverde. En trouwens, dan was er ook nog de goedkope aktetas die Will had gekocht en aan mij had gegeven om hem 'film-vriendelijk' te maken. Dat lukte me met behulp van een stanleymes, een figuurzaag, wat vulsel, lijm en blauwe gordijnstof. Als je het zo bekeek, was het feit dat ik mijn mond had gehouden over zijn activiteiten, vele malen stiekemer.

Maar ik had het haar nooit verteld. Omdat ik van Will hield en omdat ik van haar hield en omdat ik ervan hield te doen wat hij nodig vond. Omdat ik ervan hield me nuttig te maken.

Een hond kan voor eeuwig een geheim bewaren, maar een mens moet leren wanneer hij er meer kwaad dan goed mee doet.

'Ik ben ook een idioot geweest,' zei ik.

'Stap er dan uit, Joe,' zei ze. 'Laat het achter je, begin opnieuw. Zoek een baan als boswachter in Utah, wat dan ook, als het maar niet in die smerige gevangenis is, waar je overal wordt achtervolgd door de geest van je vader. Jij verdient beter dan dat.'

Ze pakte haar glas en dronk het tot aan het ijs toe leeg. Ze zette het glas met een klap weer op tafel. Vervolgens schudde ze haar hoofd.

'Probeer niet zoals hij te zijn,' zei ze.

'Ik moet eerst een paar dingen afmaken.'

'Je moet je leven niet riskeren alleen om vergelding te krijgen, Joe. Daar is Will niet mee geholpen. En ik ook niet. Jijzelf ook niet.'

'Het gaat niet om vergelding. Het gaat om gerechtigheid.'

'Gerechtigheid mag geen excuus zijn.'

Ik staarde naar de heuvels en de huizen, hoorde een auto die over de kronkelige weg omlaag reed. Ik keek naar het donker wordende water van het zwembad, zag hoe een nachtvlinder zich er uit bevrijdde en zwoegend verder vloog. Ik had een nachtvlinder dat nog nooit eerder zien doen.

'Ik zal wat te eten voor ons maken,' zei ik.

19

Het was nog vroeg toen ik weer thuis was, dus pakte ik een video met een van mijn favoriete romantische komedies. Het was de eerste keer sinds Wills dood dat ik zoiets onproductiefs had gedaan als naar een film kijken. Ik schaamde me eerst een beetje, maar tegen de tijd dat de jongen het meisje kreeg, dacht ik aan June en was ik mijn schaamte vergeten.

Toen ging de telefoon.

Ik nam op en hoorde het geluid van een omroeper op tv en andere stemmen. Ik drukte het geluid van de video weg.

'Hallo?'

'Ik moet Joe Trona spreken.' De stem van een jonge man, helder en opgewonden.

'Daar spreekt u mee.'

'Met Alex Blazak. Ik wil dat jij mijn vader vertelt dat ik het voor twee miljoen dollar aan hem verkoop. En dan zal ook Savannah uiteindelijk weer naar huis terugkeren.'

'Wat verkopen?'

'Hij zal weten wat. Jij hoeft dat niet te weten. Als hij ermee accoord gaat, verwacht ik jou om vijf uur morgenmiddag *alleen* op de zuidwestelijke hoek van de kruising van Balboa Boulevard en Pavilion, op het schiereiland. Als me aanstaat wat ik zie, zoek ik contact met je.'

'Ik kan je nu al wel vertellen dat hij niet accoord zal gaan.'

'Dan vermoord ik haar. Wat jij verder ook denkt, maar dan vermoord ik haar.'

Ik zette met de afstandsbediening de video af en de tv aan en drukte vervolgens het geluid weer weg.

'Ik wil Savannah,' zei ik.

'Ja, dat wil iedereen. Waarom?'
'Ze moet naar de kinderbescherming.'
Er volgde een lange stilte. De stemmen op de achtergrond waren luid en galmend, alsof ze uit een grote bar kwamen. Ik kon de opgewonden stem van de tv-omroeper horen, maar kon de woorden niet verstaan. Er ging een luid gejuich op. Ik begon te zappen.
'Meneer Blazak,' zei ik. 'Ik zal vanavond uw boodschap overbrengen. Als uw vader ermee instemt, sta ik morgenmiddag om vijf uur op de zuidwestelijke hoek van Balboa en Pavilion. Maar als het tijd is om tot zaken te komen, gaat Savannah met mij mee.'
'En vervolgens naar de kinderbescherming?'
'Precies.'
'Savannah zegt dat ik jou kan vertrouwen.'
'Ik doe altijd wat ik zeg.'
Weer gejuich, nu nog luider. Ik drukte Kanaal 5 in en was net op tijd om de eerste honkman van de Angels op een drafje langs de honken te zien lopen, genietend van zijn homerun.
'Perfect,' zei Alex Blazak.
Hij gooide de hoorn op de haak met een klap die in mijn oren natrilde.

Mijn auto stond in zijn vrij terwijl ik wachtte tot Jack Blazak het tweede hek open zoemde. Ik keek op mijn horloge: bijna elf uur. Toen het hek opzij rolde, volgde ik de cirkelvormige oprit naar het gigantische, Grieks-Romeinse huis. Ik zag hem van het bordes af komen en naar het spiegelende zwembad lopen. Ik reed tot aan het zwembad en Blazak stapte in.
'Weer naar buiten,' zei hij. 'Volgens mij heeft Marchant dit hele terrein volgestopt met afluisterapparatuur.'
Blazak zei niets toen we door de donkere heuvels reden. We passeerden het eerste hek, reden omlaag naar de Coast Highway en gingen het tweede hek door. De bewaker keek ons verbaasd na.
'Wat weet u van Miguel Domingo?' vroeg ik.
'De politie heeft hem hier op deze plek gedood. Machete, schroevendraaier.'
'Zijn zuster was degene die de week ervoor werd overreden.'

Blazak keek me aan en vervolgens weer uit het raam. Hij zei niets terwijl ik wachtte tot ik in noordelijke richting de Pacific Coast Highway op kon rijden.

'Daar heb ik niets over gelezen.'

'Het stond wel in de krant, op de achterpagina.'

'Ze was trouwens ook niet bij *ons* in dienst. Lorna vertelde me over jouw telefoontje.'

We reden een minuut zwijgend verder.

'Ik wou dat het anders kon,' zei Blazak.

'Hoe bedoelt u, meneer?'

'Mensen die drieduizend kilometer reizen om zeven dollar per uur te verdienen. Maar weet je, zo af en toe komen ze toch verder, maken ze het. De kansen zijn beter dan in de loterij. Beter dan in die verdomde oerwouden waar ze vandaan komen. Als ik een van hen was, zou ik ook hierheen komen.'

Ik reed verder naar het noorden. Links van ons verdwenen de donkere oceaan en de donkere lucht in een bleke mistbank. De mist hield een paar honderd meter van de kust op, als rook die achter een glasplaat gevangenzat.

'Uw zoon heeft me ongeveer een uur geleden gebeld. Hij wil het aan u verkopen en Savannah vrijlaten. Twee miljoen.'

Blazak keek me aan. 'Wat wil hij verkopen?'

'Dat zou u wel weten, zei Alex.'

Hij keek uit het raam terwijl ik de heuvel naar Corona del Mar opreed.

'En hij gebruikt nu jou dus, in plaats van je vader.'

'Kennelijk, meneer.'

'En jij haalt Marchant erbij.'

'Dat weet ik nog niet. Dat hangt er vanaf wat u doet.'

'Dat met Will – dat had niet hoeven gebeuren. Alex is gek, Trona. En hij speelt met levens.'

'Wat wil Alex aan u verkopen, behalve uw dochter?'

'Een videoband.'

Ik wachtte.

'Ik, Lorna, nog een derde. Een vrouw. Laat ik je dit vertellen, Trona – ik schaam me niet voor wat ik doe. Het windt me op en ik kwets er niemand mee. Het zijn allemaal volwassenen en ieder doet het uit vrije wil. Maar ik moet Lorna in bescherming nemen. Ik wil niet dat dit aan de grote klok gehangen wordt, als je begrijpt wat ik bedoel.'

'Nee, dat zou ik ook niet willen, meneer. Heeft u hem zelf gemaakt?'

'Ja. Ik had hem opgeborgen in de cassette van een van Savannahs oude tekenfilmvideo's, eentje die ze ontgroeid was. Hij stond helemaal achterin tussen mijn videofilmcollectie, die aanzienlijk is en ook nogal onoverzichtelijk. Maar voor Savannah is niets veilig. Ze speelt bijvoorbeeld dat ze Savannah de spionne is en zit dan in mijn spullen te neuzen, of in die van Lorna, of van wie dan ook. De videocassette zat kennelijk in haar rugzak toen ze werd ontvoerd. Ze moet van plan zijn geweest hem te bekijken. Alex realiseerde zich dat dit een extra buitenkansje was. Twee in één. Hij mag die verdomde videoband houden, maar mijn dochter wil ik terug.'

'Hoe lang zal het u kosten dat geld bij elkaar te krijgen?'

'Ik heb het om tien uur morgenochtend voor je klaarliggen. Trona, ik ben er al één keer ingeluisd en dat geld kwijtgeraakt. Ik ben gek op mijn kleine meid, dus neem ik nogmaals het risico dat ik bestolen word. Ik wil haar niet blootstellen aan vuurgevechten en aan al die onzin die mijn zoon zo leuk schijnt te vinden. Als ik niet wil riskeren dat de FBI hen allebei overhoop schiet, zal ik jou moeten vertrouwen. Dat doe ik dus. Maar je moet goed beseffen dat er met mij niet te spotten valt. Ik ben maar een doodgewone zakenman, maar als ik vind dat iemand een lesje geleerd moet worden, zal ik daar een manier voor vinden.'

Ik keek naar de kiosk en de dikke, dicht opeenstaande bomen in een brede greppel tussen de snelweg en de oceaan.

'Meneer, ik ben niet echt onder de indruk van u. Uw dreigementen zijn niet meer dan slechte manieren.'

Hij grinnikte. 'Je bent een rare gozer, Trona. Niet echt onder de indruk. Dat is een mooie. En het stond me ook wel aan wat jij in mijn woonkamer met Bo deed.'

Ik maakte een U-bocht bij Poppy en reed terug naar Blazaks huis.

'Ik eis dat je Marchant hier buiten laat,' zei hij. 'Dat is *mijn* voorwaarde.'

Daar dacht ik even over na. 'Zij zijn heel goed in dit soort zaken.'

'Ja, dat herinner ik me nog van Waco en Ruby Ridge.'
'Ze hebben Elian toch maar bij zijn vader gekregen.'
'Elian werd niet vastgehouden door iemand die een dakloze in brand heeft gestoken en vervolgens op hem piste om het vuur weer uit te krijgen. Of die zijn eigen kat in een emmer zoutzuur dompelde. Shit, dat had ik misschien beter niet tegen jou kunnen zeggen.'
'Daar ben ik overheen, meneer Blazak. Ook al geldt dat dan niet voor mijn gezicht.'
Een wuivend gebaar van hem hielp ons door het eerste hek.
'Geen Marchant. Morgen om tien uur heb ik het geld,' zei hij. 'Mocht er nog overlegd moeten worden, bel dan hierheen, naar Lorna. Zij belt dan mij en ik bel jou weer. Marchant heeft alle telefoons afgetapt.'
We reden door de donkere heuvels omhoog naar het tweede hek.
'Mijn vader werd neergeschoten door een gangster genaamd John Gaylen. We zitten hem op de hielen.'
'Gefeliciteerd.'
'De avond voordat hij Will vermoordde, heeft hij Bo Warren ontmoet.'
Ik zag uit mijn ooghoeken dat Blazak me opnam. Hij zei één lange minuut niets. Ik luisterde naar het gegrom van de met een sukkelgangetje omhoog kruipende Mustang.
'Ik heb geen idee waarom die klootzak van een Bo met zo'n gangster zou willen praten. Hij is in dienst van Dan Alter, niet van mij.'
'Toen in uw huis leek hij anders wel bij u in dienst.'
'Tijdelijk. Die man is alleen maar bluf en geen resultaten. Hij faalde bij het in veiligheid brengen van mijn dochter. Hij slaagde er wel in om mij één miljoen dollar in contanten door de neus te boren.'
'Wij denken dat Gaylen was ingehuurd om Will te vermoorden.'
'En jij denkt dat Warren er iets mee te maken had?'
'Ik denk dat Warren maar een loopjongen is, meneer. Zo heeft u hem zelf genoemd. Maar hij was niet alleen toen hij Gaylen ontmoette. Er zat iemand bij hem in de auto. Ik wil weten wie.'
Blazak schudde zijn hoofd. 'Hoe zou ik dat moeten weten? Mensen zoals jullie. De politie. De FBI. Hoofden van de bewaking. Mensen zoals jij en Will en Rick Birch en Steve Marchant. Jullie zien

intriges binnen intriges. Jullie hebben het lef om mij en mijn vrouw aan de leugendetector te zetten, om vervolgens heel geheimzinnig over de resultaten te doen. Al dat gespeculeer van jullie, al die toevalligheden en vermoedens. Het enige dat ik wil, is mijn dochter terugzien. Eén klein, elfjarig meisje, meer verlang ik niet. Jullie zoeken maar uit hoe dat met Bo Warren en die moordenaar zit. Wat kan mij dat schelen. Ik ben zakenman. Ik krijg dingen voor elkaar. Jullie zijn van een totaal ander slag.'

'Ja, meneer. Wij ruimen de rotzooi op voor mensen als u.'

Hij schudde zijn hoofd en wapperde met zijn hand, alsof hij een wesp wegjoeg van een picknickbord. 'Misschien kun je er Alex naar vragen als je mijn extra twee miljoen aflevert en Savannah oppikt. Tot aan vandaag had ik zelfs nog nooit van die Gaylen gehoord.'

'Met Savannah zal alles goed komen.'

'Stop hier bij het hek, Joe. Ik wil alles doen om mijn dochter veilig bij mij terug te krijgen. Als jij degene bent die ik daarvoor nodig heb, dan werk ik met jou samen. Ik beschouw je als een zakenpartner totdat jij me laat zien dat ik je als iets anders moet beschouwen.'

Hij sloeg het portier van mijn Mustang dicht en liep naar het hek om zijn code in te toetsen.

Toen ik terug was op de Coast Highway belde ik naar Marchants pieper, hing op en wachtte.

Hij belde binnen een minuut terug. Ik vertelde hem dat Alex Blazak mij had gevraagd te bemiddelen bij de overdracht van zijn zusje en een vieze film. Kosten voor Jack: twee miljoen in contanten. Jack had ermee ingestemd.

'Eindelijk,' zei hij. 'Nu hebben we tenminste enige ruimte om te manoeuvreren. Jij en ik gaan dat meisje terughalen. Ik zal sheriff Vale bellen en kijken hoe hij dit wil aanpakken.'

20

De volgende morgen stond ik even na zonsopgang geparkeerd voor de ingang van de Kapel van het Licht, waar ik wachtte op Bo Warrens rood-witte Corvette. De enorme parkeerplaats was 's nachts afgesloten, maar werd 's ochtends door de bewaking geopend. Vandalen hadden een paar jaar geleden ruiten ingegooid en vieze woorden op het trottoir gekalkt, dus had Daniel besloten preventieve maatregelen te nemen.

Warrens auto kwam grommend de hoek om en bleef voor het hek even staan. Het hek bestond uit ijzeren spijlen, met bovenop grote, wolkachtige krullen en engeltjes die trompet speelden boven die krullen. Het was wit geschilderd. Warren toetste een code in en reed naar binnen en ik volgde hem voordat het hek terugrolde.

Toen hij mij achter zich zag, trapte hij op zijn rem en stapte uit. Ik ontmoette hem ongeveer halverwege tussen beide auto's.

'Maak dat je hier als de donder wegkomt,' zei hij. 'Dit is niet alleen heilige grond, het is ook nog eens privé.'

Hij zag eruit of hij net onder de douche vandaan kwam: de haren vochtig en keurig gekamd, kleding onberispelijk, laarzen bijna onwerkelijk glanzend. Zijn zonnebril weerspiegelde een kleine, opkomende zon. Ik dacht aan een douche die ik zelf onlangs had genomen en moest moeite doen die herinnering te onderdrukken.

'Ik wil praten over John Gaylen.'

'Praat dan over hem, maat.'

'U hebt hem op de avond voordat hij Will neerschoot ontmoet op de parkeerplaats van de Bamboo 33.'

'Het lijkt me dat je dan beter met hem kunt gaan praten dan met mij.'

'We praten al met hem.'

'Ik zal je vertellen wat ik ook al tegen Zijne Heiligheid heb verteld – ik heb John Huppelepup nooit ontmoet. Ik weet niet eens waar die Bamboo 33 ligt. Wat is het, een of andere spleetogentent?'

'Het is een Vietnamese nachtclub. En we hebben een ooggetuige die u daar gezien heeft. Auto, nummerplaten, een goed signalement van de chauffeur. Kortom u, meneer Warren.'

Hij keek me onbeweeglijk aan, hard gezicht, fel schitterende zonnebril.

'Het zou op de volgende manier kunnen gaan, meneer Warren. Rick Birch heeft de leiding in deze zaak. Als ik hem vertel wat ik weet, zal hij u voor een verhoor naar het bureau roepen. Als hij dat doet, is het niet zo moeilijk om dat aan een paar verslaggevers door te geven. Dat is groot nieuws in dit district – het hoofd bewaking van dominee Alter verhoord in de Trona-zaak. U bent nog maar pas in dienst van de Kapel van het Licht en het lijkt me dus niet al te best voor uw eerstvolgende beoordelingsgesprek.'

Ik zag de beweging van zijn kaakspieren, het duidelijke kloppen van zijn halsslagader. Die ader is het eerste waar je tijdens een verhoor naar kijkt als de verdachte begint te praten.

'Ik dacht dat Daniel jouw vriend was.'

'Dat is hij ook, meneer Warren, maar u bent dat niet.'

'Wat een lullige manier van doen, Joe. Zegt het begrip loyaliteit jou niets?'

Ik zweeg.

'Luister, Joe. Jennifer Avila bracht me in contact met een gangster genaamd Luz Escobar. Beter bekend als Pearlita. Escobar zei dat haar vriend Gaylen de naam Alex Blazak had genoemd. Ik dacht dat hij misschien zou weten waar Alex met Savannah heen was gegaan. Dus maakte ik een praatje met hem. Hij wist het niet. Of hij wilde het me niet vertellen. Een routineonderzoek, Joe, meer niet.'

'Wie was er bij u?'

'Pearlita, wie dacht je anders?'

'Ik dacht even aan Jack Blazak.'

Warren glimlachte en schudde zijn hoofd. Als een bokser die is geraakt maar het niet wil laten merken.

'Nee. Jack liet het vuile werk aan mij over. Delegeren heet dat. Zo uitgekookt is hij wel.'

'Maar niet slim genoeg om zijn dochter terug te krijgen.'

'Hij krijgt haar wel terug. Kerels als hij krijgen altijd wat ze willen. Alles is te koop, en zij kunnen het zich permitteren.'

'Wat gebeurde er toen u probeerde dat losgeld aan Alex te betalen en Savannah mee te nemen? Voordat Will erbij betrokken raakte. Wat ging er mis?'

Hij schudde zijn hoofd. 'Alex kwam niet opdagen. Dus nam ik het geld weer mee. Geen Savannah, geen geld. Zo was de afspraak. En daar is Will ook de fout ingegaan. De eerste regel bij een ontvoering voor losgeld: nooit betalen voordat je hebt teruggekregen wat je wilt. Het verbaasde me dat een ex-politieman zoiets stoms kon doen. Maar dat zal waarschijnlijk ook de reden zijn dat Alex hem wilde gebruiken. Zoals het nu is gegaan, kreeg Alex het geld en hield hij ook het meisje.'

'En hoe zit het met die videoband?'

'Dat was een toevallige samenloop van omstandigheden. Een verveelde zakenman in een triootje met zijn vrouw en een of andere slet. Jezus, die rijkelui zijn echt walgelijk.'

Warren keek naar de kapel. 'Ik ben laat voor mijn werk. En ik ben blij dat ik jou heb kunnen helpen, Joe. En nu als de donder van deze heilige grond af. Jouw judogrepen hebben misschien succes bij mij, maar God laat zich niet werpen.'

'Het verbaast me zoiets uit uw mond te horen, meneer Warren. U straalt nu niet bepaald ontzag voor Hem uit.'

'Ik straal wanneer mijn salaris wordt bijgestort.'

Ik liep terug naar mijn auto. Aan de binnenkant van het hek zit een sensor, dus gleden de engeltjes met hun trompetten opzij en lieten mij naar buiten.

Ik ontmoette June in een park vlak bij haar werk. We zouden daar lunchen. Sinds onze laatste afspraak had ik haar niet meer gezien, hoewel ik haar nog wel twee keer gebeld had en ongeveer om de vijf minuten aan haar dacht.

Ik verwachtte niet dat ze weer zo mooi zou zijn als ze in mijn herinnering van die bijzondere nacht was. Daar vergiste ik me in: toen ik over de grazige heuvel op haar af liep en haar in de schaduw van een magnoliaboom zag staan, bonkte mijn hart in mijn keel en vroeg ik me af of ik wel hallo zou kunnen zeggen.

Het lukte me maar net.

We gingen in de schaduw van de boom zitten en aten de door haar gemaakte sandwiches met koude kip. Ze droeg de armband en de oorbellen met de robijntjes. We spreidden een deken uit en gingen liggen en kusten elkaar één keer. De kus duurde ongeveer vijfenveertig minuten. Mijn linkerarm werd gevoelloos en ik rolde ten slotte op mijn rug. Vanuit die positie leek de magnoliaboom een beetje op mijn stille plekje. Ik bedacht hoe prettig het was om echt op zo'n stille plek te zijn in plaats van alleen maar in mijn verbeelding.

'Mag ik je gezicht aanraken?'

'Oké.'

Ze stak haar hand uit en legde hem op mijn wang. Ik rook haar lichaam en haar parfum en ik probeerde me daarop te concentreren. Haar vingers waren zacht. Als een litteken als het mijne wordt aangeraakt, voelt het alsof de hele zaak in beweging komt. Als een harde schijf. Ze drukte voorzichtig tegen de onderkant, bij de kaaklijn, en de bovenkant – net boven mijn oog – bewoog tegen het goede vlees er omheen.

'Doet het pijn?'

'Heet en koud wel. Aanraking niet.'

'Hoe scheer je je?'

'Uiterst voorzichtig.'

Ze lachte. Ik glimlachte.

'Joe Trona wil geen medelijden met zichzelf, hè?'

Haar vingers gingen omhoog langs mijn wang. Bloemen op een rots.

'Ik doe mijn best. Ik probeer me steeds te realiseren dat Will gelijk had. De eerste keer dat ik hem ontmoette, zei hij dat iedereen wel een litteken heeft, maar dat ze bij de meeste mensen aan de binnenkant zitten.'

'Dat is heel mooi en nog waar ook.'

'Hij heeft goeie dingen gezegd. Hij heeft veel goeds gedaan.'

'Waarom hebben ze hem dat aangedaan?'

'Ik weet het niet.'

We zwegen een tijdje. De bries ritselde in de grote magnolia-bladeren en ik voelde het koele gras door de deken heen.

Haar vingers bereikten nu mijn oog. Bloemblaadjes op staal.

'Wil je een keer samen met mij en mijn microfoon door Hillview lopen? Herinneringen ophalen, daarover praten? Dat is pas echt *Real Live*, Joe Trona die teruggaat naar Hillview.'

'Ik zal erover denken.'

'Maak ik misbruik van je?'

'Nee, dat is het niet. Maar de verkeerde mensen zullen het horen. Weet je nog, jouw show, toen we zaten te praten? Ik heb toen dingen gezegd die ik nog nooit tegen iemand gezegd had. Als we weer zoiets doen, zullen de mensen misschien iets in de gaten krijgen.'

'Worden de vijanden van jouw vader ook jouw vijanden?'

'Ik denk het wel.'

'En jij denkt dat als zij ons horen, ze zullen proberen mij te kwetsen om zo jou te kwetsen?'

'Ja.'

'Laat hen de pest krijgen, Joe. Laten we dat interview nu meteen doen.'

Ik rolde op mijn zij en keek haar aan. 'Je begrijpt het niet.'

'Ik begrijp dat het mij niet bang maakt.'

'Maar mij wel, June. Ik houd van je en als jou iets zou overkomen, zou ik dat verliezen.'

Stilte.

'Je hebt gelijk. En ik flapte er maar wat uit.'

'Dit keer heb ik gelijk. Aan moed ontbreekt het jou niet. Gebruik die op het juiste moment.'

Nog een kus, zo'n tien minuten dit keer. June hield er als eerste mee op.

'Tijd voor de show,' fluisterde ze. 'Ik moet weer kleppen.'

Toen ik thuis was, haalde ik het zendertje onder Wills auto vandaan en stopte het in een van mijn brandkasten. Ik kreeg weer dat gevoel dat er iets vervelends stond te gebeuren. Het was hetzelfde gevoel als op die avond met Will. Dit keer probeerde ik er wat beter naar te luisteren.

Het gevoel werd nog sterker toen ik later die middag mijn post ophaalde. Weer een ansichtkaart – dit keer uit Monterey, Californië:

Lieve Joe,
Ik hoop dat ik je kan vertrouwen. Laat het niet weer zo uit de hand lopen als eerst. Ik ben heel erg moe.

Liefs
S.B.

Om 16.58 uur stond ik op de hoek van Balboa Boulevard en Pavilion.

Alex had een goede plek uitgezocht om mij ongemerkt te observeren. Het verkeer op de boulevard was in beide richtingen erg druk, maar het stroomde wel door. Pavilion was een smallere straat die uitkwam op parkeerplaatsen aan weerskanten van Balboa. Het wemelde van de voetgangers – toeristen, strandgasten, skateboarders, vissers, studenten, gezinnen en gepensioneerde stellen. Er waren twee bars en twee restaurants met een goed zicht op mijn straathoek. Zelfs een hotel. Alex Blazak kon zich in vrijwel elke auto of achter elk raam bevinden zonder dat ik hem zou zien. Hij kon wel een van die toeristen of studenten zijn. Hij kon me met een verrekijker vanaf het strand of de pier in de gaten houden.

Marchant had agenten in het gebied gepositioneerd, maar hij vertelde me niet hoeveel en hij vertelde me ook niet waar.

Ik liep naar mijn auto en voelde me in de gaten gehouden.

Ik reed terug over Balboa Boulevard en belde Marchant om hem te vertellen dat Alex niet was komen opdagen.

'Natuurlijk komt hij niet opdagen,' zei Steve. 'Hij probeert jou er aan te wennen om zijn orders op te volgen, kijkt of jij woord houdt. We zullen hem pas zien als hij daadwerkelijk dat geld komt ophalen. Het kan best dat hij je nog een paar keer voor niets laat opdraven. Ga er steeds op in, doe steeds wat hij je opdraagt. En vertel het steeds tegen mij.'

Ik was net van het schiereiland af, toen Rick Birch belde. 'Goed nieuws,' zei hij.

'Dat kan ik wel gebruiken.'

'McCallum heeft de kogel waarmee Ike Cao werd vermoord naar

het Federale Bureau voor Registratie van Drugs en Vuurwapens gestuurd. We hebben geluk. Het pistool dat deze kogel heeft afgevuurd, is hetzelfde als waarmee kogels zijn afgevuurd op twee gangsters van Lincoln 18th – Felix Escobars slachtoffers.'

'Pearlita's broer,' zei ik.

'Misschien dat hij het haar in bewaring had gegeven. Misschien dat ze het in goede staat wilde houden en het daarom tegen Ike Cao gebruikte. Hoe het ook zij, we hebben haar een half uur geleden opgepakt op verdenking van moord met voorbedachten rade. In het handschoenenkastje van haar auto lag een automatische punt tweeëntwintig.'

'Misschien dat zij de schuld in Gaylens schoenen schuift.'

'Dat zou mooi zijn. Ze heeft hem een grote dienst bewezen, met Ike Cao. Nu maar eens kijken hoe ze zich houdt.'

'Het zou me genoegen doen als zij die knaap in Bo Warrens auto zou kunnen identificeren.'

'Ja, mij ook. We zullen haar vannacht een beetje laten proeven van het opgesloten zijn, dan zien we morgen wel of ze wil onderhandelen.'

Ik reed naar de Grove, ondertussen verwachtend dat mijn gsm wel weer zou overgaan, maar dat gebeurde niet. Ik luisterde naar Junes programma. Haar gast was de directeur van de dierentuin van Los Angeles, die was opgegroeid in Orange County. Hij had als jongen een krokodil in zijn achtertuin gehad, een miereneter in zijn slaapkamer en een verzameling slangen in de garage. Zijn moeder was er gek van geworden. Hij klonk als een aardige man. Het geluid van June Dauers aangename fluisterstem deed mijn huid warm worden en mijn hart sneller kloppen. Ik wilde haar uit de radio trekken en haar een paar uur kussen.

Het hoofd bewaking van de Grove Club is Bob Spahn, een voormalige inspecteur van het bureau van de sheriff. Hij was lang, slank, had bleekgrijze ogen en kort zwart haar. Hij was nog steeds de instructeur oosterse vechtsporten van het bureau, ondanks dat hij zijn baan er aan had gegeven. De geruchten gingen dat hij hier bij de Grub driemaal zoveel verdiende.

Spahn had er in toegestemd om even kort, 'hoogstens vijf minuten', met mij te praten voor hij om zes uur naar huis zou gaan. Zijn kantoor bevond zich op de eerste verdieping, achter in de gang die van de barkeuken naar achteren liep. Een bijklussende politieman uit Santa Ana ging me voor door de eetzaal, de trap op, langs de afgeschermde loges en de biljarttafels.

Spahn stond op uit zijn stoel en gaf me een hand. Zijn hand voelde dik en gewatteerd aan, iets wat ik herkende uit de tijd dat ik nog zelf aan wedstrijden meedeed. We brachten uren per week door met het stoten van onze vingers en vuisten in emmers vogelzaad. Later klommen we op naar strandzand. Het verstevigt de gewrichten en vormt eelt op de vingertoppen en knokkels.

'Nog steeds in training, neem ik aan,' zei hij.

'Nog maar twee keer per week, meneer.'

'Mis je de wedstrijden niet?'

'Ja. Die oefenpartijtjes zijn me niet fel genoeg.'

'Ja. Wat kan ik voor je doen, Joe?'

'Ik wil weten wie Luria Blas heeft meegenomen naar de Grove. Het was bij een feest om geld binnen te halen voor Millbrae. In april van dit jaar.'

'Ja, dat herinner ik me nog. Je denkt misschien dat zakenlui weten hoe ze feest moeten vieren, tot je die politici ziet. Zet hen bij elkaar en je maakt wat mee.'

'Ik was er zelf ook, meneer.'

'Blas... gedood door die Suburban, klopt dat?'

Ik knikte.

'Was ze er zo eentje die op afroep langskwam?'

'Het is mogelijk dat ze zichzelf prostitueerde.'

'Weet je zeker dat ze hier was?'

'Ja.'

'De Grove duldt geen prostituées, nooit. Dat is ten strengste verboden.'

'Natuurlijk, dat weet ik. Maar het is nu eenmaal niet altijd eenvoudig te bepalen of ze dat zijn.'

Hij keek me aan. 'Ja, nou ja – een miljonair met een goedgeklede vrouw – daar kun je weinig tegen doen. Maar geen alleenstaande vrouwen, tenzij we hen kennen. Ze moeten wel klasse hebben, en goede manieren. Dat soort vrouwen moet je er nu eenmaal bij hebben, gewoon voor de sfeer. Net als goed meubilair.'

'Ja, meneer, meubilair.'

'Verder nog wat, Joe?'

'Er zijn dus niet echt richtlijnen voor wat betreft genodigden, tenminste, wat dat vrouwelijke gezelschap aangaat?'

Hij nam me nogmaals op en schudde toen zijn hoofd. 'Niet echt. Daar word ik niet voor betaald. De Grove is voor de leden. Zij hebben het voor het zeggen. Ik ben een veredelde babysitter. Mijn belangrijkste taak? Ervoor zorgen dat het personeel het zilver niet jat. Ervoor zorgen dat de barkeepers de zaak niet tillen. Het stelt allemaal niet veel voor.'

'Kunt u me verder helpen wat betreft Luria Blas?'

'Waarom zou ik dat doen?'

'Ze was arm. Ze was zwanger toen ze stierf. Ze was in elkaar geslagen voordat ze werd overreden. Haar broer is gedood toen hij probeerde er achter te komen wie zijn zus in elkaar geslagen heeft.'

Hij haalde zijn schouders op. Ik zweeg.

'Je klinkt net als je vader,' zei hij. 'Maar ik mocht dat wel – dat opkomen voor de underdog.'

'Ik houd ook van underdogs, meneer.'

'Maar weet je, Will zorgde er ook altijd voor dat hij er zelf niet aan tekortkwam. Hij was geen martelaar, die man. Wat zit hier voor jou aan vast?'

'Niet meer dan dit. Ik heb Luria's andere broertje ontmoet. Het leek me een aardige knul.'

Hij knikte weer. 'Ik zal eens zien wat ik voor je kan vinden. Geef me nog een keer je telefoonnummer en de datum, wil je?'

Er schoot me iets te binnen. 'Meneer, als er hier op de Grove een feest wordt gegeven, moet de gastheer dan een suite of het restaurant of zoiets reserveren?'

'Jazeker, anders wordt het een chaos.'

'Wie heeft er getekend voor het gastenverblijf die avond?'

'Dat is vertrouwelijk, Joe. Wij zijn een besloten club.'

'Dat begrijp ik.'

'Begrijp dan ook dat ik je dat niet kan vertellen. Ik zal die Blastoestand voor je uitzoeken, maar ik ben niet van plan mijn baan ervoor op het spel te zetten.'

'Nee, meneer. En nogmaals bedankt.'

Zodra ik tolweg 241 had verlaten en weer binnen het gebied van mijn gsm was, belde ik de bedrijfsleider van de Grove. Zijn naam was Rex Sauers en hij was een goede vriend van Will. Hij heeft twintig jaar lang diverse tenten aan de Lower East Side gerund, vervolgens een zaak in Palm Springs, en daarna een chic restaurant in Newport Beach om ten slotte door de Grove te worden weggekocht. Toen ik vertelde dat ik Wills zoon was, verbond zijn secretaresse me direct door.

'Joe, hoe is het ermee?'

'Het gaat wel, meneer Sauers. Maar ik mis hem wel.'

'Dat geldt voor ons allemaal. Waarom bel je?'

'Ik probeer de financiën van mijn vader een beetje op orde te krijgen. Hij heeft nog een openstaande rekening voor zijn aandeel in dat feest van Millbrae in april. Drieduizend dollar, zie ik, maar er staat niet bij aan wie dat betaald moet worden.'

'Een moment, dan kijk ik het even na.'

Ik wachtte en luisterde naar de statische ruis.

'Jack Blazak.'

'Dank u, meneer. De meeste crediteuren hebben me gebeld. Maar misschien dat meneer Blazak er enige moeite mee had om geld te vragen van de familie van een dode.'

'Jack is een goeie kerel. Hé, kom een keertje langs, dan trakteer ik op een etentje. Ik wil graag contact met je houden.'

'Ik voel me vereerd, meneer.'

'Schieten jullie al een beetje op met die moordzaak?'

'We hebben een verdachte. We zijn nu bezig een zaak tegen hem rond te krijgen. Het is moeilijk, want ik heb de moordenaar die avond wel tegen Will horen praten, maar ik heb hem niet goed gezien. Volgens mij is mijn vader terechtgekomen in iets waar hij eigenlijk niets mee te maken had.'

'Volgens mij stinkt het – Will die probeert Jack te helpen met zijn dochtertje, en dan dit. Mijn achting voor Will Trona steeg enorm toen ik hoorde waar hij mee bezig was. Hij en Blazak konden niet met elkaar opschieten. Ze stonden in alles lijnrecht tegenover elkaar. Maar Will zette dat opzij en hielp Jack. Het maakt mij eens te meer duidelijk wat voor soort man hij was.'

'Hij was een fantastisch mens.'

'Amen. Hou contact, Joe. Laat het me weten als ik je weer kan helpen. Een tafeltje voor jouzelf en een vrouwelijke gast? Je zegt het maar. En mocht Will nog meer rekeningen open hebben staan hier in de Grove, vergeet die dan maar. Die zijn gedekt.'

Het idee overviel me dat ik niet alleen de vijanden van mijn vader erfde, maar ook zijn vrienden. Ik wist alleen niet precies wie wat was. Ik vroeg me af of Will dat wel had geweten. Je kon je maar één keer vergissen.

Houd van velen. Vertrouw er slechts weinigen.

21

Ik maakte drie dure tv-maaltijden klaar en wachtte tot de telefoon zou overgaan. Misschien was Alex niet tevreden geweest met wat hij had gezien. Misschien was hij van gedachten veranderd. Misschien nam hij er gewoon de tijd voor, zoals hij al steeds had gedaan. Hij had haar nu achttien dagen bij zich. Ik dacht over alles wat er inmiddels gebeurd was, en over de leuke dingen die je in achttien lange zomerdagen kan meemaken.

Om half negen werd ik opgebeld.

'Hallo, Joe, met Thor.'

'Hoe ben je aan mijn nummer gekomen?'

'Privé-detective.'

Ik zei niets. Zo snel als ik hem vergeten was – had geprobeerd hem te vergeten – zo snel was hij ook weer terug. Ik voelde mijn litteken heet worden en mijn vingers koud en krachteloos. Ik hoorde de holle plons van vloeistof die weer op de bodem van de fles viel.

'Hoor eens,' zei hij, 'er zijn wat dingen die we moeten bespreken.'

'Ik heb je vergeven.'

'Daar gaat het niet om. Dit zijn heel andere zaken. Over wat er is gebeurd.'

'Ik luister.'

'Ik... eh... nou ja, je weet hoe de politie is. Ze kunnen je dingen laten zeggen die niet waar zijn. En misschien, als leugens je helpen ermee weg te komen, dan vertel je die gewoon.'

'Wat is de leugen, Thor? Een beetje sneller graag.'

'Jij bent mijn zoon niet, Joe. Ik heb bijna een jaar gedacht dat je dat wel was. Ik heb je je naam gegeven en de fles en je luiers verschoond. Ik heb heel wat geld aan je uitgegeven. Ik heb je behandeld alsof je een deel van mij was. Maar dat was je niet.'

Ik voelde me alsof ik in een neerstortende lift stond – een snelle, claustrofobische val in het duister. Ik hoorde tijdens de val een menselijke stem brullen. De mijne, maar ook weer niet.

Ik hoorde hem weer een slok nemen, boeren. Toen hij sprak kon ik nauwelijks de woorden verstaan omdat ik zo snel viel.

'Zo,' zei hij. 'Het is eruit. Ik vond dat je het moest weten. Ik ben klaar.'

Hij hing op. Ik drukte op sterretje 69, maar zijn nummer reageerde daar niet op.

Snelheid. Alle ramen open en een gierende Mustang 351 terwijl ik over de snelweg richting Santa Ana stoof.

Jij bent mijn zoon niet, Joe.

Ik verliet de snelweg en reed, iets rustiger nu, via Edinger Street Santa Ana binnen, op weg naar het Amtrak-station. Mijn hart kwam iets tot rust. Ik probeerde mezelf op mijn stille plekje te krijgen. Ik kon de boom en de adelaar en de heuvels erachter zien, maar ik kon mezelf er gewoon niet toe krijgen omhoog te klimmen.

Ik parkeerde de auto voor het station en keek om me heen op zoek naar onderdak. Niets. Vijf straten verderop vond ik een Econo Lodge en een vervallen hotel, de Paloma genaamd. Geen van beide nerveuze receptionisten had iemand gezien die aan Thors signalement beantwoordde. Ik reed in steeds groter wordende kringen door de buurten rond het station.

Fernandez Motel, Superior Hotel, Fourth Street Appartementen – kamers voor een week, een maand, de YMCA zelfs. Niets.

Dus maakte ik de kring nog groter: Oak Tree Motel, Saddleback Inn, La Siesta.

De receptioniste van de Rancho Lodge was een jonge, indiaanse vrouw wier ogen wijd open gingen toen ik binnenkwam. Toen wendde ze haar blik af van mijn gezicht en keek naar de pen die aan een ketting op de balie lag. Ik beschreef Thor Svendson.

'Twaalf,' zei ze tegen de pen. 'Misschien dat u de telefoon achter u wilt gebruiken.'

'Ik klop wel aan. Bedankt.'

Kamer twaalf was de laatste op de begane grond, rechts van de receptie. Nachtvlinders zoemden rond de lampen op de galerij. Een luide tv in kamer negen. Ik stond voor de turkoois geschilderde deur en klopte aan.

Stilte. Geen beweging. Geen geluid. Ik klopte nogmaals.

'Wie is dat?'

'Joe.'

'Een moment.'

Ik hoorde hoe de ketting werd weggeschoven en de deur van het slot werd gedaan. Toen ging de deur open en stond Thor voor me. Zijn gezicht was bleek en zijn ogen blauw en hij vertoonde diezelfde onwerkelijke glimlach als altijd. Witte baard, wit haar. Een slobberige spijkerbroek, een vies T-shirt dat zich spande om zijn buik. Blote, witte voeten.

'Hoe heb je me gevonden?'

'Ik ben hierheen gereden. Ik kom binnen.'

Hij stapte opzij en ik liep de vaag verlichte kamer in. De tv stond aan, maar het geluid was afgezet. Het rook er naar sigaretten en drank en frieten. Alleen deze ene kamer, met in de hoek een keukentje. De badkamerdeur was dicht. Thor liet zich in een stoel tegenover de tv vallen. Op het nachtkastje stond een halflege fles goedkope wodka, met ernaast een pak sinaasappelsap.

'Ik had het je de eerste keer al willen vertellen,' zei hij. 'Maar dat met die vergeving was belangrijker. Ik wilde je niet al te zeer belasten.'

'Hoe weet jij dat ik niet van jou ben?'

'Eerst vermoedde ik het alleen maar. Toen controleerde ik de datum. Toen sloeg ik haar in elkaar. Ze gaf het toe.'

'Van wie ben ik dan wel?'

'Dat wist ze niet zeker. Een vrouw als zij kan dat ook niet weten. Toen ik in de gevangenis op mijn proces zat te wachten, bood ze me geld om het te verzwijgen. Om iedereen te laten geloven dat jij wel van mij was, en ik ging daar op in omdat ik gestoord was. Ik nam het geld aan. Ik zou enige tijd zitten, dus dacht ik dat ik daar wel recht op had. Toen het verhaal de ronde deed dat het mijn eigen zoon was die ik met zoutzuur had toegetakeld, kreeg ik heel wat te verduren.

Ik merkte het al direct toen ik de gevangenis inging. Ik kwam op de beschermde afdeling terecht en dat was niet slecht. Ik kreeg ook een paar interviews. Jezus, ik was beroemd. Dus gaf ik er die draai aan dat ik het had gedaan omdat de Heer me dat had opgedragen. Mijn eigen zoon. Net als Abraham. Toen hij voor me verscheen, had Hij een witte baard, net als ik.'

Ik keek in zijn opgewekte, kinderlijke ogen. 'Waarom heb je het gedaan?'

Hij keek me met enigszins verraste blik aan. 'Om haar te kwetsen! Ik was dronken en high en enorm kwaad. Het was niets persoonlijks tegen jou. Ik wil dat je dat weet. Ik wilde alleen haar maar pijn doen. Ik wilde haar terugbetalen voor wat ze mij had aangedaan. Ik zeg niet dat het de juiste handelswijze was, en ik zeg ook niet dat het dat niet was. Maar er zijn dingen, Joe, die een man onmogelijk kan vergeven.'

We lieten die woorden even in de lucht hangen. En nog even. Thor had zijn ogen neergeslagen en nam nog een slok uit de fles, een slokje van het sap.

'En je verwacht van mij wel vergeving?'

Hij keek op. Blauwe onschuld. Een poging tot een glimlach. De baard van de kerstman. 'Dat heb je al gedaan, weet je nog wel? We kunnen nu verder met ons leven. Vergeten. Opnieuw beginnen. Hé, neem ook een borrel. Dit is geen slechte wodka voor zo'n onbekend merk.'

'Waar is ze?'

'Charlotte? Ik heb haar al in geen drieëntwintig jaar gezien. Ik heb haar niet gesproken, niets. Het enige contact was via dat geld. Ze stuurde het altijd keurig op tijd. Ik denk dat ze haar leven heeft gebeterd, haar naam heeft veranderd en met een bankier is getrouwd.'

'Hoeveel? Wanneer?'

Hij keek langs me heen, alsof hij het zich probeerde te herinneren. Als je nu een foto van hem zou nemen en die aan anderen liet zien, zouden ze hem een grappige man vinden. Behalve dan de grote, donkere zakken onder zijn ogen, en de bleke, zweterige huid.

'Duizend per maand gedurende drieëntwintig jaar. Bij elkaar tweehonderd zesenzeventigduizend. Ze gaf me er nog eens vijf als aanmoediging. Een soort bonus. Het is allemaal op.'

'En je hebt nooit met haar gepraat, zelfs niet via de telefoon?'

'Ze heeft misschien één of twee keer gebeld. Ze zei verder niets. Er stond zelfs geen afzender op de envelop met het geld, dus die vraag kun je je besparen.'

'Hoe wist ze waar ze het heen moest sturen?'

'Altijd naar mijn postbus in Seattle.'

'Wat is haar laatste bij jou bekende adres?'

'Waar het allemaal gebeurde – in Lake Elsinore, in Riverside County. Jaren geleden vertelde een knaap in de gevangenis me dat ze naar L.A. was vertrokken. Ik weet niet wat daar van waar is.'

'Wat voor poststempel stond er op de envelop?'

'San Diego.'

'Al die tijd? Al die drieëntwintig jaar?'

'Ja. En?'

'Heb je nog een van die enveloppen waar het geld in werd verstuurd?'

'Ik heb alleen de bankbiljetten gehouden.'

Thor pakte de fles en nam een grote slok. En vervolgens eentje uit het pak met sinaasappelsap.

'Wil je niets drinken, Joe?'

'Wanneer heb je je laatste betaling ontvangen?'

'Drie weken geleden. Het geld komt altijd op de eerste van de maand.'

'Wat voor biljetten?'

'Tien keer honderd. Gebruikte. Geen nieuwe.'

'Wat heb je ermee gedaan?'

'De huur. Wodka. Af en toe een vriendin. Ik moet ook leven, weet je.'

Ik keek naar hem, naar de kamer, de fles en de stomme tv en die verschrikkelijke blik van onschuld in zijn ogen.

'Ja, jij moet ook leven.'

'Ik dacht dat jij misschien zou gaan zeggen dat ik dat niet moest, en dat je me vervolgens zou vermoorden, zoals je eerder gedreigd hebt te doen.'

'Dingen veranderen.'

'Zeg dat wel.'

Hij leek over iets na te denken. Hij nam een slok wodka en zette met een klap de fles weer neer. 'Wil je haar ontmoeten?'

'Ja, dat klopt.'

'Ik neem aan dat als jij mij zou willen vermoorden, je gewoon dat pistool onder je jas vandaan trekt en me overhoopschiet.'

'Ik zou je nek breken.'

Hij wendde zijn blik af, de halve glimlach nog steeds op zijn plaats, zijn witte haar in de war, zijn blauwe ogen zo open en helder en leeg.

Ik deed een stap naar voren en nam zijn hoofd in mijn beide handen. Het had er uit kunnen zien als een man die het gezicht van de ander zijn kant op wil dwingen, hem misschien iets belangrijks wil vertellen. Maar mijn handen zochten naar de juiste positie om met een ruk zijn hoofd om te draaien en ik zocht naar de juiste gewichtsverdeling, probeerde de mogelijke weerstand in te schatten. Een ruk aan het hoofd is dodelijk omdat de ander niet weet in welke richting je gaat draaien, en wanneer. Thor scheen dit allemaal te begrijpen. Ik bracht mijn gezicht vlak bij het zijne. Ik kon de wodka ruiken, de zurige geur van het sinaasappelsap.

'Heb je mij de waarheid verteld?' vroeg ik hem.

'Ja, alles. Ik heb geen reden om te liegen.'

'Ik ben blij dat ik er niet een van jou ben. Ik ben liever menselijk.'

'Zie je wel?' fluisterde hij. 'Zo slecht ben ik nog niet.'

Terug in mijn huis zat ik in het donker te peinzen. Er was net voldoende maanlicht om bleke strepen tussen de jaloezieën te vormen. Ik was twee keer in twee weken vaderloos gemaakt en mijn emoties konden de feiten niet bijbenen. De emoties waren er natuurlijk wel – ik kon ze net onder het oppervlak voelen. Maar aan de oppervlakte was ik gevoelloos en had ik behoefte aan een goede doop. En het enige dat ik had, was een badkuip.

June belde en ik vertelde haar dat we nu niet met elkaar konden praten omdat ik een heel belangrijk telefoontje verwachtte. Ik probeerde beleefd te zijn, maar misschien kwam het toch niet echt goed over. Ze was niet gelukkig toen ze ophing en ik voelde me nog bedrukter dan daarvoor. Ik vroeg me af of liefde altijd zo irrationeel was, of alleen maar in mijn eigen verwrongen verleden.

Ik voelde me losgeslagen. Op drift. Ik had Thor meer nodig gehad dan ik dacht. Hij was mijn Lucifer en ik kon de donkere kanten in mij altijd op hem afschuiven. Ik had Will ook nodig gehad – mijn licht. En nu ze allebei op hun eigen manier waren verdwenen, had ik het gevoel alsof het leven dat ik tot nu geleefd had vals was. Je voelt een verschrikkelijke leegte als je je eigen geschiedenis in het niets ziet verdwijnen. Als je de fundamenten die je zo moeizaam hebt opgebouwd, voelt wegglijden, vloeibaar ziet worden.

Met bonkend hart belde ik June weer op en legde uit wat ik uit kon leggen. Thor en Charlotte. Dronken en high. Om Charlotte te kwetsen. Niets persoonlijks. Duizend per maand, gedurende meer dan twintig jaar, om de wereld te laten denken dat ik zijn zoon was. Poststempel: San Diego.

Er ging een heel lange tijd voorbij voordat June sprak.

'Je bent nu nieuw,' zei ze heel rustig. 'Je bent vrij. En trouwens, ik houd van je. Ik wist het op het moment dat ons interview voorbij was.'

'Ik houd ook van jou. Ik wist het op het moment dat jij bij mij in de baai sprong.'

Een uur later ging de telefoon. Mijn gsm, niet de vaste lijn.

'Zorg dat je het geld hebt. Houd deze lijn vrij. Als me ook maar iets niet zint, vermoord ik haar. Als ik FBI ruik, vermoord ik haar. Als jouw stemgeluid me niet aanstaat, vermoord ik haar.'

'Vermoord haar niet. Rijk worden is veel beter.'

Hij hing op.

Ik drukte op de uit-knop, legde de gsm op tafel en belde via de vaste lijn zijn vader.

22

Ik wachtte op Jack Blazak bij de toegang naar Diver's Cove in Laguna Beach. Het was half een 's nachts. De hemel was helder en ik kon door de bomen heen de sterren zien twinkelen. De lucht rook naar zee en eucalyptus en jasmijn.

Blazak arriveerde vijf minuten te laat. Hij liet me het koffertje zien dat in de kofferbak van zijn nieuwe Jaguar lag. De biljetten waren zo te zien gebundeld tot stapeltjes van honderd. Ik laadde het koffertje over in de achterbak van mijn Mustang.

'Dat is heel veel geld, Joe.'

'Twee miljoen dollar, mag ik hopen.'

'Met de helft ervan zou je een leuk huis aan het strand kunnen kopen. En van de andere helft kun je een tijdje heel aangenaam leven.'

'Misschien dat Alex dat ook wel van plan is.'

'Hij zal het verspillen. Zoals hij met alles doet.'

'Waarom haten jullie elkaar zo?'

Hij keek me aan en schudde zijn hoofd. 'Ik haat hem niet. Ik ben teleurgesteld. Hij kreeg alle mogelijkheden, maar heeft er niets mee gedaan. Hij heeft alles ondermijnd wat wij voor hem hebben gedaan. Weglopen met je eigen zus en dan losgeld voor haar vragen? Welke jonge man doet nu verdomme zoiets?'

Ik had geen antwoord. Ik wist alleen wat ik van Savannah had gezien – een lief jong meisje dat heel erg in de problemen zat. Dat was voldoende. Dat betekende meer dan Jack en Alex bij elkaar.

Blazak kwam vlak voor me staan. 'Breng Savannah niet naar mijn huis. Breng haar hierheen. Bel Lorna, zoals je al eerder gedaan hebt. Vraag haar of ze al iets over Savannah gehoord heeft. *Of ze al iets over Savannah gehoord heeft.* Lorna zal mij dan weten te bereiken zonder dat Marchant of wie dan ook het te weten komt. Ik pik haar hier op.'

Ik zei dat ik dat zou doen.

'En die videoband waar we het over hadden – ik vertrouw erop dat je die tegelijk met mijn dochter aan mij teruggeeft.'

'Dat is de afspraak, meneer.'

'Jij *denkt* dat het de afspraak is, Trona. Maar je kent Alex niet. Je kunt er bijna vergif op innemen dat hij zal proberen ons nog een keer te belazeren.'

'Ik zal ervoor zorgen dat hij dat niet doet.'

Hij keek me weifelend aan. 'Je doet dit helemaal alleen – geen FBI of politie?'

'Dat klopt.'

'Geen vrienden die je helpen?'

'Ik kan het alleen af.'

Blazak keek me aan en deed toen een stap achteruit. 'Wat wil je? Waarom doe je dit?'

'Voor Will. En voor uw dochter.'

'Er zit voor jou honderd mille aan vast, als alles gaat zoals het zou moeten gaan.'

'Dank u, meneer.'

'Dat maakt geen indruk op je?'

'Nee.'

'Wil je het eigenlijk wel?'

Daar moest ik even over nadenken, ook al was ik niet van plan zijn dochter aan hem terug te geven. 'Ja, honderdduizend dollar kan ik wel gebruiken.'

Hij glimlachte. Alsof ik het licht had gezien, of het op een cruciaal punt met hem eens was geworden. Het probleem met mensen die gek zijn op geld is dat ze denken dat dat voor iedereen opgaat. Het veroorzaakt een grote blinde vlek.

'Geen videoband, geen geld,' zei hij. 'Savannah *en* het bandje. Vergeet dat niet.'

Ik vergat het niet toen ik Laguna Beach uitreed met twee miljoen in mijn achterbak. Ik had de gsm op de stoel naast me gelegd en wachtte op het telefoontje dat mij in staat zou stellen af te maken wat Will niet voor elkaar had gekregen.

Op het bureau was het een drukte van belang: Marchant en nog twaalf andere agenten, Birch en Ouderkirk en sheriff Dwight Vale, en de kapitein van de Mobiele Eenheid.

Marchant stopte de twee miljoen in een versleten duffelse tas die was uitgerust met een zendertje in de hengsels. Hij stopte ook nog een miniem zendertje tussen een bundeltje bankbiljetten.

'En onze troefkaart kun je al helemaal niet zien,' zei hij. 'Die zit verstopt in de voering. Een infraroodzender. Die geeft een hittesignaal af dat we vanuit de lucht kunnen volgen – zowel met een gewoon vliegtuig als met een heli. Waar die tas ook heengaat, wij kunnen hem terugvinden. Hij zal oplichten als een vuurvliegje.'

Sheriff Vale is een lange, zware man en zijn bijnaam op het bureau is de Stier. Hij gaf ons onze instructies, maar ieder van de aanwezigen wist dat de FBI het laatste woord had.

Marchant en Vale hadden al twee 'sociaal werksters' geregeld om mij te begeleiden. Het waren een rechercheur Moordzaken van de sheriff, Irene Collier, en een rechercheur van de politie van Santa Ana, genaamd Cheryl Redd. Collier was rond de veertig en kloek; Redd was een slanke vrouw van halverwege de vijftig met lang, grijszwart haar. Met haar bril op en haar haar achter haar hoofd bijeengebonden zag ze er onschuldig genoeg uit.

'Noem mij maar de dame van de kerk,' zei ze, met een ondeugende glimlach. 'Maar kijk wel uit voor de Sig.'

Marchant knikte. 'Joe, als Alex belt om de overdracht te regelen, zeg hem dan dat je twee sociaal werksters meeneemt. Zeg maar dat je hen nodig hebt om Savannah onder voogdij te stellen – anders moet ze terug naar haar vader en moeder.'

Ze gaven me een tweede gsm om met hen te communiceren en een bestelwagen waarin alles zat wat ik nodig had, voor het geval dat Alex me voldoende vertrouwde om me met het voertuig van mijn keuze te laten rijden. Ik kreeg zelfs een nieuw kogelvrij vest, het peperdure model SpectraFlex Point Blank, speciaal ontworpen voor zware munitie in grote hoeveelheden.

'Niet slecht voor een hulpsheriff,' zei Birch. 'Ik kreeg een dergelijke kans pas toen ik dertig was.'

'Oké,' zei Marchant. 'Het wachten gaat nu beginnen. Houd je

zenuwen in bedwang en zorg dat je er klaar voor bent.'

Hij liep met me mee naar de beveiligde parkeerplaats, waar we de tas in de achterbak van mijn Mustang stopten.

We lunchten als groep in de cafetaria van het gerechtsgebouw – Marchant, Birch en Ouderkirk, Irene Collier en Cheryl Redd. De special agent en de vier rechercheurs leken goed met elkaar overweg te kunnen en niemand vroeg me over mijn leven of mijn gezicht of Will of Thor. Het was gewoon wij en onze klus. Het was te vergelijken met een lunch in de gevangenis met mijn collega's. Een team. Mensen die aan jouw kant stonden. Familie. Maar het betekende nu meer voor me. Het was alsof ik in mijn toekomst zat. Ik dacht aan Will en de verschrikkelijke schoonheid van de wereld waarin hij me had binnengeloodst.

Twintig jaar dit werk, Joe, en dan de politiek in, of in zaken. Je hebt nu al meer naamsbekendheid dan ik ooit gehad heb. De Zoutzuurbaby. Jezus – speel de kaarten uit die je hebt. Zoutzuurbaby wordt president. Dat klinkt niet slecht, toch?

Toen de lunch was afgelopen, nam Birch me even apart. 'Ik heb Pearlita vanochtend behoorlijk stevig onder handen genomen. Ik heb een paar getuigen opgetrommeld die zeker wisten dat zij schuilging achter dat operatiemasker. Hoe het ook zij, ze is bereid een deal te maken. Ze zegt dat ze Gaylen kan aanwijzen als de moordenaar van Will, als wij haar tenminste laten lopen. Ik zei dat wij in onze wereld zo niet te werk gingen. Ik zei dat we konden beginnen met een kleine ruil – zoals wie er bij Bo Warren in de auto zat op de avond dat hij Gaylen sprak op de parkeerplaats van de Bamboo 33. Ze zegt dat ze dat weet en dat ze ons die naam geeft in ruil voor strafvermindering. Ik heb met Phil Dent gepraat, die dergelijke spelletjes meestal wel meespeelt. We zullen zien.'

Het was 13.35 uur. Geen telefoon van Alex.

Ik hing wat rond op de afdeling Moordzaken. Ik hing wat rond in de gevangenis. Ik viel even in slaap, met mijn hoofd op de tafel in de bezoekruimte.

Ik trainde in de sporthal van de gevangenis, die 'alleen voor groenen' is, dus geen burgers, en die een goede airconditioning heeft. De sporthal is deels een herinnering aan een van onze gestorven collega's – Brad Riches – een jonge kerel die werd neergemaaid door een roofovervaller met een automatisch wapen toen hij parkeerde voor een supermarkt. Op een van de wanden staat een muurschildering van Brads surveillancewagen. Op de tegenoverliggende muur is een schildering aangebracht van vier agenten die hun pistool getrokken hebben. Je kijkt recht in de lopen van hun wapens. In hun zonnebrillen zie je de boeven weerspiegeld. Een banier die boven de toegangsdeur is geschilderd, draagt de tekst:

De macht van de wolf schuilt in zijn roedel; de macht van de roedel schuilt in de wolf.

Ik trainde extra hard en dacht aan Riches en de roedel en John Gaylen. Hoe groot was de kans dat hij opnieuw bij de overdracht zou opduiken? Hoe groot was de kans dat degene die Will dood wilde hebben ook uit was op mijn dood en opnieuw zou proberen wat de eerste keer zo goed gewerkt had? Die kans was klein, wist ik, maar toch maakte ik me een beetje zorgen over de symmetrie, de herhaling, de gelegenheid.

Het was inmiddels al 15.43 uur. Geen telefoontje.

Ik liep naar het gerechtsgebouw en volgde enige tijd het proces tegen dr. Chapin Fortnell. Toen ik de rechtszaal binnenliep, staarde hij omlaag, zo te zien naar de tafel van de verdediging. Hij draaide zich om en keek me slaperig aan terwijl ik ging zitten. Een assistent van de openbare aanklager ondervroeg een van Fortnells slachtoffers – een man van inmiddels eenentwintig, maar die nog maar een jongetje van twaalf was toen Fortnell hem voor het eerst had geknuffeld.

En waar bevond u zich precies, toen die eerste knuffel plaatsvond?
In zijn kantoor. In Newport Beach.
Zijn spreekkamer? Waar hij zijn therapie voor jongens en meisjes in praktijk bracht?
Protest, edelachtbare! Om te beginnen was het een groepspraktijk. En deze getuige is niet op de hoogte van de specifieke leeftijdsgroepen van dr. Fortnells –
Toegewezen. Gaat u verder, meneer Evans.

Het deed me denken aan een incident dat me overkwam toen ik elf was. Ik ging bij de Boy's Club in Tustin en reed meestal met twee medewerkers van de club en nog een hele groep andere kinderen naar het strand. Op een dag in de openbare toiletten in 15th Street had ik net mijn behoefte gedaan toen een kleine, gedrongen oudere man met een zonnebril en lang rood haar mij de weg blokkeerde en me vroeg of ik wist wat seks was. Ik zei: nee meneer, dat weet ik niet. Ik wendde mijn blik af en probeerde langs hem heen te lopen. Ik herinner me nog steeds de vochtige stank in de toiletten, de natte steentjes onder mijn voeten, de smerige latrine en de plasjes onbestemd vocht op de betonnen vloer. Toen ik met gebogen hoofd langs die man probeerde te komen, zag ik hoe zijn blote voeten mijn richting op schuifelden en voelde ik zijn grote, harde hand op mijn arm. Ik deed toen al vijf jaar aan oosterse vechtsporten en had een groene band in drie verschillende disciplines. Ik hakte met mijn vrije hand in op zijn gestrekte arm en stootte toen naar zijn oog. Dat maakte dat hij me losliet en ik stootte nu ook naar zijn andere oog. Terwijl hij daar in die stinkende wc zijn ogen bedekte, haalde ik met een zijwaartse trap uit naar zijn linkerknieschijf en hij zakte met een gil in elkaar. Ik rende naar de stoel van de reddingsbrigade, maar toen ik daar was, kon ik mezelf er niet toe krijgen te vertellen wat er was gebeurd. Ik kon gewoon de woorden niet vinden. Ik voelde me beschaamd, alleen al over die aanraking en het impliciete voorstel. De man van de reddingsbrigade stond met een paar meisjes te praten, dus hij zat toch al niet op mij te wachten. Ik herinner me dat ik mijn zwemvliezen aandeed en de koude, krachtige golven indook. Ik was op dat moment aan het leren hoe je moest bodysurfen en ik pakte golf na golf, tot ik me uitgeput en gezuiverd voelde. Ik kon nooit meer die toiletten binnengaan zonder dat mijn huid begon te tintelen en mijn gezicht gloeide van angst.

Toen ik vertrok, staarde dr. Fortnell nog steeds naar het tafelblad.

Om vijf uur ging ik naar mijn auto en luisterde naar Junes praatprogramma. Haar gasten waren een bouwvakker en een vrouw van tweeëntachtig. De bouwvakker had de vrouw gered uit een te water geraakte auto. De vrouw had op het gaspedaal getrapt in plaats van op de rem, was dwars door een carport en een gietijzeren hek gereden en was uiteindelijk in het gemeentelijke zwembad terechtgekomen. Niemand was gewond geraakt, zelfs de vrouw niet. Ze zei dat ze de hand van God op haar arm had gevoeld op het moment dat ze dreigde te verdrinken.

Over dopen gesproken.

Om zeven uur ging ik naar huis. Nog steeds geen telefoontje. Ik at mijn tv-diners op, met de twee miljoen onder mijn tafel. Ik belde even kort met June op mijn vaste lijn. Ik vertelde haar dat het prima met me ging en dat er heel spoedig iets zou gebeuren. Haar zachte fluisterstem klonk me zo heerlijk in de oren dat ik twee vingers in het mondstuk zou willen stoppen om hem er uit te trekken. Ermee te zwaaien. Te luisteren hoe hij lachte. Hem in mijn mond te stoppen en door te slikken. Ik kon haar en haar stem proeven: zout, bloemen, melk.

Alex Blazak belde om 21.37 uur. 'Kom met het geld naar het Newport Paviljoen. Neem de Mustang. Ten noorden van de ingang bevindt zich een telefooncel. Ga die om precies tien over tien binnen. Als me aanstaat wat ik zie, praten we verder.'

'Ik neem twee vrouwen van de kinderbescherming mee. Het is de enige manier om Savannah nog vanavond ingeschreven te krijgen.'

'Voor mijn part neem je de paus mee. Mij zul je niet te zien krijgen.'

Hij hing op. Ik realiseerde me dat Alex Blazak een idioot was en dat hij zich aan deze zaak vertilde.

Ik belde het speciale nummer van het bureau en kreeg Marchant aan de lijn. Ik vertelde hem wat er zojuist was gebeurd.

'Wij komen met een heli daarheen. Collier en Redd zullen voor tienen in de buurt van die telefooncel zijn. Over en uit.'

Ik was om 22.05 uur bij de telefooncel. Een stevige jonge kerel in een witte korte broek en een rood halterhemd stond luid te telefoneren. Ik zette de duffelse tas op de grond, tikte hem op de schouder en liet hem mijn penning zien. Hij fronste en legde zijn hand over de telefoon. Ik legde uit wat ik wilde. Hij bracht de hoorn weer naar zijn mond, maar bleef tegen mij praten.

'Hij is zo voor jou, Joe,' zei hij. 'Ik ben Larson. Collier en Redd zitten achter het raam van die bar daar. Ik blijf ook in de buurt.'

Hij knikte, knikte nogmaals, gooide toen de hoorn op de haak en liep weg. Om tien over tien ging de telefoon.

'Waar zijn je vrienden?'

'In de bar.'

'Het zal hier wel krioelen van die lui.'

'Twee sociaal werksters. Dat was de afspraak.'

'Stap op de eerstvolgende veerpont naar Balboa Island. Ga bij de boeg staan, aan stuurboord. Als je van de pont stapt, wacht je bij de telefooncel rechts van je. Ga nu. De pont staat op het punt te vertrekken.'

Ik hing op, zwaaide naar Collier en Redd en ging op weg naar de aanlegsteiger. De laatste van drie auto's werd de pont op geloodst. Het personeel zette de wielen van de voorste auto vast. Ik stapte met de tas over mijn schouder de boot op. Collier en Redd volgden. Collier had een spijkerbroek en een oud vest aan en zeulde een grote damestas met zich mee. Redd droeg een lange, verkreukelde rok en een vormeloze sweater en tennisschoenen; haar haar was in een knot bijeengebonden. Ik kon de versterker in haar oor en de kleine microfoon onder haar kin zien. Marchants strategie was duidelijk, dacht ik: Redd dirigeert onze spelers naar hun plek. Voetgangers dromden samen bij de relingen van de pont – toeristen in felle kleuren, stelletjes die dicht tegen elkaar aangedrukt stonden in de koele avondbries, kinderen met skateboards en fietsen.

Ik baande me excuses mompelend een weg naar voren, naar de rechtervoorkant van de boot. Ik keek achterom naar het reuzenrad en de draaimolen van Fun Zone Ferris en zette de tas aan mijn voeten. Collier en Redd stonden aan weerskanten van mij.

De motoren van de pont brulden. Ik voelde de diepe vibraties in mijn benen toen we van de steiger wegvoeren en open water opzochten. Een tweemaster voer op de motor richting zee. Een paar tieners in een gehuurde roeiboot gleden langs ons, hun hengels dobberend in het licht van het Pavilion. Aan de overkant van de haven zag ik Balboa Island liggen. Een jong bemanningslid in een kaki korte broek en een gebloemd overhemd incasseerde mijn dollar voor ons drieën en gaf me een kwartje terug.

De stuurman van de ferry trok de boot iets naar bakboord, tegen de stroming in. Ik kon de andere aanlegsteiger al zien liggen en het leek er op dat we die op deze manier volkomen zouden missen. De tweemaster verdween in het donker. Een grote rubberboot voer dertig meter bij ons vandaan pruttelend dezelfde kant op.

Mijn gsm ging.

'Houd het geld gereed.'

Ik tilde met één arm de tas op en zette hem op de reling. Ik voelde dat Collier en Redd zich schrap zetten terwijl ik uitkeek over het zwarte water. De rubberboot zakte iets terug, maar stuurde wel dichter naar de veerboot toe.

'Ik zit achter je. Ik kom langzij en dan gooi jij de tas in de boot. Nog niet bewegen.'

'Waar is ze?'

'Dat hoor je zodra ik het geld heb. Als jij of die smerissen in jouw gezelschap denken mij te kunnen pakken, bedenk dan dit: Savannah heeft voldoende zuurstof voor ongeveer twee uur. Als jullie mij doden, betekent dat ook haar dood. Daar valt niet aan te tornen. Houd de tas gereed, maat. Als ik zeg dat je hem moet laten vallen, laat je hem vallen. Houd je telefoon omhoog. Omhoog!'

Ik keek naar Redd en schudde mijn hoofd. 'Hij houdt haar ergens verborgen met maar heel weinig zuurstof tot haar beschikking. Niet schieten, dus.'

De rubberboot kwam nu snel en met gierende buitenboordmotor naderbij. Ik zag de man die er in zat: donkere kleding, een honkbalpet achterstevoren op zijn hoofd, half omgedraaid om het roer te hanteren. Tien meter. Zeven meter. Toen was hij nog slechts twee meter bij de veerboot vandaan en kwam centimeter voor centimeter dichterbij. Ik tilde met één hand de tas op en wachtte tot de rubberboot zich recht onder me bevond. Ik kon Alex Blazak niet goed zien, maar de eerste gedachte die bij me opkwam toen zijn gezicht in het licht van de veerpont kwam was: net zijn vader – compact, gespannen, explosief.

Hij keek glimlachend naar me op. 'Laat vallen!'

Ik liet de tas vallen. Hij kwam met een klap op het water terecht.

De rubberboot schoot naar voren en ik zag hoe Alex Blazak een lange dreghaak door een van de hengsels stak en hem naar zich toe trok. Hij boog buitenboord, duwde de tas tweemaal onder water en trok hem toen met twee handen de boot in. Hij keek nog een keer naar me op, knikte en glimlachte weer.

De rubberboot keerde als een geschrokken hert en gleed met een brul van de motor en een rookwolk uit de uitlaat het duister in.

Ik keek hoe hij werd opgeslokt door de nacht en richting het kanaal en de ingang van de haven verdween.

Het kielzog van zijn boot waaierde uit over de baai. Het gegier van de motor werd zwakker en het zwarte water trok weer glad. Ik vroeg me af of de elektronische zendertjes niet te nat waren geworden in het water, en of de infraroodzender de klap had overleefd.

Ik hield nog steeds de telefoon tegen mijn oor gedrukt.

'Trona, ik bel je weer als ik ben waar ik wil zijn. Roep je jachthonden terug en er zal Savannah niets overkomen. De groeten, wijsneus.'

Ik gebaarde naar Redd dat ze zich even gedeisd moest houden en belde snel naar Marchant op mijn tweede gsm. Ik vertelde hem dat Blazak het geld had en in westelijke richting was vertrokken, naar het kanaal dat naar zee leidde. 'Hij houdt Savannah ergens vast zonder veel zuurstof, meneer. Hij belt ons als hij zich veilig waant.'

'Larson vangt nog steeds signalen op van de duffelse tas. Voorlopig gaat het zoals gepland. We hebben drie teams in burger die op dit moment het schiereiland oprijden. En nog eens twee teams op Balboa Island. Zij rijden evenwijdig aan de haven. De havenpolitie neemt ook haar posities in. En ik roep de heli's erbij. We gaan hem pakken. Blijf even aan de lijn, Joe.'

Ik hoorde hem tegen iemand anders praten, maar ik kon niet verstaan wat hij zei. Toen was hij weer aan de telefoon.

'Ja, ja, goed. Joe – de havenpolitie neemt de zuidelijke helft van de haven voor haar rekening, tussen de steigers van de veerboot en het kanaal. We hebben nog geen visueel contact met de rubberboot. Neem de volgende veerboot terug. Wacht bij je auto, jullie alledrie.'

'Begrepen, meneer. Pak hem levend. U moet hem levend in handen zien te krijgen.'

*

De helikopters raasden vanuit het duister over ons heen en ik kon de zoeklichten van de havenpolitie in het zuiden zien. Mijn hart sloeg snel, maar regelmatig en elk lichtje op het water leek een belofte in te houden, tot het in de golfslag uiteensloeg.

'Jij hebt je taak uitgevoerd, Joe,' zei Collier. Ze greep me bij de arm. 'Nu moet Alex zijn belofte nakomen.'

We stonden tegen mijn auto geleund. Ik voelde me machteloos nu ik hier als een toerist rond lummelde.

Vijf minuten. Tien.

Marchant belde om 23.05 uur. 'Joe, stap in je auto en rijd in zuidelijke richting over het schiereiland, via Balboa Boulevard. De havenpolitie heeft inmiddels visueel contact en het signaal is luid en duidelijk. Doelwit heeft aangemeerd aan een steiger. Ziet er naar uit dat hij aan een pier bij K Street ligt. Als er iets misgaat, hebben we jou daar misschien nodig.'

'Dood hem niet.'

'Wij blijven kalm. Jij blijft kalm. Over en uit.'

Ik reed langzaam het schiereiland op, langs de grote villa's en de bungalows en de palmen en de bougainville. Het was druk op de weg. We passeerden K Street en ik probeerde alles in me op te nemen zonder al te gretig over te komen. Ik liet mijn hoofd tegen de hoofdsteun rusten, zoals Will placht te doen, met mijn oogleden ontspannen terwijl mijn ogen het werk deden.

Drie patrouillewagens van de politie van Newport Beach stonden links van ons geparkeerd. Twee radiowagens van de sheriff stonden verdekt opgesteld in L Street. Ik zag nog drie ongemarkeerde auto's van de sheriff en twee die waarschijnlijk aan Marchant toebehoorden.

Ik zag beide helikopters boven het water hangen terwijl de bundels van hun zoeklichten elkaar kruisten. Toeristen begonnen nieuwsgierig samen te drommen.

De boulevard eindigde bij het kanaal, dus keerde ik daar en volgde de weg terug. Een van de ongemarkeerde auto's stond geparkeerd bij een golfbreker. Een andere passeerde ons op weg terug naar K Street.

Ik verbaasde me. Twintig minuten verstreken en nog steeds op het water?

Opnieuw langs K Street. Niets. Ik belde Marchant.

'Ligt hij nog steeds aangemeerd?'

'De havenpolitie is op weg naar de rubberboot. Joe, roep je sociaal werksters bij elkaar en ga naar het strand bij K Street. Blijf aan de telefoon. Over.'

'We zijn daar al.'

Ik schoot K Street in en parkeerde vlak voor het strand.

'Meneer, hoe staat het met Blazak?'

'Nog geen visueel contact met Blazak.'

'Hij heeft de boot en de tas achtergelaten,' zei ik. 'Daar durf ik wat onder te verwedden, meneer.'

'Joe, blijf aan de lijn.'

Ik hoorde hem praten via een andere lijn. Toen was hij terug.

'Joe, ik heb verbinding met de schipper van de politieboot. Ze zijn nu vlakbij, maar Blazak zien ze niet. Ze hebben nachtkijkers en zo en het zicht is redelijk. Ze zien wel de rubberboot. Ze zien zelfs iets wat op een duffelse tas lijkt op een van de banken liggen. Maar geen Blazak. Joe, de ME is nog drie minuten van K Street verwijderd, dus ik wil dat jullie drieën een kijkje gaan nemen bij die rubberboot. Laat Redd voorop gaan. Zij heeft de meeste ervaring. Bekijk de boot. Over en uit.'

Collier nam de ene kant van de smalle straat voor haar rekening en Redd en ik de andere. Toen we bij het laatste huis voor het water kwamen, ging Redd voorop. Ik kwam direct achter haar aan, en daarna volgde Collier. Het was mijn eerste echte patrouille en ik was trots en kalm. Het leek veel op mijn nachtelijke klusjes met Will, maar dan beter, op de een of andere manier. Redd had haar pistool getrokken en hield het dicht tegen zich aan, tegen haar been. Ik deed hetzelfde.

De boot van de havenpolitie lag zo'n dertig meter uit de kust, maar de grote zoeklichten wierpen hun felle bundels op het haventje van K Street. Ik kon net de contouren van de boeg en de agenten op de boot onderscheiden. De helikopters zakten lager en het water golfde en schuimde en werd glad gestreken.

Voor me uit stapte Redd op de helverlichte pier. Ik volgde. Haar haren wapperden in de wind van de rotors en ze wierp een blik achterom.

Toen zakte ze door haar knieën, klaar om te schieten. Ik volgde haar voorbeeld. Ze schuifelde dichter naar de boot toe en dat deed ik dus ook.

Ze zei iets en liet haar pistool zakken, maar wat ze zei kon ik in het geraas van de helikopters niet horen.

Toen ik bij haar was, keek ik omlaag naar de slap over een bank hangende duffelse tas.

Colliers voetstappen bonkten achter mij.

'Jij voorspelde het al,' zei ze.

'Hij is hier goed in,' zei ik.

Toen klonk het gedreun van een versterkte stem over het water. Hij kwam van de patrouilleboot.

'Is die klootzak verdwenen?'

'Die klootzak is zeker verdwenen,' riep Redd. 'De klootzak.'

Ik holsterde mijn wapen en prevelde in stilte een schietgebedje dat hij verdwenen was. Het betekende dat hij ons naar zijn zus kon leiden, als hij het tenminste over zijn hart kon verkrijgen om zijn kip met de gouden eieren eindelijk vrij te laten.

'Wij leven nog,' zei ik. 'En zij leeft nog.'

Redd draaide zich naar me om. 'Reken daar niet te veel op, Joe.'

Mijn gsm ging. Redd draaide zich om en probeerde de heli's weg te wuiven terwijl ik de telefoon inschakelde en hem naar mijn oor bracht.

23

'Waar is ze?'

Alex Blazak lachte. Het klonk alsof hij in een voertuig zat. De ontvangst was vol ruis en achtergrondgeluiden.

'Je dacht toch niet echt dat ik haar kwaad zou doen?'

'Je weet nooit waar gekken toe in staat zijn.'

'En een gek ben ik. Met certificaat. Ze wacht op je in het Bay Breeze Motel. Als je nog steeds op K Street naar mijn boot staat te gluren… het motel ligt er ongeveer drie kilometer vandaan. Kamer veertien, Trona. Hé, leuk zaken met je gedaan te hebben. Chrissa zegt dat jij echt een gave knul bent.'

Hij gaf me het adres van het motel en hing op. Ik gaf het door aan Redd en zij belde het weer door aan Marchant en we gingen op weg.

Vijf minuten later naderden we het Bay Breeze Motel. Het lag aan de strandkant van de Pacific Coast Highway. Er stonden al twee patrouillewagens van de sheriff op de parkeerplaats. Twee radiowagens van de politie van Newport Beach stonden dubbel geparkeerd op de PCH. Ik zag ook de twee helikopters vanuit tegenovergestelde richting omlaag komen.

'Ik ga eerst naar binnen, Joe. Als ik hulp nodig heb met de deur, ben jij mijn man. De zijkant en achterkant laten we in de gaten houden door de uniformen.'

Kamer veertien was een betonnen trap op en bovenaan naar links. Ik zag dat het licht aan was. Collier en ik stelden ons aan de ene kant van de deur op en Redd aan de andere kant.

Ze klopte tweemaal.

'Ja?'

'Savannah Blazak?'

'Ja.'

'Ik ben brigadier Cheryl Redd, van het bureau van de sheriff van Orange County. Ben je alleen?'

'Ja.'

'Wil je dan alsjeblieft de deur opendoen?'

Ik hoorde hoe het slot werd omgedraaid en de ketting opzij werd geschoven. De deur zwaaide naar binnen open en Savannah Blazak doemde op in het schemerige licht. Haar haar was heel kort geknipt. Jeans en een haltertopje. Blootvoets. Ze zag er bleek en vuil uit.

'Hallo, Joe. Hallo, agenten. Met mij is het goed. En ik bied mijn verontschuldigingen aan voor alle problemen die ik u heb bezorgd.'

'Maak je daar maar geen zorgen over,' zei ik. 'Fijn om je weer te zien.'

'Is alles goed met Alex?'

'Voorzover wij weten wel.'

'Het was mijn fout. Het was allemaal mijn fout.'

'Laten we eerst hier weggaan. Praten kan later wel.'

'Ik ga niet terug naar huis. Beslist niet.'

'We brengen je naar het Hillview Kindertehuis,' zei ik. 'Daar ben je veilig. Ik heb daar zelf een tijdje gezeten.'

Ze zuchtte en sloeg haar ogen neer. 'Oké. Mag ik alstublieft mijn spullen pakken?'

'We hebben Savannah,' zei Redd in haar microfoon. 'Ze mankeert zo te zien niets.'

Savannah zat achter in mijn auto, met Collier naast haar. Redd zat voorin.

Redd las Savannah haar rechten voor en vroeg of ze zonder advocaat met ons wilde praten.

'Ja, hoor.'

'Vertel eens wat er allemaal is gebeurd, Savannah.'

'Ik speelde Savannah de Spion. Ik bespied dan mensen met mijn videocamera. Het is een spelletje. En ik maakte die video waarop mijn vader iets heel slechts doet. Ik was doodsbang. Als hij kwaad is, raakt hij helemaal door het dolle heen. Hij heeft me een keer geslagen en mijn trommelvlies gescheurd, maar hij liet me tegen de dokter zeggen dat Alex het had gedaan. Dus wist ik niet goed wat ik met die videoband aan moest. Dus vluchtte ik naar mijn broer en vertelde hem alles. En hij zei dat ik me geen zorgen hoefde te maken. Hij zei dat wij bij elkaar konden blijven en dan waren we veilig en konden we vergeten wat pap had gedaan. Maar we hadden daar wel heel veel geld voor nodig. En het bandje was mijn vader geld waard. Dus belde Alex hem en zei dat hij de band had en dat hij er geld voor wilde. Pap zei dat hij Alex zou vermoorden als hij die band ook maar aan iemand zou laten zien. Toen vond Will ons in de Ritz en zei dat hij ons zou helpen. Toen werd hij vermoord. Toen kwam pap op tv en noemde Alex een kidnapper en de FBI begon ons op te jagen. Toen dachten we dat Joe ons misschien kon helpen zonder dat Alex gedood zou worden, en dat is gelukt. Hier is de videoband. Jullie mogen hem hebben.'

Ik draaide me om en zag haar in haar Pocahontas-rugzak duiken.

'Dank je wel,' zei Collier.

Savannah zuchtte en begon zachtjes te huilen.

'Hé,' zei Collier vriendelijk. 'Hé, alles komt goed, hoor. Je hebt het juiste gedaan. Je bent veilig. Je zit in een auto met drie agenten. Kop op, meid.'

Maar Savannah bleef snikken. 'Joe – ik heb niet eerder de kans gekregen, maar bedankt dat je me over die muur hebt getild.'

'Graag gedaan. Waar ben je daarna heen gegaan?'

'Naar de hoek van Lincoln en Beach. Daar zouden we afspreken als er iets misging.'

'Alex heeft je daar opgepikt.'

'Ja.'

Ik luisterde naar haar gesnik. 'Savannah, ik heb je nooit kunnen bedanken voor wat je gedaan hebt op die avond dat wij elkaar in Lind Street ontmoetten.'

'Wat heb ik dan gedaan?'

'Je keek me recht aan en zei hoe maakt u het.'

'Ik vind jouw gezicht mooi. Het is ongebruikelijk.'

'En ik vind jou heel aardig. Hou je taai. We zijn over een paar minuten in Hillview.'

*

Vreemd, om Hillview weer binnen te wandelen. Ik was er al wel een keer of tien eerder geweest, om met de kinderen daar te praten, de staf een beetje te helpen. Ik geloofde in Hillview.

Maar als ik door die deuren kwam, ging ik in gedachten altijd terug naar de jaren dat ik hier gewoond had, naar de steeds weer andere gezichten, de routine, de eenzaamheid, de angst, de droefheid en de twijfels. Toen we in het kantoor zaten waar de nieuwe kinderen werden ingeschreven, keek ik naar buiten, naar de bibliotheek waar ik Will en Mary Ann voor het eerst had ontmoet; naar de sportzaal waar ik eindeloos basketbal had gespeeld tegen kinderen die veel groter en sterker waren dan ik; naar de huisjes voor de tienermoedertjes en hun nietige baby'tjes; naar de barbecuepatio en de speeltuin. Ik keek naar de keurig onderhouden paden waarover ik toen fantaseerde dat ze me ooit naar buiten zouden brengen, naar iets anders, iets beters en echters en permanenters, een thuis waar ik nooit meer zou worden weggehaald en dat ook mij nooit zou kunnen worden afgenomen.

Een dokter onderzocht Savannah en verklaarde dat er niets met haar aan de hand was. Er zou nog worden onderzocht of ze geestelijk niets had overgehouden aan deze hele toestand, maar voorlopig kon ze worden ingeschreven.

De opname in Hillview duurde niet langer dan een uur. De directeur van Hillview en een administrateur vulden formulieren in en toen was Savannah officieel toegelaten. De staat moest binnen tweeënzeventig uur een rechter zien te overtuigen dat Savannah voor haar eigen veiligheid hier moest blijven, want anders zouden haar ouders haar terugkrijgen.

Dat zou nog moeilijk genoeg worden, gezien de status van Jack en Lorna. Maar de reden ervoor zat veilig in Colliers tas en ik brandde van verlangen om Hillview te verlaten en die videoband op het hoofdbureau in een videorecorder te stoppen.

Ik schudde Savannah de hand, zakte toen op één knie en trok haar heel even tegen me aan. Mijn hart ging tekeer als een stok in een snelstromende rivier, want ik had me nooit kunnen voorstellen dat ik zelf nog eens iemand in Hillview zou achterlaten, mijn oude Paleis van Afscheid. Het was een van de weinige keren in mijn leven dat ik wist hoe iemand anders zich voelde. Het *echt* wist.

'Ik kom terug, Savannah. En je zit hier niet voor eeuwig.' Ik keek naar de directeur en zijn administrateur. 'Het zijn goede mensen hier.'

'En Joe kan het weten,' zei de directeur. 'Hij is een van onze beroemdste kinderen!'

Ik deed net het portier van mijn auto open toen de gsm ging die ik van Marchant had gekregen. Het was Marchant zelf.

'We hebben vijf minuten geleden Alex Blazak gearresteerd. Er is geen schot afgevuurd.'

Onderweg naar het bureau belde ik Lorna Blazak. Ik was net begonnen haar te vertellen waar haar dochter was toen ik Jack tegen haar hoorde zeggen dat ze weg moest wezen en hem de telefoon moest geven.

'Je hebt haar?'

'Ze zit bij de kinderbescherming.'

'Waar?'

'Dat kan ik u op dit moment niet vertellen. U wordt te zijner tijd op de hoogte gebracht van een eventuele bezoekregeling.'

'Ik ben haar vader! Wat spoken jullie verdomme met haar uit?'

'Ze wordt beschermd. Uw twee miljoen dollar hebben haar in veiligheid gebracht, meneer. Daar zou ik maar blij mee zijn, als ik u was.'

'Daar ben ik ook blij om,' zei hij. Zijn stem klonk zo gespannen dat het leek of hij glas doorslikte. 'Daar ben ik heel blij om. En dat andere?'

'Dat heb ik ook.'

'Kom dan onmiddellijk naar Diver's Cove. Ik neem wat van mij is en geef jou wat we hebben afgesproken.'

'Nee meneer, ik wil er eerst zelf naar kijken.'

'Het is privé-eigendom en je hebt geen toestemming om er iets mee te doen.'

'Het is bewijsmateriaal dat is verkregen tijdens een politieonderzoek, meneer. Uw toestemming is niet noodzakelijk of relevant.'

'Ik heb de beste advocaten van het land.'

'Mijn felicitaties.'

'Ik geef je een miljoen om het weer in mijn bezit te krijgen. Voordat jij of iemand anders het te zien krijgt. Ik heb je bovendien al verteld wat er op staat. Je begrijpt toch wel hoe vernederend dit voor mij en mijn vrouw is?'

'Ik weet wat vernedering is, meneer.'

'Geef me die videoband dan! Twee miljoen, Joe. Laatste bod. Het is privé wat daar op staat.'

'O ja, met Savannah gaat het trouwens prima. Ze is een beetje moe, maar verder mankeert haar niets. Wilt u niet vergeten dat tegen uw vrouw te vertellen?'

'Ik zal ervoor zorgen dat jij ontslagen wordt als ik dat bandje niet terugkrijg.'

'En uw zoon – Alex dus – is gearresteerd.'

'Ik ga tot drie miljoen voor dat bandje. Helemaal alleen voor jou. Drie *miljoen* dollar, Joe.'

'U kunt barsten, meneer.'

Ik hing op.

Twintig minuten later, even voor één uur 's nachts, zaten we in een van de vergaderzalen van de FBI: Marchant, Birch en Ouderkirk, Redd en Collier. Marchant drukte op de afspeelknop van de videorecorder en ging vervolgens naast Birch zitten.

Eerst was er alleen maar zwart met witte sneeuw, met in de linkerbovenhoek een datum en een tijd. 12 mei, 14.35 uur.

Toen het geluid van een meisje, giechelend. Het strand. Crystal Cove, tussen Newport en Laguna. Lorna Blazak die over het strand liep, gekleed in een korte broek en een roze sweater. Een Jack Russellterriër rende voor haar uit, maakte jacht op de golven, deinsde terug als ze zijn kant oprolden.

'Dit is Savannah de Spion, die mam betrapt. We zijn bij Cristal Cove. Mam kan een bon krijgen omdat Abner niet aan de riem zit. Spionnen zien dat soort dingen. Ik zal zorgen dat een agent het te weten komt. Mam. Mam! Mam...glimlachen!'

Lorna glimlachte en de wind blies haar haar voor haar gezicht. De camera zoomde in. Blaffend ontvluchtte de hond een schuimende golf.

'Ik neem Abner mee op onze volgende gevaarlijke missie, ergens in Afrika of New York. Hij traint er al voor. Abner! Abner! Glimlach eens naar de camera, Abs!'

Toen veranderde het beeld in dat van een kamer zoals je die in woontijdschriften ziet: buiten het raam de oceaan, binnen op de grond een grote, gouden vaas, Egyptisch, met handvaten die cobra's moesten voorstellen. De datum was nu 18 mei, de tijd was 11.58 uur.

Jack Blazak stond bij het raam, gekleed in een onderhemd en een soepele, satijnen trainingsbroek. Hij was aan de telefoon, maar hijgde, de spieren in zijn armen gespannen, een handdoek over zijn schouder.

'Savannah de Spion betrapt pappa op een zakengesprek na zijn bokstraining. Heb je hard geslagen, pap?'

Blazak keek met lege blik in de camera en drukte toen op een van de knopjes op zijn telefoon. Hij balde zijn spieren. Hij glimlachte.

'Ik ben geen Mohammed Ali, maar het voelt wel lekker!'

'Wie gaat het volgende grote gevecht winnen?'

'Ik! Ik ga dat winnen!'

'Spionnen houden niet van bloed, pap.'

'Ik sla hem in de eerste ronde k.o. – er zal geen druppel bloed vloeien.'

'U bent de kampioen.'

'Ik ben goed! Ik ben fantastisch! Ik ga in Manilla de gorilla verslaan!'

'Pap, dat is racistisch.'

'Nou, en? Hé, ik kan vier miljoen dollar in dertig seconden verdienen, als jij me tenminste dit telefoontje laat afmaken.'

Blazak glimlachte nogmaals, haalde diep adem en drukte weer een toets op zijn telefoon in.

'Sorry, Carl. Savannah is me weer aan het bespioneren. Savannah, je moet de groeten van Carl hebben.'

'Hallo, Carl. Ik heb vanochtend in de Volkswagen-trapauto gereden. Het is mijn favoriete cadeautje.'

'Carl zegt dat hem dat plezier doet. En nu wegwezen, liefje – pappa heeft zaken te bespreken.'

'Jij werkt alleen maar en –'

'Wegwezen! Nu! Ik ben aan het werk, verdomme!'

Het beeld schokte en schoot alle kanten op toen Savannah de

kamer uit rende. Een moment later kwam een lange gang in beeld, en een hoog plafond met daklichten, en openslaande deuren naar een kleine wijngaard. Ik herkende die van mijn bezoek aan het huis van de Blazaks.

'Het enige dat pap doet is werken en boksen. Hij heeft vorige week een nieuw huis voor ons gekocht, in Florence. Ik ga daar van de zomer spioneren!'

'Hoeveel huizen hebben ze wel niet?' vroeg Redd.

'Vier,' zei Birch. 'Newport Beach, Aspen, Key West en Florence. Blazak stond vorig jaar eenenveertigste op de lijst van rijkste mannen.'

'Hij heeft zo te zien weinig geduld met zijn dochtertje,' zei Ouderkirk. 'Maar ik zou graag eens drie rondjes tegen hem boksen.'

Collier vroeg naar de kamer met de cobravaas.

'Dat is in hun huis in Newport,' zei ik. 'Ik ben daar drie weken geleden geweest.'

De volgende scène kwam uit de woonkamer waar ik samen met de Blazaks en Bo Warren had gezeten. Het was 21 mei, 10.20 uur. Savannah zat kennelijk verstopt achter een van de banken tegenover het raam. Een kleine, donkerharige vrouw was bezig de schoorsteenmantel af te stoffen. Ze tilde fotolijstjes op om er beter bij te kunnen. Abner, de terriër, volgde met intense belangstelling haar bezigheden. Het was een mooie, zonnige dag en achter haar zag je Catalina Island helder afsteken tegen de blauwe hemel en de blauwe oceaan. De vrouw was inmiddels klaar met de schoorsteenmantel en draaide zich om naar de camera. Savannah moest achter de bank zijn weggedoken, want er was nu alleen nog maar muur en vloerbedekking te zien. De camera schokte en werd toen weer scherpgesteld op de werkster, die inmiddels in een hoek van de kamer stond en het hoge plafond afstofte met behulp van een op een lange stok gemonteerde, felroze plumeau. Ze neuriede zachtjes.

Marcie, dacht ik, de huishoudster van de Blazaks.

Plotseling draaide ze zich om. Savannah giechelde.

'Ik dacht al dat ik ogen in mijn rug voelde! Ik zal je krijgen!'

'Savannah de Spion, gepakt door Marcie! Op heterdaad betrapt.'

Gelach, terwijl het beeld wegstierf.

Hierna volgde een avondscène. De datum was 29 mei, de tijd 22.40 uur. Eerst was moeilijk te zien wat het voorstelde, maar ten slotte besefte ik dat de camera zich vlakbij de ocotillo bevond die tegen de zuidmuur van het huis groeide. De tuinlampen wierpen schaduwen tegen de muur en toen de camera iets achteruitging, kwamen de verstrengelde takken van de plant scherp in beeld.

Savannah praatte op fluistertoon:

Savannah de Spion op het landgoed van internationaal financier Simon Carny, wiens rijkdom kan worden gemeten in miljoenen van miljarden. Een knappe man, een mysterieuze man, een man met ontelbare geheimen.'

Ze bewoog de camera en filmde de donkere wijngaard, het enorme zwembad omringd door stoere palmen, het gastenverblijf achter het zwembad. Het gastenverblijf was een kleinere uitgave van het landhuis, een kruising tussen een Griekse tempel en een Romeins landgoed – zuilen en pilaren, een grote veranda die van marmer leek, dezelfde logge, vierkante vorm, hetzelfde platte dak.

'Dankzij het uitstekende zicht vanavond voert Savannah een wel heel gevaarlijke missie uit. Haar moeder is een weekje weg. Haar kindermeisje kijkt tv en Savannah is al bijna twee uur geleden in bed gestopt. Maar ze is... stilletjes uit haar raam geklommen en... heeft langs slinkse weg ontdekt dat de financiële krachtpatser Simon Carny zich schuilhoudt in zijn Romeinse kantoor dat zich bevindt tussen zijn weelderige zwembad en zijn wijngaard waarin de beste bordeauxdruiven van heel Toscane groeien.'

Savannah betrad de wijngaard. De wijnstokken waren vol blad en je zag de kleine trossen druiven hangen. Langzaam kwam het gastenverblijf in beeld. Savannah ging op haar buik liggen en kroop centimeter voor centimeter verder.

'Savannah de Spion doet alles om te voorkomen dat de kluizenaar Carny haar ziet. Zelfs de grote spionnenhond Abner is opgesloten, zodat hij Savannah niet kan verraden. Het sterkste wapen van een spion is stilte. Jeetje, dat valt anders niet mee, zo op je buik over de grond kruipen. Ik mag wel uitkijken voor anaconda's.'

De druiventakken schoven langzaam langs de camera en het gastenverblijf kwam steeds dichterbij. Binnen brandde licht.

'Nog drie rijen en dan moet Savannah de Spion heel stil naar het raam sluipen, in de hoop een glimp op te vangen van de schatrijke en machtige Simon Carny.'

Het gastenverblijf werd groter toen Savannah de camera er op inzoomde. Er kwam een diep in de gevel liggend raam in beeld, met ijzeren tralies ervoor. Het raam stond halfopen en de vitrage wapperde in de tocht. Aan weerskanten van het raam stonden bloembakken met rode geraniums. Onder het raam stond een halfronde, betonnen bank. Toen ze dichterbij kwam, kon je een mannenstem horen. En nog een geluid, hoger en met tussenpozen, alsof er iemand huilde of lachte. Savannah naderde de bank en klom er op.

Door de tralies en de wapperende vitrage heen zag je de woonkamer, de keuken en een deur die naar het achterste deel van het gastenverblijf leidde.

De mannenstem: *'Hier, dat zal je leren.'*

Vervolgens een zacht *wump,* als van een klap met een donskussen.

Het hoge geluid was helemaal geen gelach, maar een kokhalzende vrouw die naar adem hapte.

Wump!

'Zoiets flik je een man als mij niet, hoor je?'

De vrouw kokhalsde, maar zei niets.

'Dus jij zorgt dat het voor elkaar komt, ja?'

Kokhalzen, en dan: *'Ja, ja.'*

'Het antwoord is godverdomme zeker ja. Jij neemt wat ik je geef en voor de rest haal jij je geen rare ideeën in dat smerige, kleine hoofd van je, begrepen?'

Wump!

'Ja. Ja.'

Vervolgens een diepe zucht toen de vrouw weer mocht ademhalen. Grote happen lucht onderbroken door gesnik en onverstaanbare zinnen. Als iemand die onder water is gehouden.

'Trek die verdomde kleren aan. Ik wil jou hier niet meer zien, hoer. En hier heb ik nog een geheugensteuntje voor wat jij gaat doen.'

Wump!

'Houd je kop, houd je kop. Hier, adem maar. Ik kan best aardig zijn als je me wat beter kent.'

Jack Blazak stormde in zijn onderbroek de woonkamer in. Hij trok een poloshirt over zijn hoofd en wurmde zijn armen door de mouwen. Daarna stormde hij weer het beeld uit.

'Nee! Nee!'

Wump.

Trek je kleren aan, inhalig kreng. Ik kan je niet meer luchten of zien.'

Blazak kwam weer in beeld. Hij stond op één voet en stopte zijn andere voet in een bootschoen.

Gesnik van achter uit het huis.

'Dat is verdomde de stomste teef die ik ooit heb gezien. En dat wil wat zeggen.'

Hij trok de andere schoen aan.

Hij ging aan de kleine eetbar in de keuken zitten en bladerde in een exemplaar van het tijdschrift *Forbes*. Hij raakte de achterkant van zijn nek aan en keek naar zijn vingers. Hij wierp een blik in de richting van de vrouw en richtte zijn aandacht toen weer op het tijdschrift.

Een paar minuten later kwam ze het vertrek binnenstrompelen. Kort, zwart jurkje, zwarte hoge hakken, een klein kasjmier truitje met daarin verweven paarlemoer en lovertjes. Ze liep ineengedoken, wiebelend op haar schoenen. Ze trok het truitje tegen haar schouders alsof ze het ijskoud had. Haar armen waren dun en bruin. Haar lange zwarte haar hing in slierten voor haar gelaat. Ze veegde het weg en onthulde daarmee haar doodsbange en prachtige gezicht.

Birch bevroor het beeld.

'Luria Blas,' zei ik. 'Achttien jaar oud en op dat moment al zwanger. Ernstig toegetakeld, slechts enkele uren voor ze stierf. Zo te zien heeft ze zojuist Blazak het nieuws verteld.'

'De vrouw die is overreden?' vroeg Collier.

'Het lijkt er op dat ze geld van hem wilde,' zei Ouderkirk.

'Shit, Harmon,' zei Redd. 'Als ze achttien is, ongetrouwd en zwanger van een van de eenenveertig rijkste klootzakken van Amerika, vroeg ze misschien gewoon om wat *hulp*.'

'Sorry, dat bedoelde ik ook.'

'Jezus, Harmon, hij heeft op die foetus in staan beuken.'

'Ik weet het! Ik geef me over! Ik probeerde alleen maar een motief voor die afranseling aan te dragen. Blazak wilde haar ertoe overhalen een abortus te laten doen. Zij dreigde de baby te houden en hem als vader aan te wijzen.'

Een moment stilte, terwijl we allemaal verwerkten wat we zojuist hadden gezien.

Birch drukte weer op de afspeeltoets. Luria strompelde naar de bar en pakte een klein, zwart tasje. Ze stopte er het geld in en probeerde de rits weer dicht te doen, maar het geld zat in de weg. Zwart haar dat rond haar gezicht viel. De blauwe plek van een oude wond nog zichtbaar onder een van haar ogen. Donkere, trillende benen.

Blazak bekeek haar alsof ze een dienster was die haar werk niet goed deed. Hij voelde weer in zijn nek.

'Je hebt me gekrabt.'

'Sorry.'

'Maak dat je wegkomt.'

'Ik ga al.'

'Hiermee is alles vereffend. Meer dan voldoende zelfs. Gebruik het om terug te gaan naar waar je vandaan komt.'

'Ik ga naar huis.'

Luria liep naar de deur en de camera. Het beeld ging wild heen en weer en werd toen zwart.

'Het lab heeft een monster van de huid die onder Luria's vingernagel zat,' zei ik. 'Misschien dat we hem daarmee kunnen pakken.'

'En met de videoband,' zei Birch. 'En met Savannah Blazaks getuigenis.'

Een moment van stilte, terwijl er nog weer meer stukjes op hun plaats vielen. Marchant kwam overeind. 'Rick, doe wat je nodig acht. Wij zijn er om je te helpen.'

'Luister eens, Blazak betaalde drie miljoen om zijn dochter en zijn videoband terug te krijgen,' zei Birch. 'Zijn dochter moest hij terug hebben om te voorkomen dat ze zou praten. En die band moest vernietigd worden. Hij heeft nu geen van beiden. Cheryl, zorg dat er nog twee uniformen naar Hillview gestuurd worden.'

'Dat doe ik.'

'Harmon, kopieer dit bandje, en kopieer het daarna nog een keer.'

'Begrepen.'

'Collier, ga zodra het lab open is naar McCallum. Leg de situatie uit en vertel hem dat ik om twaalf uur een controlemonster heb. We zullen eens zien of Blazak huid achterliet onder de vingernagel van Luria Blas.'

'Ik kan gewoon niet wachten,' zei Collier.

'Joe, het is nu twee uur in de ochtend. Ga naar huis en neem wat rust. En gefeliciteerd. Jij hebt dat meisje bevrijd van een krankzinnige broer en een vader die vrouwen met zijn blote vuisten in elkaar slaat. Hillview is op dit moment voor haar de juiste plek. En wees voorzichtig. Die halvegare van een Jack Blazak zou wel eens op wraak uit kunnen zijn.'

Birch schudde me de hand. Toen volgden ook de anderen zijn voorbeeld. Zelfs Marchant. Ouderkirk klopte me op mijn rug.

Het was het derde, meest trotse moment uit mijn leven, na de dag dat Will en Mary Ann naar Hillview kwamen om *mij* te zien en de eerste keer dat June Dauer en ik met elkaar vreeën. Ik glimlachte en wendde de slechte kant van mijn gezicht af en liep naar buiten.

Toen ik bij mijn auto was, belde ik June. Ze nam bij de derde keer op, met een stem die niet verrast en volkomen helder klonk.

'Het is voorbij,' zei ik. 'Ze is oké. Ze is veilig. Er is niemand gewond geraakt. Ik vroeg me af of ik misschien langs kon komen.'

'Je kunt maar beter *zorgen* dat je langskomt.'

Even voor drieën stond ik in June Dauers portiek en keek uit over Newport Harbor. De lichtjes twinkelden en de lucht rook naar zout en schelpen en nachtschade. Ik klopte aan en wachtte. Ze deed in het donker de deur open en fluisterde dat ik binnen moest komen.

We begonnen met vrijen om 03.08, 05.22 en 07.12 uur. We aten cornflakes met volle melk en honing om 04.15 uur en ik bakte wat eieren, ham, worstjes en aardappelen om 06.30 uur, die ik opdiende met toost, meloen en sinaasappelsap.

June vertrok tegen negenen naar haar werk en zei dat ik kon blijven liggen zolang ik maar wilde.

Tegen twaalven die middag werd ik wakker. Ik liep met een kop koffie door haar appartement. De ochtendmist trok geleidelijk op en het water van de baai was van een glazig grijs. Ik voelde me in een andere wereld, in een ander universum. Geen tralies. Geen uniformen. Geen wapens. Geen griezels.

June Dauer was overal waar ik keek: zittend op de bank, staand in de keuken, kijkend uit het raam, zittend op het terras. Ik zag haar donkere krullen, de prachtige, rechte lijnen van haar gezicht, haar sterke, bruine benen. Ik hoorde het heldere, zachte fluisteren van haar stem.

Ik vroeg me af hoe het zou zijn om hier te wonen. Of er hier wel plaats was voor een grote man, een litteken, een wapen. Het was eigenlijk wel grappig, want toen ik mezelf hier zo voorstelde, had ik niet het gevoel dat ik een van die dingen vertegenwoordigde. Ik voelde me anders. Ik voelde me kleiner, lichter, zachter. Geen litteken. Geen wapen. Ik voelde me als een glimlach op benen, met een lichaam ertussen dat alleen maar dicht bij het hare wilde zijn. Thuis. Alsof haar vlees een huis was waar ik in kon trekken.

24

Ik stond voor cel acht in Module J, schoof het dienblad met eten in de gleuf en keek recht in de heldere ogen van Alex Blazak. Het was vier uur 's middags en brigadier Delano had er in toegestemd dat ik Alex zijn avondeten zou brengen. Er was vandaag gehakt, aardappelpuree, groente en melk.

'Zoutzuurbaby.'

'Mijn naam is Joe Trona.'

'Ja, ja, dat weet ik. Wills zoon. Heel erg wat er gebeurd is. Hij had zich niet met die zwaargewichten in moeten laten.'

'Wie heeft Gaylen op hem afgestuurd?'

'Haal me hieruit en ik vertel het je.'

'Daar kan alleen het OM voor zorgen.'

'Die laten me wel gaan als ze eenmaal met Savannah hebben gesproken en horen dat er geen sprake was van een ontvoering. Dat was pa's verhaal.'

'Dan blijft nog steeds die afpersing.'

Alex glimlachte, sprong van zijn bed en liep naar de tralies. Hij keek naar het dampende dienblad en haalde het naar binnen.

'Hé, ik heb die dame niet halfdood geslagen. Dat heeft hij gedaan.'

'Wie heeft Gaylen ingehuurd?'

Hij ging op bed zitten en zette het blad op zijn knieën. 'Dat moet je mij niet vragen. Dat moet je mijn vader vragen. Dat was allemaal zijn pakkie-an.'

'Maar jij wist dat er iets te gebeuren stond. Jij hebt met Gaylen gesproken. Daarom heb je Savannah in haar eentje in Lind Street achtergelaten. Je hebt haar opgeofferd nadat jij het geld binnen had. Daarom had je ook die afspraak om haar in geval van nood op de hoek van Beach en Lincoln op te pikken.'

'Puur instinct. Als jij was opgegroeid met een vader als Jack, zou je dat ook hebben. Hoe scheer je dat geval?'

'Wat ik me afvraag, is of jij dat extra halve miljoen soms hebt gekregen omdat je hebt meegeholpen Will er in te luizen. Je maakte gebruik van zijn diensten, maar onderhandelde ook buiten hem om. Met iemand die hem dood wilde.'

Blazak kreeg een kleur en keek naar zijn eten. 'Zijn deze groenten vers?'

'Diepvries. Je gezicht werd daarnet tamelijk rood.'

Hij keek naar me op. Nog meer kleur. 'Jij moet nodig iets over gezichten zeggen.'

Ik staarde hem aan, maar zei niets.

'Je geeft me de kriebels,' zei hij.

Ik bleef hem aankijken. Blazak draaide zich om en ging met gekruiste benen op het bed zitten, zijn gezicht naar de achtermuur.

Ik liet mezelf binnen met de loper die brigadier Delano me gegeven had. Alex draaide zich net om toen ik hem om zijn dienblad vroeg. Hij gaf het aan me en ik zette het op de grond. Toen pakte ik hem in zijn nekvel, draaide hem om zodat hij me aan moest kijken en drukte hem met een hand op zijn keel tegen de achtermuur. Hij trapte, maar moest toen op zijn tenen gaan staan. Ik kon zijn leven wanhopig voelen kloppen onder mijn handen.

'Wie heeft hem er in geluisd?'

Ik liet hem zakken, maar hield mijn handen rond zijn keel.

Hij zoog wat lucht naar binnen, zijn ogen wijdopen.

'Wil je misschien nog wat meer bungelen?' vroeg ik.

Hij hoestte en rochelde en hoestte nog een keer.

'Het was gewoon Gaylen zelf,' zei hij schor. 'Ik had zaken gedaan met een paar vriendjes van hem. Maanden geleden. Dus hij wist waar hij me kon vinden. Hij vertelde me wat hij nodig had voor die uitwisseling – een plek zonder al te veel getuigen, 's avonds, ergens waar ze makkelijk met een auto konden komen. Hij zei dat er nog eens drie mille voor mij in zat. Makkelijk verdiend, dacht ik. Ik wist niets van een opzetje. Iets zei me gewoon om er als de donder vandoor te gaan. Van dat geld heb ik trouwens nog geen cent gezien. God, mijn *nek*.'

'Vrienden van Gaylen? Wie?'
'Pearlita en Felix Escobar.'
'En jij stemde er in toe te doen wat hij zei?'
'Ja, nou ja, geld is geld, niet dan? Maar ik wist totaal niet wat er achter zat. Ik wist niet dat hij van plan was je vader te grazen te nemen. Of te proberen Savannah in handen te krijgen. Als ik erbij was gebleven, zou ik er nu waarschijnlijk ook niet meer geweest zijn. Maar het was Gaylen. Hij kwam naar mij toe, man. Ik heb geen idee hoe hij er achter is gekomen wat er aan de hand was. Hij stond gewoon plotseling in mijn pakhuis.'
'Jij werd verondersteld ook in Lind Street te zijn tijdens de uitwisseling, hè?'
'Dat nam iedereen aan, ja. Mijn vader zowel als de jouwe.'
Met mijn handen nog steeds om zijn nek duwde ik hem naar zijn bed en liet hem gaan zitten. Ik pakte het dienblad en gaf het aan hem.
'Eet je groenten.'
'Oké.'
'Jij bent bijna tweeëntwintig. Je zou beter moeten weten dan het leven van je zus in de waagschaal te stellen. Haar daar helemaal in haar eentje achterlaten? Het scheelde niet veel of ze was neergeschoten. Wat mankeert jou eigenlijk?'
'Zij is een taaie.'
'En jij bent een lafaard. Je mag dan al die wapens hebben, maar je blijft een lafaard.'
'Hé, ik had gewoon het geld nodig. Mijn vader staat nummer eenenveertig op de lijst van rijkste mannen. Ik ben nu eenmaal een bepaalde levensstijl gewend.'
Hij keek me nukkig aan, nog steeds over zijn nek wrijvend.

Rick Birch en ik ondervroegen later die middag Savannah. De arts had ons verteld dat ze bijna de hele dag geslapen had en een beetje gedesoriënteerd en verdrietig wakker was geworden.
We zaten met zijn drieën aan een kleine tafel in de bibliotheek van Hillview. Ik had die plek voorgesteld omdat ik dacht dat Savannah zich daar iets meer op haar gemak zou voelen. Ik vertelde haar het verhaal van Will en *Shag, de laatste buffel.* Ze luisterde vol belangstelling. Wilde

weten of ik nog wist op welke bladzij ik was toen hij ging zitten. Dat wist ik: bladzij dertig, als Shag vecht voor de leiding van de kudde. De tafel waaraan wij zaten, was dezelfde als waar ik op die gedenkwaardige dag aan had gezeten. Ik wist dat omdat er door een creatieve student van Hillview een ondiepe X in het blad was gekrast. Will was er met zijn vinger overheengegaan toen hij met mij praatte. De X zat er nog steeds, door de jaren heen vervaagd, maar nog steeds zichtbaar.

We namen haar hele verhaal op band op. Het duurde bijna een uur. Savannah sprak snel en beschreef met slechts enkele woorden grote lappen tijd en gebeurtenissen. We lieten haar het hele verhaal vertellen, om vervolgens weer bij het begin te beginnen en vragen te stellen.

'Wanneer besloot je met de videoband naar Alex te vluchten?'

'Toen ik het gezicht van die vrouw in de krant zag. En dat ze was overreden en gestorven.'

'Heeft ze ooit bij jullie thuis gewerkt?'

'Ja. Ze heeft ons huis een paar keer schoongemaakt. Ik herinnerde me haar omdat ze heel aardig en rustig was, met een glimlach als een zonnetje. Ik vroeg haar hoe ze haar haar zo glanzend kreeg en ze zei toen dat ze het met bier uitspoelde.'

'Wie verzon het plan om je vader geld te vragen voor dat bandje?'

'Alex. Hij zit altijd om geld verlegen.'

'Vond jij dat een goed idee?'

'Nee. Maar ik durfde ook niet goed met het bandje naar de politie, vanwege wat pap me dan zou aandoen. Alex zei dat als we eenmaal al dat geld van pap hadden gekregen, we er iets van aan de familie van dat meisje konden geven.'

'Toen Alex voor de eerste keer om dat geld vroeg, wie kreeg hij toen aan de lijn om te onderhandelen over het hoeveel, het wanneer en het waar?'

'Eerst pap. Toen iemand die Bo heette. Toen Will.'

'Waar en wanneer heb jij Will Trona ontmoet?'

'Bij Laguna Beach. Helemaal precies weet ik het niet meer, maar het was volgens mij één of twee nachten voordat hij vermoord werd.'

'En heeft Alex daarna Will gebeld om de zaken verder te regelen?'

'Hij heeft Will gebeld. Maar hij heeft ook nog met een heleboel ande-

re mensen gepraat. Over geld, over plekken, en wie daar wel zou zijn en wie niet.'

'Wat voor anderen?'

'Eentje heette Daniel; volgens mij was dat dominee Alter. Een andere heette John. Eentje heette Pearl. En een vrouw genaamd... Donna? Renee? Zoiets in ieder geval.'

Ik noteerde die naam: Donna of Renee – een nieuw gezicht in dit stuk.

'Wist jij dat Alex tegen je vader zei dat hij jou aan hem zou teruggeven?'

'Ja, maar dat was een leugen. We zouden het geld opstrijken en een klein huisje aan het strand kopen.'

'Wist je hoeveel geld Alex in het begin vroeg?'

'Vijfhonderdduizend dollar.'

'Wist je dat hij daarna de prijs verhoogde?'

'Dat was Wills idee.'

'Wist Will van dat bandje?'

'Alex speelde het voor hem af. En Will zei: verdubbel dat losgeld maar. En Will zei dat Alex dat geld moest innen en daarna het bandje en mij aan hem moest overhandigen.'

'Wat vond je daarvan, dat je naar Will zou gaan?'

'Ik vond Will aardig. Ik vertrouwde hem. Hij zei dat hij me naar de kinderbescherming zou brengen en dat ik me er geen zorgen over hoefde te maken wat mijn vader zou doen. Hij zei dat er geen reden was dat bandje aan pap of aan de politie te overhandigen. Hij zei dat hij het zo zou aanpakken dat iedereen daarna weer gelukkig was.'

Wat een perfecte gelegenheid voor Will om Blazak te chanteren, dacht ik. Wat zou hij niet allemaal voor concessies bij hem los kunnen krijgen, alleen maar door aan dat bandje te refereren.

'Kun je ons vertellen waar jullie heengingen, jij en Alex, na die avond dat Will werd vermoord?'

'De precieze volgorde herinner ik me niet meer. Maar we gingen naar Big Bear, Lake Arrowhead, La Jolla, Imperial Beach, Julian, Hollywood, Santa Monica, Santa Barbara, San Francisco. En Mendocino, Reno, Las Vegas, Bullthorn City, Yuma, Palm Springs en Mexico City. En Zihuatanejo en Tucson en nog een paar andere plaatsen.'

'Elke avond een andere stad?'

'In Las Vegas zijn we twee dagen gebleven, zodat Alex kon gokken en naar een bokswedstrijd kon. En in Mexico City zijn we vier dagen gebleven, omdat we zo moe waren. Voor de rest overal één nacht.'

'En jullie zijn daar allemaal met de auto heengereden?'

'Ja, behalve naar Mexico en Zihuatanejo. Daar zijn we vanuit Tijuana naartoe gevlogen. Alex' Porsche is heel snel.'

'Heeft Alex je ooit pijn gedaan?'

Savannah keek me vol verbazing aan. *'Me pijn gedaan? Hij deed alles om me te beschermen en me gelukkig te maken. In Mexico City werd ik ziek en toen is hij de hele nacht opgebleven om natte washandjes op mijn voorhoofd te leggen. Hij liet me tortillasoep en mineraalwater brengen. Hij is de beste grote broer die een meisje zich maar kan wensen.'*

Ook daar maakte ik een notitie van. Ik dacht aan onschuld en vertrouwen en angst en aan elf jaar zijn.

Ik dacht ook aan Savannah de Spion.

'Savannah, speelde je ook nog Savannah de Spion toen jij en Alex op de vlucht waren?'

'Ja, natuurlijk. Ik heb twee bandjes volgeschoten. Ik heb ons overal tijdens onze geheime missie gefilmd. Alex vond dat leuk.'

'Waar zijn die bandjes nu?'

'In mijn rugzak, bij mijn camcorder. Wil je ze zien?'

'Ja, dat zouden we heel graag willen.'

Iemand van het Hillview was zo vriendelijk om een videorecorder en een tv in de bibliotheek te zetten. De volgende paar uur keken we naar Alex en Savannah Blazak die in zijn glanzende Porsche het westen doorkruisten, die in de blauwe baai van Zihuatanejo rondplasten, die in hun hotelkamer trokken, die elkaar met hamburgers bestookten, die uit ramen gluurden om te kijken of ze niet werden achtervolgd, die snel hun spullen weer pakten en verder trokken terwijl Alex zat te mompelen over paranoïde samenzweringstheorieën en Savannah de beelden van tekst voorzag. Er waren beelden van Alex die zijn miljoen aan contanten door een suite in het Venetian in Las Vegas liet dwarrelen. Beelden van de grimmige grens bij Tijuana, waar handelaren paarse spaarpotjes in de vorm van een boeddha verkochten, en poppetjes uit *Star Wars* met sombrero's op, gepolitoerde haaientanden aan een kettinkje, opbergdoosjes in felroze en geel en blauw. Beelden van de prachtige en woeste kust bij Mendocino; van de Golden Gate-brug; de heuvels van Santa Barbara; de katoenvelden in Yuma; de bergschapen bij het Ritz-Carlton in Palm Desert; de dromerige bergen rond Tucson.

'Waarom heeft Alex mij gebeld?' vroeg ik. 'Waarom wilde jullie proberen je vader nog meer geld af te troggelen?'

'Alex wilde meer geld. En om eerlijk te zijn, Joe, ik had genoeg van dat rondtrekken. Het was best leuk, maar over een paar maanden moet ik naar de zesde klas. Ik mag voor Rekenen en Engels een klas overslaan.'

'Waarom hebben jullie mij uitgekozen? Waarom heb je niet rechtstreeks naar je vader gebeld?'

'O nee, Joe. Ik vertrouw jou. Daarom heb ik je ook die ansichtkaarten gestuurd. Ik wilde iemand iets laten horen, maar mijn moeder kon ik met dergelijke zaken niet opzadelen. Ze is heel erg kwetsbaar. Dus heb ik jou uitgekozen. En Alex vertrouwde je vader. Je kunt nooit rechtstreeks met pap onderhandelen, daar is hij een veel te goede zakenman voor. Hij komt er altijd beter uit dan jijzelf, ook al lijkt het soms andersom.'

Ik dacht aan Jack Blazak en zijn driftbuien, zijn onbetrouwbaarheid en zijn macht.

'En hoe zit het met je moeder, Savannah? Vertrouw je haar?'

Ze keek me aan, en vervolgens Rick Birch. Ze wendde haar blik af. Ze zuchtte. 'Ze is het altijd met hem eens. Zelfs als ze weet dat hij fout zit. Dat is een van zijn wetten, dat ze het altijd met hem eens moet zijn.'

Ik vroeg me af of Jack ooit Lorna had aangedaan wat hij met Luria Blas had gedaan.

'Sloeg je vader je moeder wel eens?'

Savannah keek nog steeds uit een van de ramen van de bibliotheek.

'Ik heb hem dat nooit zien doen. Mam ligt veel op bed, ook overdag. Ik weet niet precies waarom, maar ze doet dat meestal als ze ruzie gehad hebben. Dat gaat altijd met een hoop herrie gepaard, en met scheldwoorden. Het gebeurt meestal als mam veel gedronken heeft.'

'Heb je wel eens blauwe plekken bij haar gezien, of andere verwondingen?'

'Nee.'

Ik volgde haar blik naar buiten. De speelplaats was vol jonge kinderen. Twee personeelsleden van het Hillview speelden mee.

'Savannah, kun je je nog herinneren of het Donna was of Renee met wie Alex praatte?'

Ze sloot haar ogen en dacht na. Ze haalde diep adem en liet de lucht langzaam weer ontsnappen. 'Nee. De naam van een vrouw, een beetje zoals deze, maar misschien toch anders.'

'Het was dus niet Donna of Renee, maar iets wat er veel op leek.'

'Ja. Ik vind het vervelend als ik me iets niet kan herinneren. Het spijt me. Denk je dat ik nu misschien wat te eten zou kunnen krijgen? En een paar minuutjes voor mezelf? Ik weet niet waarom, maar ik voel me vandaag doodmoe.'

Die avond reden Birch, Ouderkirk en ik naar de ingang van Pelican Point. Achter ons aan reed een zwartwitte auto van de sheriff. Birch toonde zijn penning aan de bewaker.

'Wie wilt u spreken?'

'Dat gaat je niets aan. Maak dat hek open.'

Dat deed hij, zij het met een meewarige glimlach.

Bij het tweede hek klonk de stem van Jack Blazak door de speaker.

'Wat moeten jullie, verdomme?'

Birch identificeerde zich en zei dat hij graag de heer Blazak zou spreken.

'Waarover?'

'Luria Blas.'

Geruis. Toen: 'Oké, kom maar verder.'

Het tweede hek schoof open en Birch stuurde de Crown Vic de kronkelige oprijlaan op. Eindelijk kwam het Grieks-Romeinse huis in zicht.

'Het is toch niet te geloven,' zei Ouderkirk. 'Een paleis. Zwembad, tennisbaan, siervijver en heliplatform. Een garage voor vijf auto's en wat is dat – een wijngaard? Ik heb het verkeerde vak gekozen. Ik wist het wel. Ik *wist* het wel. Ik kan me nog niet eens een werkster veroorloven, en deze knaap slaat hen in elkaar omdat ze zwanger worden als hij het naait. Ik zou bijna wensen dat ik ook tot klootzak zou worden gereïncarneerd.'

'Dat lukt je in dit leven zelf nog wel,' zei Birch.

'Ik hoef alleen jouw voorbeeld maar te volgen.'

'Moet je die beelden zien. Die daar rechts is een Rodin-kopie.'

'Misschien is hij wel echt,' zei Ouderkirk. 'Als je je een huis als dit kunt permitteren, heb je ook geld voor de prulletjes.'

In de schaduw achter Blazaks garage stond een Bentley ter grootte van een olietanker geparkeerd. De chauffeur zat te dutten toen wij onze auto naast de zijne zetten. Hij pakte een gsm en toetste een nummer in.

'Ik denk dat Blazak zijn advocaat over de vloer heeft,' zei ik.

'Dat wordt nog interessant,' zei Birch. Toen sprak hij over zijn schouder tegen mij. 'Joe, niets zeggen, tenzij je iets gevraagd wordt.'

'Ik zal mijn mond houden.'

De wagen van de sheriff trok nog iets verder op en parkeerde met zijn neus naar de Bentley toe. Birch knikte naar de agenten en ging ons toen voor langs het spiegelende zwembad.

Blazak ving ons bij de voordeur op. Hij droeg jeans en een wit overhemd, met daaronder bootschoenen. Hij was gladgeschoren en zijn ogen stonden helder en er school geen greintje van schuld in. Hij schudde Birch en Ouderkirk de hand en wierp mij een blik vol walging toe.

We liepen dezelfde lichte woonkamer in waar de Blazaks en Bo mij voor het eerst hun ingewikkelde leugen hadden voorgeschoteld. Op de plek waar toen Bo Warren had gezeten, zat nu een wat oudere heer in een duur blauw pak. Zijn haar was wit. Zijn ogen waren blauw en hadden de open, twinkelende blik van een tweejarig kind.

Hij stond soepel op en stelde zichzelf voor als Adam Duessler. Hij schudde iedereen de hand, waarna hij weer ging zitten en zijn benen over elkaar sloeg. 'Jack heeft mij erbij geroepen om hem in deze situatie van advies te dienen,' zei hij. 'Ik heb hem geadviseerd om voorlopig te zwijgen, deels omdat ik nog bezig ben me in deze toestand te verdiepen. Ik begrijp trouwens ook niet goed wat jullie drieën hier komen doen. Dus ik zou zeggen, heren, steek van wal.'

Birch en Ouderkirk namen plaats op een van de crèmekleurige banken. Ik koos een stoel die iets terzijde stond, legde mijn hoed op mijn dij en vouwde mijn handen.

Birch leunde naar voren. 'Meneer Blazak is nog niet in staat van beschuldiging gesteld. Vreemd dat hij er nu al een advocaat bij heeft gehaald.'

'Dat is zijn goed recht,' zei Duessler.

'Zeker wel,' zei Birch. 'Ik kan mijn advocaat ook meenemen naar de wasserette, als ik dat wil. Maar het recht op rechtsbijstand geldt alleen de aangeklaagde.'

Birch liet dat even in de lucht hangen.

'We zijn onder de indruk van uw kennis van de procedures,' zei Duessler. 'Maar goed, gaat u verder.'

'Wij hebben bewijzen dat meneer Blazak op acht juni van dit jaar een jonge werkster genaamd Luria Blas heeft mishandeld. We hebben een ooggetuige. Maar voor we tot overijlde conclusies komen, wilden we eerst eens de uitleg van meneer Blazak zelf horen. Misschien dat wij niet zien wat we denken dat we zien.'

'Heel vriendelijk van u om ons dit voor te leggen,' zei Duessler.

'Dat doen we uit respect voor meneer Blazaks positie in de samenleving, en vanwege de nogal lugubere aard van het gebeurde.'

Even stilte.

'Meneer Blazak,' zei Birch. 'Wij hebben een videoband van u en mevrouw Blas in het gastenverblijf. Hij is opgenomen door uw dochter, Savannah, als onderdeel van een spelletje dat ze graag speelde. Hebt u die band gezien?'

'Meneer Blazak zal die vraag op dit moment nog niet beantwoorden, op mijn advies,' zei Duessler.

'We vragen alleen maar of hij die band heeft gezien,' zei Ouderkirk.

'Jack?' vroeg Duessler.

Blazak schudde zijn hoofd.

Birch pakte zijn opschrijfboekje en een pen. Blazak keek naar hem. Birch schreef iets op en keek toen Blazak aan. 'Heeft u Luria Blas in dienst gehad?'

'Meneer Blazak zal die vraag op dit moment nog niet beantwoorden, op mijn advies,' zei Duessler.

'Hij betaald u te veel om steeds maar weer hetzelfde te zeggen,' zei Ouderkirk.

'Daar zegt u wat,' zei Duessler. 'Luister eens, heren, mijn cliënt zal met plezier antwoord geven op deze en andere vragen, maar niet op dit moment. Wij tweeën hebben nog maar nauwelijks de tijd gehad om over deze kwestie te praten. Geef ons een week om wat grip op de materie te krijgen, en daarna spreken we elkaar weer. Ik zie absoluut niet in waarom we niet allemaal beter uit deze zaak tevoorschijn kunnen komen.'

Birch knikte en stond op. 'Wat vindt u daar zelf van, meneer Blazak? Neemt u bevelen aan van uw advocaat of zet u liever zelf een en ander recht.'

'Voorlopig doe ik het wel met zijn bevelen.'

'Het zou helpen als we bepaalde dingen uit uw eigen mond zouden horen.. U wilt toch niet dat wij onze informatie maar te hooi en te gras bij elkaar rapen?'

'U gaat het maar halen waar u wilt.'

'Goed, als u het zo wilt,' zei Birch.

'En nu mijn huis uit, stelletje armoedzaaiers.'

Birch en Ouderkirk keken elkaar aan. Er werd op dat moment iets gevraagd en direct beantwoord.

Birch schudde zijn hoofd. 'Meneer Blazak, u wordt gearresteerd wegens het aanvallen en mishandelen van Luria Blas. U hebt recht op een advocaat en u hebt het recht om te zwijgen. Alles wat u zegt, kan bij een eventuele rechtszaak tegen u gebruikt worden. Leg uw handen achter uw hoofd en draai u om.'

Blazaks gezicht liep rood aan.

'Heren, heren,' zei Duessler. 'Er is geen enkele reden mijn cliënt de handboeien om te doen, of zelfs maar om hem op dit moment te vervoeren. Weest u zo hoffelijk de heer Blazak de kans te geven zich morgenmiddag om twaalf uur vrijwillig te melden. U kunt hem toch moeilijk als vluchtgevaarlijk beschouwen.'

'Ik beschouw hem wel degelijk als zodanig,' zei Ouderkirk.

'Stelletje klootzakken,' zei Blazak.

'Wel redelijk blijven, Jack,' zei Duessler.

'Die knaap naaide de meid,' zei Ouderkirk. 'En vervolgens sloeg hij haar halfdood toen bleek dat ze zwanger was. Zo redelijk is uw cliënt, meneer Duessler.'

Birch deed hem de handboeien om en begeleidde hem naar buiten.

'Ik zie u in de rechtszaal,' zei Ouderkirk. 'Onze openbare aanklager lust uw cliënt rauw.'

Toen we omlaag reden naar de Pacific Coast Highway keek ik naar de in de lucht rondcirkelende haviken en de donkerder wordende hemel en de landhuizen waar de lichten aan gingen. Zaterdagavond in Newport Beach, een klein hoekje van het Paradijs voor een paar mensen op deze aarde.

Ik vroeg me af hoe een man alles in de wereld kon bezitten, behalve een beetje fatsoen en gezond verstand. Zijn huwelijk, zijn gezin, zijn reputatie, zijn zaak, ze zouden er allemaal onder lijden en misschien zelfs ineenstorten. Hij zou de gevangenis in gaan, misschien wel voor lange tijd. En dat allemaal omdat hij zijn penis belangrijker vond dan de rechten van een ander mens, hoe arm die ook was.

Hij zou een hoop geld hebben als hij weer vrijkwam. Dat was zo ongeveer het enige positieve in deze hele zaak.

Ik draaide me om en keek naar de auto van de sheriff die achter ons aankwam. Twaalf miljard dollar achter het veiligheidsglas van een Rolls en twee agenten die met zijn tweeën misschien honderdduizend per jaar verdienden, als ze tenminste elk overuurtje meepakten. Wat een vreem genoegen, dacht ik, om de machtigen te zien vallen. Ik probeer op de een of andere manier altijd in hen te geloven. Ze zouden beter moeten zijn dan wij, een stralender licht werpen, ons de weg tonen.

We passeerden het hek waar Miguel Domingo was gestorven omdat hij probeerde de eer van zijn zuster te verdedigen. Een vrouw die haar eer had verkwanseld voor een handjevol geld. Het enige wat ze terug had kunnen doen tegen de man die haar in elkaar had geslagen, was hem krabben. Een machete, een gepunte schroevendraaier en een vingernagel tegen de rijkste man van Orange County.

Miguel en Luria stonden op het punt alsnog te winnen, dacht ik.

Het had hen hun leven gekost, in een strijd die ze om te beginnen nooit hadden willen aangaan.

Wat voor winst was dat?

25

Ik belde die avond vanuit mijn huis naar Valeen Wample. Oma. Het verfrommelde stukje papier met haar nummer er op dat ik al die jaren in mijn portefeuille had bewaard, viel uit elkaar toen ik het openvouwde. De inkt was vervaagd tot de kleur van een bloedvat. Het kengetal kwam van ergens in de woestijn van Zuid-Californië. Ze nam bij de vijfde keer op.

'Ja?'

'U spreekt met Joe Trona.'

Even stilte. Ik hoorde op de achtergrond een tv en iets blazends – airconditioning of een ventilator.

'Ja?'

'De zoon van uw dochter, mevrouw.'

'Dat weet ik. Wat wil je?'

'Charlottes adres en telefoonnummer.'

'Ze is wat mij betreft al overleden.'

'Het laatste adres dat u bekend is, dan.'

'Waarom?'

'Het is voor mij belangrijk om met haar te praten.'

Weer stilte. 'Jij wilt Charlotte niet bellen.'

'Waarom niet?'

'Precies. Waarom wel?'

'Om wat dingen recht te zetten.'

'Ze is waardeloos, laf en harteloos. Om te beginnen.'

'Thor is niet mijn vader.'

'Wie zegt dat?'

'Thor. Charlotte heeft hem betaald om te verzwijgen waarom hij dat zoutzuur gegooid heeft.'

'Ach, allemaal gelul.'

'Dat mag dan zo zijn, mevrouw, maar Charlotte is de enige die opheldering kan verschaffen.'

Weer een pauze. Ik hoorde hoe ze de telefoon neerlegde. Tv. Ventilator. Toen was ze terug, met ijs dat rinkelde in een glas.

'Dit is een nummer van vijf jaar geleden. Ik belde haar toen voor wat geld. Ze gaf me niets. Sindsdien heb ik haar niet meer gebeld.'

Ze gaf me het telefoonnummer en een adres in een stadje genaamd Fallbrook, niet ver van San Diego.

'Waar woont u, mevrouw?'

'Bombay Beach. De ergste plek die je je maar kunt bedenken. Het gaat hier zo slecht dat we op de tv zijn geweest. Dode vis op het zand. Vogels die dood uit de lucht vallen vanwege het botulisme. De hele zomer boven de veertig graden. Schorpioenen en slangen. Echt een hellegat, maar ja, ik kan me nu eenmaal niets beters permitteren.'

'Ik zou u wat geld kunnen sturen.'

'Hoeveel?'

'Zou tienduizend helpen?'

'Vijftien zou nog beter helpen. Stuur maar gelijk hierheen, kleinzoon Joe. Ik kan elke cent gebruiken.'

Ze gaf me haar adres. Ik hoorde het ijs tinkelen. 'Ik had liever gezien dat je niet met haar ging praten. Ze is een rotte appel. Verpest alles wat met haar in aanraking komt.'

'Ik zal haar de groeten van u doen.'

'Laat dat.'

'Bedankt voor uw hulp.'

'Jij noemt het hulp. Ik noem het gewoon een stommiteit.'

'Nou ja, toch bedankt.'

'Is het nog een beetje goed gekomen met je gezicht?'

'Ik heb er wat littekens aan overgehouden.'

'Geen pretje allemaal. Neem een goede raad van mij aan. Zoek haar niet op. Hoe het ook met je is, zij zal het er nog slechter op maken. En haar achternaam is Falbo.'

Ik schreef een cheque uit voor vijftien mille. Mijn rekening was bijna leeg omdat die robijnen zoveel gekost hadden. Toen keek ik mijn verzameling wenskaarten van de Bond van Verlamde Veteranen door. Ik stuur hun elk jaar een vrijwillige bijdrage en krijg als dank daarvoor de wenskaarten. Ik vond er eentje met een katje met een kluwen wol erop, maar kon niets bedenken om er op te schrijven.

Dus reed ik naar de drugstore en keek in het kaartenrek. Ik wist niet precies wat een kleinzoon werd verondersteld van zijn grootmoeder te vinden, zeker niet van eentje die hij maar twee keer in zijn leven gesproken had. Ze leek me niet bepaald een aardige vrouw, maar je kunt iemand natuurlijk niet op twee telefoontjes beoordelen. Ik koos uiteindelijk een kaart met daarop iets wat op een gebreide trui leek. Er stond VOOR OMA op. Binnen in de kaart stond: *Ik moest weer even aan u denken, een heel speciaal iemand in mijn leven.*

Thuis schreef ik zelf nog 'Met respect en genegenheid' op de kaart, stopte de cheque erin en adresseerde de envelop. Vervolgens vermeldde ik op de achterkant ook nog mijn eigen adres en vroeg me af of ze terug zou schrijven.

Ik schonk een groot glas wodka met ijs in en nam dat mee naar de achtertuin. In het donker hoorde ik de eekhoorns over de elektriciteitskabel rennen. Als ze er vanaf vallen, zijn ze een prooi voor de katten. De sinaasappelboom verloor zo langzamerhand de laatste bloesem, maar de tuin rook nog steeds zoetig en aangenaam en dat deed me denken aan de eerste maanden in de Tustin Hills met Will en Mary Ann, omdat de citrusbomen daar ook in bloei stonden toen ik voor het eerst het huis van mijn dromen binnenliep.

Rick Birch belde me ongeveer twee minuten later. 'Pearlita heeft gepraat,' zei hij. 'Dent zei dat hij geen doodstraf voor Felix zou eisen als zij zou praten. Om eerlijk te zijn verwacht hij toch al niet dat hij dat door de jury krijgt, dus hij werpt haar een bot toe dat ze waarschijnlijk sowieso had gekregen. Maar goed, hier is Pearlita's identificatie van de passagier die op die bewuste avond bij Bo Warren in de auto zat – districtscontroleur van Orange County, tweede district, Dana Millbrae.'

De naam van een vrouw, Donna of Renee, maar misschien toch anders.'

Dana.

*

Ik belde Ray Flatley thuis op en verontschuldigde me oprecht dat ik dat deed.

'Geen probleem, Joe. Ik zat net wat van dat nieuwe album van Warren Zevon op de piano uit te proberen. Misschien een beetje rare jongen, maar hij is wel verschrikkelijk grappig. En die langzame nummers van hem zijn prachtig, om kippenvel van te krijgen.'

'Ik wil dat u me helpt een opname te maken.'

'Ik wist niet dat jij zong.'

'Geen muziek, meneer,' zei ik. 'Alleen maar een paar woorden.'

'Wiens woorden?'

'De mijne. Ik ga mezelf spelen. En u moet John Gaylen spelen.'

Een lange stilte. 'En wie krijgt dat staaltje politietoneel te horen?'

'Dat zult u nooit weten.'

'Wanneer wordt het weer vernietigd?'

'Morgenavond om tien uur. Ik overhandig u desgewenst een gesmolten propje tape, als u dat wilt, meneer.'

Weer even stilte voordat Flatleys diepe, resonerende antwoord kwam: 'Ah, Joe Trona, ik kan doen wat jij wilt. Wanneer wil je dat John Gaylen praat?'

'Nu direct.'

Hij gaf me zijn adres en hing op.

Tegen tienen was ik weer thuis. Ik zocht het telefoonnummer van Dana Millbrae op in Wills adressenboekje.

Millbrae nam zelf op. Ik zei dat we hoog nodig moesten praten en hij vroeg zelfs niet waarover.

'Bel mijn secretaresse maar voor een afspraak,' zei hij.

'Het moet iets sneller, meneer.'

'Politiezaken, Joe?'

Ik hoorde de angst in zijn stem. Het was voor mij onmogelijk om dat niet tegen hem te gebruiken. 'Ja.'

'Niet hier.'

'Wat dacht u van de Grove, over een uur?'

'Ik ben geen lid, en jij ook niet.'

'Laat dat maar aan mij over, meneer. U bent mijn gast.'

Ik hing op en belde Rex Sauers. Hij zei dat hij een loge voor ons zou reserveren.

Dana Millbrae liep wat stijfjes door de lounge van de Grove naar onze loge, zijn handen in zijn broekzakken en zijn blik omlaag. Een snel pak. Hij ging zitten en keek me aan. Hij had een jongensachtig gezicht en blond haar dat over zijn voorhoofd viel. USC, Stanford MBA. Dit was zijn eerste termijn als districtscontroleur en hij was vierendertig. Getrouwd, vier kinderen. Hij had me op Wills begrafenis verteld dat Wills heengaan voor hem voelde alsof hij een vader had verloren: Will had hem alles verteld wat hij moest weten als een van de zeven machtigste gekozen ambtenaren van het district.

We gaven elkaar een hand. Hij ging weer zitten en wierp eerst een blik op mij en daarna op de ober.

'Vind je het erg als ik rook?' vroeg hij.

Ik zei dat ik daar geen bezwaar tegen had. De ober kwam langs en Millbrae bestelde een dubbele Stolichnaya-martini met een schilletje citroen. Hij hield een aansteker bij zijn sigaar, bracht hem puffend tot leven en nam toen een flinke trek.

'Oké, zeg het maar,' zei hij.

'U en Bo Warren hebben de avond voor Will stierf John Gaylen ontmoet, op de parkeerplaats van de Bamboo 33. Ik wil weten waar jullie over gesproken hebben.'

Hij stond op en trok het gordijn dicht. Toen hij weer ging zitten, keek hij me onzeker aan.

'We hadden het erover hoe we Savannah Blazak terug konden krijgen.'

'Wat wist Gaylen van Savannah Blazak?'

'Hij had contact gehad met Alex. Ze hadden wel eens zaken met elkaar gedaan.'

'Wat zei Gaylen precies?'

Millbrae pufte en keek me eindelijk aan. 'Dat herinner ik me niet meer precies.'

'Geef me dan maar een globale samenvatting.'

De ober trok het gordijn opzij, zette Millbraes drankje op tafel en trok het gordijn weer achter zich dicht.

Millbrae nam een flinke slok, en toen nog een. 'Hij vertelde ons dat het goed met haar ging. Dat alles zou verlopen zoals gepland.'

'U en Bo Warren reden die avond helemaal naar de Bamboo 33, alleen om dat te horen?'

Hij knikte.

'Ik geloof u niet.'

'Vraag maar aan Bo. Zo is het gegaan.'

'Bo zei dat hij daar samen met Pearlita was.'

Millbrae schraapte zijn keel, met zijn vuist voor zijn mond. 'Nee. Ik was de passagier.'

'Ik waardeer uw eerlijkheid. Meneer Millbrae, ik zal heel openhartig tegen u zijn. Will wist dat u geld aannam van Rupaski, opdat u voor de aankoop van die tolweg zou stemmen. Will had jullie twee op de band staan, terwijl jullie het hadden over het ophalen van dat geld bij Windy Ridge. Maar ik neem aan dat Carl u dat allemaal al verteld heeft, is het niet?'

Hij knikte. Hij zag eruit als een schooljongen die betrapt was met een sigaret.

'Goed, Will had ook wat belastend materiaal tegen Jack Blazak. En misschien nog wel belastender materiaal tegen dominee Daniel Alter. Hij chanteerde u, zodat u tegen die tolweg zou stemmen. Hij chanteerde Daniel om wat geld van hem los te krijgen. Hij stond ook op het punt Blazak te chanteren. En hij had Carl Rupaski op elk gewenst moment hebben kunnen laten arresteren wegens omkoperij en samenzwering. Ik heb dit allemaal gedocumenteerd op een manier die een rechtszaak zou doorstaan. Komt het meeste hiervan u bekend voor?'

Millbrae knikte opnieuw. Op zijn slapen lag een dun filmpje zweet. Hij nam een flinke slok van de wodka en spoelde die weg met nog wat meer rook. 'Die...'

'Die wat?'

'Die klootzak had tegen iedereen wel iets.'

'Ja, dat klopt. En daarom hebben jullie John Gaylen erbij gehaald om hem uit de weg te ruimen.'

'Dat is absoluut niet waar.'

Zelfs in het gedempte licht van de loge kon ik zien dat Millbrae bloosde. Hij bleef maar om zich heen kijken, op zoek naar houvast, maar er was weinig houvast te vinden in een met gordijnen afgeschermde loge. Dus keek hij maar naar zijn sigaar.

'Wilt u misschien Gaylens versie van het gebeurde horen?'

Millbrae kreeg nog een diepere kleur. Hij nam weer een flinke slok. 'Nee.'

'Nou, luister toch maar even.'

Ik haalde een microrecorder uit mijn tas en speelde het bandje af dat Ray Flatley me had helpen maken.

IK: *Dus met wie sprak u als eerste over dat contract om Will Trona uit de weg te ruimen?*

LATLEY: *De eerst was Bo Warren. Pearlita bracht me met hem in contact. Daarna kwam Millbrae, de districtscontroleur. En dan was er nog een of andere klootzak, Carl of zo. En de vader van het meisje, Jack. Ik dacht dat ze met alle geweld dat meisje terug wilden. Maar wat ze vooral wilden, was iemand die Will Trona te grazen kon nemen. Millbrae was alleen maar de loopjongen. Ze noemden hem Millie, maakten geintjes over hem als hij er niet bij was.*

Ik zette de recorder uit, spoelde hem een stukje terug en keek toen Millbrae aan.

'We hebben hem vanochtend verhoord,' loog ik. 'Hij probeert jullie er met alle geweld bij te lappen. Dit bandje is ongeveer twaalf uur oud.'

Zijn gezicht was nu spierwit. Hij veegde met een hand het zweet van zijn voorhoofd en nam nog een trek van zijn sigaar. Hij keek naar zijn lege glas.

'Die stem kan best een imitatie zijn.'

'Uw advocaat moet maar een expert inhuren om dat aan te tonen.'

Ik stopte de recorder weer in Wills aktetas, schoof het gordijn open en liet de rook ontsnappen, waarna ik de ober riep en naar Millbrae's lege glas wees.

Een minuut later stond er opnieuw een dubbele martini voor hem op tafel. Hij nam een slok, keek me min of meer kwaadaardig aan en mompelde toen iets.

'Wat zei u daar, meneer Millbrae?'

'Ik zei dat jouw vader een verschrikkelijke klootzak was.'

Ik stak mijn hand uit en trok het gordijn weer dicht. Ik keek hem strak aan.

'Niet slaan,' zei hij. 'Ik weet best dat ik geen partij voor jou ben.'

'Dat zou van slechte manieren getuigen.'

'Ja. Zeker hier.' Hij nam nog een slok en keek naar zijn levenloze sigaar. 'Ga je me nu arresteren?'

'Dat hangt er vanaf wat u het volgende uur doet.'

'Misschien kunnen we iets regelen.'

'Ik luister.'

'Ik ben niet van plan om voor al die kerels op te draaien. Ik ben nog maar een groentje, ik weiger dat.'

'En in plaats daarvan zoekt u naar een manier om hen te laten vallen. Zodat Dana Millbrae nog iets hoger op de ladder kan stijgen. Waar hij zo dolgraag wil zijn.'

Hij keek me woedend aan en frummelde aan zijn sigaar. 'Ik weet hoe ik moet onderhandelen. Zij voor mij. Kun jij me buiten schot houden als ik dat doe?'

'Ik kan u deels buiten schot houden. Helemaal is niet mogelijk.'

'Ik ben dus gewoon de lul.'

'Ik zal u vertellen wat ik kan doen, meneer Millbrae. U vertelt me nu onmiddellijk de waarheid, en wel in dat apparaatje, en dan zal ik mijn uiterste best voor u doen. Gaylen zei dat u maar een loopjongen bent. Ik denk dat ook. En als u me genoeg munitie verstrekt om Blazak, Rupaski en Bo Warren aan te pakken, heb ik wat ik hebben wil. Zij hebben u gebruikt. Dat begrijp ik. Ik moet alleen precies weten waarom. En ik zal u nog iets vertellen. Als ik dit bandje voor die mannen afspeel, zullen ze allemaal u als de schuldige aanwijzen, en dan verdwijnt u voor heel lange tijd achter de tralies.'

'Dit is afschuwelijk. Het is verschrikkelijk.'

'Het is niks vergeleken met wat u met Will hebt gedaan.'

Millbrae probeerde iets van hardheid in zijn blik te leggen, maar het enige dat ik zag was een laffe man en een mislukt politicus. Zijn kin trilde.

'Ik ben de politiek ingestapt om het publiek te dienen. Echt, dat is de waarheid. En ik heb de mensen alleen maar verneukt, en mezelf ook.'

'U hebt voorkomen dat het district de tolweg overnam en zo Rupaski's vrienden nog rijker maakte.'

Hij glimlachte bitter en nam nog een slok.

'Met dank aan Will. In wiens kantoor bevond dat afluisterapparaat zich eigenlijk – in dat van mij of dat van Rupaski?'

'In dat van u. U overleeft het allemaal wel, meneer Millbrae. En wie weet? Als u mij kunt helpen om deze zaak rond te krijgen, kost het u misschien niet eens zoveel als wel zou moeten. Maar dat heeft u zelf ook al bedacht. U ruikt alweer de zoete geur van de overwinning in de beerput die u van uw leven gemaakt hebt.'

Hij stootte iets van een lach uit. Toen keek hij daadwerkelijk langs zijn neus naar mij. Ik vroeg me af op welke chique school hij dat had geleerd.

'Maar je zou wel eens van gedachten kunnen veranderen, Trona. Je zou me kunnen pakken wanneer dat jou maar uit zou komen. Je hebt mij in je zak, net zoals je vader iedereen die hij tegenkwam in zijn zak had. Dat wat ik gedaan heb, zal altijd als een zwaard boven mijn hoofd blijven hangen.'

'Dat klopt. Will is niet voor niets gestorven.'

Soms zie je achter de ogen van iemand anders iets voorbijtrekken, en je weet niet precies wat het is. En je begrijpt op zo'n moment dat je nog honderd jaar kan leven en het nog duizend keer kan zien, en dat je dan nog steeds niet weet wat het is. Ik zag zoiets op dat moment bij Millbrae.

'Ik heb gezien hoe jij in zijn auto rondrijdt,' zei hij. 'Ik zie hoe je met zijn aktetas rondsjouwt. En nu zit je hier in de Grove en maakt duistere afspraakjes met districtscontroleurs. Je begint al net als hij te worden. Volgens mij vind je het prachtig. Vierentwintig en je haalt je al dezelfde ellende op de hals als waar je vader een heel leven over heeft gedaan.'

'Die auto vind ik wel prettig, ja.'

'Ik heb een groene, zelfde model, maar met zeventien inch velgen.'

'Die grote wielen zijn er alleen maar voor het mooi. Ze doen afbreuk aan de besturing van de auto en ze verhogen ook nog eens het brandstofverbruik.'

Hij keek me aan en nam nog een slok. 'Haal dat stomme apparaatje maar tevoorschijn, Trona. Man... ik kan gewoon niet geloven wat er gebeurt. Ik ga nu uitvinden hoe goed ik ben in het indekken van mezelf.'

'Volgens mij bent u daar redelijk goed in, meneer Millbrae.'

'Het was een combinatie van dingen, Trona. Het was als de perfecte storm, wanneer drie meteorologische gebeurtenissen op hetzelfde moment plaatsvinden. Behalve dan dat het er geen drie waren, maar misschien wel twintig of honderd. Het leek wel of het door de geschiedenis bepaald was, of alles zich ineens tegen Will keerde. Ten eerste was er dat bandje dat Will tegen mij en Rupaski had. Ik had geen geld aan moeten nemen om mijn stemgedrag te beïnvloeden, maar ik heb dat nu eenmaal wel gedaan. Ik moest het schoolgeld van de kinderen betalen en ik had een flinke hypotheek en het salaris van een districtscontroleur is nu nu niet om over naar huis te schrijven. Maar het was verkeerd. En Will betrapte me – betrapte *ons*. Weet je, toen hij dat bandje voor mij afdraaide, op hetzelfde apparaatje dat jij nu gebruikt, was het alsof mijn hele leven op de vuilnisbelt lag. Ik was dood. Ik zou alles kwijt zijn waar ik voor had gewerkt als dat bandje in de verkeerde handen zou vallen.'

Millbrae zuchtte en keek naar de tafel.

'Wilt u misschien nog iets drinken, meneer Millbrae?'

'Ach, waarom ook niet.'

Ik gebaarde naar de ober. We zaten zwijgend te wachten tot hij de drankjes bracht en daarna schoof ik het gordijn weer dicht. Millbrae ging met het citroenschilletje langs de rand van zijn glas, liet het toen los en nam een slok.

'Carl was woedend. Natuurlijk was het mijn fout dat een van onze gesprekken was opgenomen. Carl had mijn stem nodig voor de aankoop van die tolweg, maar ik kon niets tegen Will uitrichten. Hij had ons klem, en wij wisten dat. Carl liet Will vervolgens door een paar van zijn mannetjes schaduwen, in de hoop dat ze hem ergens op konden betrappen. We wisten allemaal dat Will een zwak had voor de vrouwtjes, dus we hoopten iets te vinden waarmee we hem terug konden pakken. Carl liet zelfs een zendertje aanbrengen onder Wills

BMW, toen die voor onderhoud naar de TA-garage moest. Zo ontdekte Carl ook dat Will in contact stond met Savannah Blazak. Carl en ik gingen met Jack praten.

We kwamen die maandagavond allemaal bij elkaar, twee dagen voordat Will werd vermoord. Hier in de Grove. We biljartten wat, dronken wat en flirtten wat met de vrouwen die er waren. Maar we hadden het vooral over Will Trona en hoe hij het spel zo vuil kon spelen en er nog mee wegkwam ook. Jack stelde me voor aan Bo Warren en Warren suggereerde dat zelfs dominee Daniel Alter wat problemen met Will had. Het leek wel een omgekeerd liefdesfeest – al die mannen die elkaar toegaven hoeveel ze iemand haatten. Nee, geen haat, maar… angst. Ik bedoel, Will was altijd met dergelijke dingen bezig. Hij heeft zijn leven zo ongeveer gegeven aan het verzamelen van roddels en bekentenissen en gunsten en geld en dat allemaal om zijn eigen macht te vergroten. Hij was de Prins, man, zo uit Machiavelli gestapt. Maar toen begon het ineens nogal… serieus te worden. We hoorden die avond dat Jack die gangster, John Gaylen, had ingehuurd om zijn zoon de stuipen op het lijf te jagen. Jack was bezig om via Will een vette afkoopsom te betalen om zijn dochter terug te krijgen. Maar als het ogenblik kwam om Savannah op te pikken, wilde Jack er zeker van zijn dat Alex ook echt de schrik van zijn leven zou krijgen. Gaylen en zijn maten moesten het meisje opeisen, Alex doodsbang maken en het geld van Will aannemen en aan Jack teruggeven. Die jongen moest een lesje leren, weet je wel? Tegen een zekere prijs, natuurlijk.'

'Welke prijs?'

'Dat heeft Blazak nooit verteld. Dus wij staan hier te biljarten en toen zegt Bo Warren plotseling: "Waarom betalen we die Gaylen eigenlijk niet om Will eens flink aan te pakken? Misschien dat hij zich daarna wel tweemaal bedenkt om dergelijke trucjes met ons uit te halen." En dat zou betekenen dat Gaylen Alex helemaal niet in elkaar hoefde te slaan, want Will molesteren ten overstaan van hem en Savannah zou hem al voldoende angst aanjagen.'

Millbrae nam nog een slok. Hij pakte zijn gedoofde sigaar, stak hem opnieuw aan en ging in een wolk van grijsblauwe rook achterover zitten.

'Dat was het moment dat ik Carl aankeek, en Carl mij, en dat we elkaars gedachten konden lezen. En ik keek naar Warren en Blazak en ze zaten op dezelfde golflengte als Carl en ik. Dan Alter zat op dat moment te praten met zijn zogenaamde persoonlijke astrologe, een fantastisch mooie vrouw trouwens. Ze zullen het ongetwijfeld over God gehad hebben. Hij heeft dat moment dus gemist, maar wij niet. Niemand hoefde verder nog iets te zeggen, maar binnen vijf seconden was het aftuigen van Will veranderd in iets anders. En dat is precies het moment dat ik nee zei. Ik zei, reken niet op mij. En Carl zei dat Will een beetje stevig aanpakken hem prima leek en dat jij, stuk onbenul – daarmee bedoelde hij mij – het daar met John Gaylen over gaat hebben.'

Dat was Millbraes ontsnappingsclausule en ik liet het maar zo.

'Hoeveel hebben jullie hem geboden?'

'Negenduizend dollar.'

Ik weet niet of Dana Millbrae mijn ongeloof zag. Hij was dronken en bekende een samenzwering tot moord waarvan hij niet wilde toegeven dat het er eentje was, dus het kon best dat hij niet helemaal bij de les was. En ik had me ook niet moeten verbazen. Ik weet van huurmoorden die voor ergens tussen de drie- en tienduizend dollar worden uitgevoerd. Maar alleen al het idee dat Wills leven voor negenduizend dollar kon worden gekocht, bracht alles in één keer bij me naar boven: de walgelijkheid en kleinzieligheid van wat deze mannen hadden gedaan, hun hebzucht en hun lafheid, hun arrogantie. Ik kon maar niet het beeld van me afschudden van Daniel Alter die met zijn astrologe naar boven ging terwijl zijn vrienden de moord op mijn vader beraamden. Voeg bij het lijstje ook nog maar domheid en ijdelheid en begeerte.

'En je moet goed begrijpen, Trona, dat die negen mille bedoeld waren om Will af te tuigen.'

'Hem af te tuigen? Waren dat uw woorden tegen Gaylen?'

'Ja, en hij zei: wat betekent dat? Wat wil je dat ik precies doe?'

'En ik zei: Zijn knie breken, want daar hebben ze het in de film altijd over. En breek ook nog maar een paar ribben. Maar blijf van zijn gezicht en tanden af, zei ik, want dat leek me wel erg ver gaan.'

'Heel attent van u.'

Hij keek me even aan, maar wendde toen zijn blik weer af. Hij slaakte een luide zucht en dronk nog wat. Waarna hij weer een grote blauwe rookwolk uitblies.

'Meneer Millbrae, hoe en wanneer werd Gaylens werk opgewaardeerd tot moord?'

'Dat weet ik niet. Ik wist niet dat het die kant opging. Dat idee kwam niet van mij. Totaal niet. Niemand heeft ook iets over een moord gezegd.'

'Gaylen heeft het nooit over een pak slaag gehad. Voor hem was het gewoon een huurmoord.'

'Het woord moord is nooit gebruikt.'

'Nee. Mannen hier in de Grove gebruiken dergelijke woorden niet.'

Millbrae bracht het glas naar zijn mond en goot het laatste beetje martini naar binnen. Zijn ogen gingen iets verder open en hij veegde met zijn hand over zijn gezicht. Zijn sluike haar was vochtig en kleefde tegen zijn voorhoofd.

'Ik wist het niet.'

Ik keek hem aan, maar zei niets.

Hij wendde zijn blik af. 'Was dat het?'

'Ja, het is afgelopen.'

'Afgelopen?'

'Voor dit moment.'

'O, ja. Afgelopen, voor dit moment.'

Ik reed die avond lang en hard, eerst over de 241 en vervolgens over de 91, de 55 en de 5 en de 133 en daarna weer de 241, via de 261 terug naar de 5 en over de 405 naar Jamboree naar de Pacific Coast Highway, vandaar terug naar de 55 richting 91, richting huis.

Tijdens die met open ramen afgelegde dollemansrit met tweehondertwintig kilometer per uur dacht ik na over Wills leven, dat was verkwanseld voor een bedrag dat voor een rijk man niet meer dan een fooi was. En ik dacht aan wat hij die laatste avond had gezegd: *Iedereen*, en ik besefte nu dat hij me toen probeerde te vertellen wie het had gedaan, dat iedereen het had gedaan. Will wist dat al. En ik dacht ook aan wat Millie had gezegd over de geschiedenis die zich tegen Will had gekeerd, hoe een tiental kwesties stilletjes met elkaar samenspanden om ten slotte te leiden tot die kogels in zijn lichaam: de Blazaks en Bo Warren, dominee Daniel Alter en Luria Blas, Gaylen en Alex, Jaime en Miguel Domingo, Pearlita en Jennifer, Rupaski en Millbrae. Joe Trona zelfs. Joe, die het had moeten zien aankomen, die het verraad op die mistige avond had moeten ruiken, die zich had moeten afvragen wat dat zweet in zijn handpalmen betekende, dat prikken van zijn litteken, die had moeten luisteren naar de waarschuwende stem diep in zijn binnenste.

Iedereen.

Ik haalde ergens een hamburger en stond een tijdje geparkeerd voor het appartement van June Dauer. Ik ging niet naar binnen. Ik at. Ik keek naar haar ramen en haar deur en wist eigenlijk niet waarom ik daar was, behalve dan dat Het Onbekende Iets me hier had teruggebracht, zoals Will me al had voorspeld. Ik wilde gedoopt worden, maar dat was een beetje moeilijk te verwezenlijken, tenzij ik dominee Alter van zijn bed lichtte en hem dwong naar de Kapel van het Licht te gaan. Ik zag dominee Daniel weer voor me in de Grove, pratend met een prachtige astrologe terwijl de bureaucraten en grootindustriëlen de moord op Will regelden. Als ik een oude meester was geweest, had ik het tafereel geschilderd. Ik dacht niet dat een doop door hem veel zou helpen.

Ik dwong mezelf tot kalmte, legde mijn hoed op de stoel naast me en liet mijn hoofd tegen de hoofdsteun rusten. Ik keek naar het appartement en de elektriciteitsdraden en de sterren.

Ik sloot mijn ogen en haalde me het beeld van June voor de geest. En die eerste dag dat ik mijn nieuwe huis in de Tustin-heuvels binnenging, het zonlicht dat op de rode hibiscus en de witte rozen in de tuin van de Trona's viel.

Ik zag Shag voor me, die met het laatste restje van zijn kudde van de prairie het koude Yellowstone in trok, om te vluchten voor de mannen die hadden geprobeerd hen uit te roeien. De sneeuw lag als poeder op hun afhangende manen en hun ogen waren klein, fel en vol leven.

Om half drie ging mijn gsm.

'Met je oude vriend Bo.'

Ik zei niets.

‘Er zit beweging in, Joe.’

‘Waarin?’

‘Ik heb met Millbrae gepraat. En daarna heb ik met de anderen gepraat, je weet wel wie, en we hebben een oplossing gevonden. Er zit behoorlijk wat geld aan vast.’

‘Ik ben niet geïnteresseerd.’

‘Niet zo haastig. Denk eens aan wat dat bandje waard is.’

Ik hing op en dacht er ongeveer vijf minuten over na. Ik sloot mijn ogen weer.

Het volgende dat ik merkte, was dat het uren later was en dat de eerste zonnestralen via de achteruitkijkspiegel in mijn ogen weerkaatsten.

26

Vroeg de volgende ochtend speelde ik het bandje met Millbraes verklaring af voor Birch, Ouderkirk en Phil Dent. Er volgde een lange stilte toen het bandje afgelopen was.

Birch mompelde: '*Wow.*'

Dent begon te ijsberen, zijn blik op de vloer gericht.

Ouderkirk lachte. 'Waardeloze klootzakken,' zei hij. 'Laten we hen stuk voor stuk oppakken wegens moord en samenzwering tot moord. Dat betekent de doodstraf voor hen.'

'Ho even,' zei Dent. 'We moeten dit wel goed aanpakken. Joe, wil jij ons vertellen hoe je hem aan de praat hebt gekregen?'

Dat deed ik. Ik was wat vaag over het 'Gaylen'-bandje en de naam van Joe Flatley verzweeg ik al helemaal, maar ik suggereerde wel dat ik wat bewijsmateriaal had 'geïmproviseerd' om Millbrae zijn verklaring te ontlokken. Ik vertelde hem ook dat ik wat aan de 'chronologie van ons gesprek met Gaylen had gesleuteld'. En ik zei dat ik Millbrae nooit heb voorgehouden dat het bewijsmateriaal echt was.

'Je hebt geïmproviseerd en aan de chronologie gesleuteld? Je praat als een advocaat,' zei Ouderkirk. Hij wendde zich tot de openbare aanklager. 'Ik bedoel dat als een compliment, Phil.'

'Bedankt, Harmon,' zei Dent. 'Bij een samenzwering moet je altijd proberen eentje van de groep te isoleren. Als dat lukt, ben je een goudhaantje. Dan kun je de rest als partjes van een sinaasappel afpellen, hen stuk voor stuk uitproberen en hen tot de laatste hap verslinden.'

'Ik heb meneer Millbrae laten doorschemeren dat hij beloond zou kunnen worden als hij zo behulpzaam bleef,' zei ik. 'Ik heb hem niet letterlijk iets beloofd.'

'Luister eens,' zei Birch. 'Dit is ruim voldoende om Rupaski, Blazak en Warren te verhoren. Zelfs Alter, als we dat zouden willen. Blazak krijgt het nu van twee kanten op zich af, met die aanranding van Blas. En zodra een van hen denkt dat een van de anderen doorslaat, gaat hij zelf ook praten. Dat heb ik al zo vaak zien gebeuren.'

'Gaylen is de sleutel,' zei Dent. 'Gaylen kan een van hen of hen allemaal aanwijzen als degenen die hem hebben ingehuurd. Dat is het enige dat ze nooit zullen toegeven. Ze zullen allemaal doen wat Millbrae deed – zeggen dat het één groot misverstand was en dat Gaylen te ver ging en dat Joe hier hen nogal overviel en dan hebben we een jury die wij moeten doen geloven dat enkele politici en een van de rijkste mannen van Amerika moordenaars zijn. Dat zal op die manier nog niet meevallen. We beginnen bij Gaylen. Ik denk dat we voldoende tegen hem hebben voor een voorwaardelijke hechtenis. Arresteer hem. Ik zorg voor het gerechtelijk bevel. Joe, wat ik van jou nodig heb, zijn een paar velletjes papier met alles wat jij tegen Gaylen kunt inbrengen, plus een afschrift van Millbraes verklaring.

'U heeft het over een uur.'

'We zijn twee dagen geleden opgehouden met het in de gaten houden van Gaylen,' zei Birch. 'Maar we hebben hem snel genoeg weer te pakken.' Hij pakte de telefoon.

Dent bleef ijsberen. Ouderkirk maakte met zijn zakmes een vingernagel schoon.

'Je hebt goed werk verricht, Joe,' zei hij. 'Je wordt nog eens een goede politieman.'

'Ja,' zei Birch, die me over de hoorn van de telefoon aankeek.

'We zullen zien,' zei Dent. 'Ik wil jullie feestje niet vergallen, maar we hebben nog een flinke weg te gaan van een bekentenis onder twijfelachtige omstandigheden tot een veroordeling wegens moord.'

'Daar hebben we jou nou net voor,' zei Ouderkirk.

Birch vroeg om de commandant van de patrouilledienst.

'Rick, zeg wel tegen hem dat ze voorzichtig moeten zijn met Gaylen,' zei Ouderkirk. 'Dat soort griezels heeft gewoon een zesde zintuig voor gevaar. En dan worden ze zo link als een ratelslang.'

'Benader hem omzichtig,' zei Birch tegen de patrouillecommandant. 'Beschouw hem als gewapend en levensgevaarlijk. Harmon, laten wij gaan kijken of hij ergens op een voor de hand liggende plek is, zoals thuis in bed. Begin aan dat rapport, Joe. En zorg ervoor dat het iets wordt wat een rechter graag zou willen lezen.'

Ik deed mijn best op dat rapport zoals ik nog nooit mijn best had gedaan. Ik beargumenteerde mijn verdenking jegens Gaylen, beschreef de lange weg die leidde van Savannah Blazak naar Millbrae, de bekentenis van Del Pritchard dat hij een zendertje onder Wills auto had gemonteerd. Een van Dents secretaresses typte een afschrift van Millbraes bekentenis uit, waarna ik de meest treffende passages nog eens onderstreepte. *Niemand hoefde verder nog iets te zeggen, maar binnen vijf seconden was het aftuigen van Will veranderd in iets anders.*

Phil Dent vroeg me enkele delen te herschrijven. Hij zei me dat ik uitgebreid moest omschrijven hoe ik John Gaylens stem herkende tijdens diens gesprek met Birch en Ouderkirk, maar dat ik niet te veel nadruk moest leggen op het feit dat ik hem niet positief kon identificeren als de moordenaar. Hij droeg me op een verwijzing naar mijn surveilleren bij Gaylens huis te schrappen. Hij vroeg me de zin 'bij een drankje' te schrappen in mijn weergave van mijn gesprek met Millbrae.

Toen hij het rapport voor een tweede keer had doorgelezen, keek hij naar me op en knikte. 'Zet je maar schrap,' zei hij. 'Er gaat heel wat over je heen komen. En wees voorzichtig met de pers. Als je te veel overkomt als een op wraak beluste zoon, zou dat in de rechtszaal tegen ons kunnen werken. Het zal al moeilijk genoeg zijn om Millbraes bekentenis als bewijsmateriaal aanvaard te krijgen. En als dat niet lukt, kunnen we het verder wel vergeten.'

Ik bracht de middag door in mijn oude huis in de Tustin Hills, waar ik wat dingen uit Wills klerenkast opruimde. Mary Ann kwam even langs en verdween weer, duidelijk van slag, niet in staat om langer dan een paar minuten in de ouderlijke slaapkamer te blijven, terwijl ik kostuums van hun kleerhangers haalde en ze op bed uitstalde. Sommige wilde ik voor mezelf houden. Met enige aanpassingen zou ik ze kunnen dragen. De andere besloot ik aan het Leger des Heils te schenken, waar Will altijd al zijn oude kleding had heengebracht.

'Joe, wil je een paar van de lichtgewichtpakken laten hangen, alsjeblieft. Ik vond hem die lichtere kleuren altijd goed staan. En de smoking achter in de kast, in die doorzichtige plastic zak – die was voor ons trouwen.'

Tranen welden op in haar ogen en ze liep snel de kamer uit, de schouders naar achteren en het hoofd omhoog.

Dominee Daniel kwam vroeg in de middag even langs. Ik had zijn preek van die ochtend gemist, omdat ik bezig was zijn vrienden achter de tralies te krijgen. Daniel zag er moe en versleten uit. Hij droeg zijn gebruikelijke broek en golfshirt en hij leek graag te willen helpen, maar was tegelijkertijd ook zo hulpeloos. Hij stond achter me toen ik met een paar schoenen Wills grote inloopkast uitkwam.

'Ik maak me zorgen over jou, Joe.'

'Het gaat al beter.'

'Houd je van reizen?'

'Als jongen hield ik van vakanties met het hele gezin. Mijn favoriete uitstapje was met zijn allen in het witte busje en dan naar het Versteende Woud in Arizona.'

'Dat klinkt fantastisch.'

'Je ziet een hoop tijdens de rit daar naar toe.'

Daniel nodigde me toen uit om met een speciaal gezelschap van de Kapel van het Licht het Heilige Land te bezoeken. Het was een twintigdaagse 'spirituele reis' met een verblijf in Egypte, sommige Griekse eilanden, Parijs, Rome en Londen.

'Ze vertrekken vanavond,' zei hij. 'Maar het enige dat je nodig hebt, is een paspoort. Voor de rest wordt allemaal gezorgd, Joe. Zie het maar als een geschenk aan jou van de Kapel van het Licht. De hele reis is eersteklas en in de beste hotels die we hebben kunnen vinden.'

Ik keek hem aan en deed een paar instappers in een doos.

'Dat kan ik niet doen.'

'Waarom niet?'

'Zaken, dominee.'

'Ik dacht dat je nog steeds met betaald verlof was, vanwege die schietpartij?'

'Dat is ook zo. Er zijn andere zaken.'

Hij glimlachte flauwtjes, zijn ogen enigszins vergroot door de dikke brillenglazen.

'Je mag trouwens ook een vriend meenemen naar het Heilige Land. Wie je maar wilt, Joe. Misschien wel die vrouw van de radio.'

Ik draaide me om en keek hem aan. Hij stond met een van Wills tweekleurige golfschoenen in zijn hand en ging met zijn vinger over de spikes.

'Wie heeft u dat verteld?'

'Niemand heeft mij iets verteld, Joe. Ik heb naar haar programma geluisterd! Jij vertelde in dat ene uur radio meer dan je mij in vijftien jaar verteld hebt. En ik was er blij om dat je haar over jezelf vertelde. Ik vond dat je heel open tegen haar was. Dat is alles. Misschien dat zij met je mee moet. Ze kan dan misschien wat interviews doen, er een werkvakantie van maken.'

'Nee.'

'Het is maar een aanbod, Joe.'

'Bedankt, meneer. Ik waardeer het zeer.'

Daniel bleef nog wat rondhangen terwijl ik de laatste schoenen en broekriemen inpakte. Hij zat op de zijkant van het bed van Will en Mary Ann, zijn benen over elkaar en zijn handen gevouwen op zijn dij.

'Herinner je je nog dat gesprek van ons over je vader die alles deed voor het hogere doel?'

'Ja, meneer.'

'Hoe hij altijd dacht dat hij daaraan werkte, hoe schadelijk of corrupt zijn daden soms ook waren? Hoe hij dacht dat fout en goed werden bepaald door de omstandigheden?'

'Hij heeft me daarmee opgevoed.'

'Begrijp je het ook?'

'Het is niet zo moeilijk te begrijpen. Het is moeilijker er naar te leven.'

'Mijn hele geloof, alles wat ik geleerd heb, zegt me dat Wills manier niet genoeg is.'

'U hebt God.'

'Ik heb nog maar een paar uur geleden lang en hard tot God gebeden. Omdat ik eerder vanochtend bepaalde dingen gehoord heb, Joe.

Verschrikkelijke dingen over goede mannen. En ik realiseerde me dat ik iets moest doen, al wist ik niet goed wat. Vandaar mijn gebeden tot God. Lange gebeden, Joe. Lang en vol vraagtekens.'

'Heeft u antwoorden gekregen?'

'Ja. Hij zei: Dominee Daniel, doe het juiste. En Hij zei: Dominee Daniel, zeg tegen Joe Trona dat hij het juiste moet doen.'

'We gaan ze allemaal aanpakken, meneer.'

Zijn gezicht was grijs, zijn gelaat uitdrukkingsloos. 'Dat kan ik begrijpen. Ik zou het zeer op prijs stellen als je mijn naam er zo lang mogelijk buiten houdt.'

'U was daar ook. U sprak met uw astrologe.'

Hij kreeg een kleur en wendde zijn blik af. 'Ja. En behalve die astrologe valt er niet veel over die avond te zeggen, wat mij betreft.'

'Uw naam zou genoemd kunnen worden, dominee. Het is aan het OM om dat te beslissen.'

Daniel stond op. 'En als mijn naam genoemd word, zal ik er ook eerlijk voor uitkomen. Ik heb altijd geprobeerd mijn leven op die manier te leven.'

Hij tuurde even uit het raam, slaakte een zucht en draaide zich weer naar mij om. Zijn stem was zacht en zijn ogen waren vochtig.

'Joe, mag ik je vragen iets te doen, als man in deze droeve en pijnlijke wereld. Laat het gaan. Dat is wat Will ook gedaan zou hebben. Leer ervan. Gebruik de kennis die je hebt vergaard om het goede te dienen. Je kunt zoveel goeds doen, Joe, als je je als een man onder de mannen gedraagt. Will heeft dit over zichzelf afgeroepen. Haal uit Wills offer iets goeds voor jezelf. Voor je familie. Voor je vrienden. Hij zou je dat ook aangeraden hebben. Ik weet het zeker.'

'Ik laat geen moordenaars lopen.'

'Straf hen, waar je maar kan. Straf hen als een man. Lever hen niet uit aan justitie. Dat zal al het goede dat hieruit kan voortkomen vernietigen. Al het goede waar jouw hart toe in staat is. Al het goede waar *hun* harten toe in staat zijn, als ze de kans krijgen. Het recht ziet alleen zichzelf. Dat kan alleen maar ellende op ellende stapelen, tragedie op tragedie. Jouw doelen overstijgen de wet. Wills doelen deden dat.'

'U doet me denken aan Lucifer in de bijbel.'

'Niemand heeft ooit zoiets kwetsends tegen mij gezegd. Niemand.'

'Volgens mij is het een goede vergelijking, meneer. En trouwens, u bent te laat. Een heleboel mensen weten inmiddels wat ik weet.'

Hij keek me aan en pakte me bij mijn schouders. Hij kneep en ik voelde zijn vingers trillen toen hij op de toppen van zijn kracht was.

'Joe, dit is de belangrijkste beslissing uit je nog jonge leven. Alles wat hierna volgt, hangt af van wat jij nu doet. Niet alleen voor jou, maar voor vele anderen. Als je je bedenkt, bel me dan alsjeblieft. Ik heb enige ideeën over hoe gerechtigheid kan geschieden, en hoe het goede kan prevaleren. Ik heb enige ideeën over hoe wij allemaal wijzer en beter uit deze tragedie tevoorschijn kunnen komen. Hoe Wills naam onbezoedeld kan blijven, waarbij er bovendien heel ruimhartig voor zijn familie gezorgd zal worden. Ik heb toezeggingen van mensen die daarvoor kunnen zorgen. Meneer Millbrae in het bijzonder zou heel graag terugkomen op zijn woorden en zijn herinnering. Deze mannen zijn bereid hun schatten en hun macht en hun loyaliteit met jou te delen. Ze leggen stuk voor stuk hun zonden aan de voeten van Jezus.'

'Zeg maar dat ze naar de hel kunnen lopen, meneer.'

'Ik heb dergelijke woorden nog nooit uit jouw mond gehoord.'

'Het is ook de eerste keer in mijn leven dat ik het hardop zeg. Maar ik waardeer de waarschuwing. En het gratis reisje naar het Heilige Land.'

June stond me toe om in het hokje van de producent plaats te nemen en naar haar programma te kijken. Ik had hetzelfde akelige voorgevoel als op de avond dat Will stierf, dat iets probeerde verkeerd te gaan. Ik voelde de pistolen op mijn lichaam. Het bijna-donker van de studio leek bedreigend, alsof zich in de schaduwen iets slechts verborg.

Maar June was tijdens de uitzending briljant en volkomen ontspannen. Ze praatte met een leraar van de zevende klas die twee jaar geleden door een van zijn leerlingen in het hoofd was geschoten. Hij was er met wat kleine verwondingen af gekomen. Hij sprak met begrip en vergevingsgezindheid over de jongen die op hem had geschoten. De leraar had sindsdien vele uren met de opgesloten jongen doorgebracht. Hij zei dat de jongen was veranderd en nu opgroeide als een prachtige boom geplant in armoedige grond. Ik vroeg me af of die leraar dichter bij God stond dan ik. Ik besloot van wel en ik was blij dat er mensen als hij bestonden, zeker als ze met jonge mensen werkten.

Toen Junes werkdag er opzat, pakte ik haar hand en bracht haar snel naar haar auto. Het was erg warm buiten en de lucht was smerig en drukkend. Ik hield een oogje op de heggen en struiken op de campus en op de auto's op de parkeerplaats.

Een zwarte Mercedes met getinte ramen reed de parkeerplaats op en ging enigzins scheef op een vrije plek staan.

'Is het wel goed met je, Joe?'

'Ik kijk alleen maar om me heen.'

Een vrouw stapte uit de Mercedes, deed toen een achterportier open en begon een baby uit haar stoeltje los te maken.

'Wat is er aan de hand?'

'Stap alsjeblieft in je auto. Zet de motor en de airco aan.'

Ze keek me even aan, maar deed wat ik vroeg. Ik ging op de stoel naast haar zitten en voelde de hete lucht uit de ventilatiekleppen komen.

'Praat tegen me, Joe.'

'Ik heb een hotelkamer voor je geregeld. Een heel mooie, een suite noemden ze het, aan het strand in Laguna. Ik zou me een stuk prettiger voelen als jij daar een paar dagen introk. Bepaalde mensen weten van jou en mij. Er staan dingen te gebeuren en ik wil niet dat die jou overkomen.'

'Shit, Joe, meen je dat?'

'Ja.'

'Ben jij daar ook?'

'Nee.'

Ze keek me lang aan. Ik zag haar krullen bewegen in de rondwervelende lucht en zag het vocht op haar slapen. Haar ogen waren donker. Ik boog me naar haar toe om haar te kussen, maar ze wendde zich van me af.

'Ben ik in gevaar?'

'Dat denk ik niet. Ik maak me alleen maar zorgen om jou.'
Ze raakte mijn goede oor aan. De airco werd langzaamaan kouder en ik voelde het zweet op mijn gezicht prikken.
'Maar je maakt je wel zoveel zorgen dat je mij in een hotelkamer wilt hebben.'
'Het is maar voor twee dagen.' Ik bleef de parkeerplaats in de gaten houden, de auto's op de boulevard, de mensen op het trottoir. Ik voelde me één groot oog met een paar oren er aan. Ik was me bewust van mijn handen en mijn pistolen en waar de deurkruk zat en hoe lang het zou duren om June omlaag te duwen.
'Dit is een van de liefste dingen die een jongen ooit voor me heeft gedaan. Het past bij bloemen en bonbons en chocolaatjes en twee miljoen robijnen bij een eerste afspraakje.'
'Het is voor je eigen veiligheid.'
'Ja, dat weet ik. Ik moet naar huis, wat spullen ophalen.'
'Ik volg je als je het niet erg vindt.'
Ze zuchtte en schudde haar hoofd. Toen legde ze haar hand op mijn kin en draaide mijn hoofd in haar richting. Ze trok me omlaag in een kus die één minuut en veertig seconden duurde, zo zag ik op haar dashboardklokje.
'Die verdomde airco slaagt er niet in me enige verkoeling te bezorgen als jij in mijn buurt bent, Joe.'
'Misschien heb je te weinig koelvloeistof.'
Ze schudde haar hoofd en ik controleerde nog een keer de parkeerplaats en de straat voordat ik uitstapte, het portier op slot deed en het dichtgooide.

Ik begeleidde June naar haar appartement, controleerde of alle deuren en ramen dicht waren en wachtte toen buiten bij mijn auto. Geen ongewenst gezelschap, zo te zien. Ik ging de trap weer op en we vreeën met elkaar voor ze haar koffer pakte, en daarna nog een keer. Mijn hart was zo vol dat ik het in mijn hele lichaam voelde kloppen. En ik kon haar hart ook voelen. Het was net of we één en hetzelfde dier waren – een warrig, onpraktisch wezen, maar wel een compleet wezen. Ik vertelde haar tussen de twintig en de dertig keer dat ik van haar hield. Bij de achttiende keer raakte ik de tel kwijt omdat June toen hijgde en schokte en met haar vingernagels zo hard in mijn rug klauwde dat ik op een mondvol van haar krullen moest bijten om het niet uit te schreeuwen.

De suite in de Surf and Sand was groter dan mijn huis en had een veel mooier uitzicht en meubilair. Als je door het raam keek, zag je de oceaan glanzen. De lucht erboven was egaal, met bovenin wat wolken, een vaag blauw in het midden en donkerblauw aan de horizon. Als je de patio opliep en omlaag keek naar het strand, zag je kinderen spelen en surfers die op het punt stonden de golven te berijden.

Ik controleerde de deuren en de vergrendeling en de telefoonlijn naar de hotelbewaking. Vervolgens verzekerde ik me ervan dat de manager – een bekende van mij, dankzij Will – wist dat ze was ingeschreven. Hij was zo vriendelijk geweest om June tussen een pasgetrouwd stel en een gezin met twee kinderen in te zetten. Ik legde een leuke kleine Browning .22 op tafel, maar June werd bleek toen ze die zag. Ik pakte hem weer op en vergat verder de wapeninstructie maar.

We bedreven opnieuw de liefde en het was nu een trager, ander soort vrijen dan daarvoor. Het kwam bij me op dat we deze dingen misschien nooit meer zouden voelen en zij zei dat ze hetzelfde dacht. Ze huilde in mijn armen. Ik had nog nooit andermans tranen op mijn litteken gevoeld en het was een vreemde gewaarwording. Alsof je werd gedept met iets wat tegelijkertijd warm en koel was, zoals massageolie. Ik zei tegen haar dat als dit allemaal voorbij was en ik dacht dat ze weer veilig was, we misschien op vakantie konden gaan. Ze lachte, maar ik vroeg niet waarom, want we waren weer twee afzonderlijke dieren en het werd tijd om te vertrekken.

Eenmaal thuis belde ik Birch. Hij zei dat Dent morgen Jack Blazak zou aanklagen wegens samenzwering tot moord, om vervolgens het verhaal naar de media te laten lekken in de hoop dat dit bij Bo Warren en Rupaski iets los zou maken. Birch was van plan Rupaski en Warren een dag of twee te laten bungelen alvorens hen beiden te verhoren over de moord op Will. Savannah sliep veel in Hillview en ze had nog wat details toegevoegd aan haar verhaal over de ontvoering. De directeur van Hillview had een bezoek van haar moeder toegestaan, zij het onder begeleiding. Birch zei dat Savannah in tranen was uitgebarsten toen Lorna de bezoekersruimte binnenkwam. Alex Blazak zat nog steeds in de gevangenis en Dents kantoor was van plan de volgende dag de aanklacht tegen hem hard te maken, tenzij hij een stuk meer medewerking verleende dan hij tot nu toe getoond had. Pearlita had twee gevangenisbewaarders aangevallen en kreeg een dosis pepperspray in haar gezicht. Birch en Ouderkirk waren naar Gaylens huis gegaan om hem te arresteren, maar troffen het leeg aan.

'Geen auto, weinig kleding, weinig persoonlijke bezittingen,' zei Birch. 'De thermostaat stond uit en in de brievenbus lag post van drie dagen. Geen telefoon. Geen antwoordapparaat. Hij is verdwenen. Maar we hebben twee man bij zijn huis geposteerd, vierentwintig uur per dag, voor het geval hij terugkomt voor zijn tandenborstel.'

'Heeft niemand in de Bamboo 33 hem gezien?'

'Die praten niet met mensen zoals ik. Joe? Pas een beetje op jezelf. Als deze mensen Will konden laten vermoorden, zijn ze daar bij jou ook toe in staat.'

Ik zat in mijn verduisterde huis met een twaalfschots Remington 1100 op schoot en keek half en half naar een romantische komedie. Ik belde June en we praatten een uur en een kwartier met elkaar. Ze zei dat de zonsondergang vanaf de patio echt ongelooflijk was geweest en dat het diner van de room service het beste was dat ze ooit had gegeten. De martini had haar een beetje dizzy gemaakt.

'Ik draaf misschien een beetje door, Joe, maar ik moest er ineens aan denken hoeveel ik van je hou en hoezeer ik je mis en dat ik met je wil trouwen en je kinderen wil geven, nadat we eerst een paar jaar wat rondneuken en plezier maken.'

'Oké.'

'Dat ging makkelijk.'

'En *Real Live* dan?'

'Dat blijf ik doen zolang ik kan. Het is simpel en leuk. Ik bedoel, ik hoef alleen maar te praten.'

Ik keek rond in mijn kleine huis, naar het simpele meubilair dat flikkerde in het licht van de tv, en stelde me voor dat June Dauer hier woonde.

'Hier is anders geen room service,' zei ik, terwijl ik met mijn vinger over de glanzende kolf van de Remington streek.

'We verkopen allebei ons huis en stoppen het geld in iets groters. Ik moet je wel vertellen dat, ook al gedragen we ons als konijnen, ik toch af en toe wat ruimte en privacy nodig heb.'

'Ja, ik ook.'

We zwegen even. Ik luisterde naar haar ademhaling. Ik hoorde de golven op het strand slaan.

'Dit is June Dauer,' fluisterde ze. 'Die zegt dat jij het echte leven vertegenwoordigt. Als je niet gelukkig kunt zijn, heb dan in ieder geval vrede.'

'Ik zou graag allebei willen,' fluisterde ik terug.

Enige tijd later hingen we op.

Tegen tienen belde Bridget Andersen. Haar stem klonk zacht en laag. Angstig.

'Millie kwam vandaag pas laat op kantoor,' zei ze. 'Hij zag eruit alsof hij een zware nacht achter de rug had. Hij was veel aan de telefoon, met de deur dicht. Hij voerde lange gesprekken met Carl Rupaski en iemand die Warren en nog wat of nog wat en Warren heette en ik heb het allemaal op de band staan. Details over de avond dat Will stierf. Iets over een knaap die John Gaylen heet. Ze hadden het ook over jou, Joe – dat jij de enige was die alles op een rijtje had wat betreft Wills moord. Ze hadden het erover om jou uit de weg te ruimen. Ze hadden het over iets wat Millie tegen jou gezegd had en wat hij weer moest herroepen. Hij zei dat hij zou beweren dat het allemaal gelul was, bedoeld om zichzelf in te dekken. Ze hadden het over mij en die eerste bandopname – ze denken dat ik Will hielp. Ze hadden het erover mij de mond te snoeren, maar ik weet niet zeker of dat mijn ontslag betekent of mijn dood. Ik ben op de gebruikelijke tijd naar huis gegaan en een witte Impala volgde me naar de supermarkt, volgde me naar de fitnessclub, volgde me naar huis. Carls loopjongens. Ze parkeerden twee huizen van mij vandaan aan de overkant van de straat. Alsof ik hen zo niet in de gaten zou hebben.'

'Ik dacht dat u die recorder had verwijderd?'

'Toen Will werd vermoord, heb ik hem weer geïnstalleerd.'

'Gaat het een beetje?'

'Ja. Natuurlijk.'

'Waar is dat cassettebandje?'

'In een kast.'

'Blijf thuis.'

'Maak je daar maar geen zorgen over.'

Ze gaf me haar adres en hing op. Ik zette het geweer in een hoek. Ik belde Rick Birch om te zeggen waar ik heenging en waarom. Toen trok ik mijn jasje aan, sloot mijn huis af en vertrok.

Ik reed achteruit de oprit af en moest op mijn remmen gaan staan om niet tegen Bo Warrens roodwitte Corvette op te knallen.

Ik stapte uit en hij stapte uit.

'Kijk een beetje uit waar je rijdt, Joe!'

Vier mannen in lange jassen doken uit de duisternis rechts van mij op, de wapens in de aanslag en op mijn borst gericht. Ze sloten me in en het staal van de lopen drukte hard in mijn vlees. Ze ontdeden me van een van mijn .45's en mijn enkel-.32. Een witte Impala trok op tot vlak achter Warrens Corvette. John Gaylen stapte uit.

'Ah, Joe Trona. We moeten praten.'

27

Ze dwongen me voorwaarts, de witte Impala in – op de achterbank, in het midden. Twee van hen gingen aan weerskanten van me zitten. De man rechts pakte een touw van de vloer, legde de lus over mijn hoofd en trok hem strak aan. Ik hoorde de voetstappen van de anderen terwijl ze snel door het duister naar een andere auto renden. De autodeuren gingen met een klik op slot. Carl Rupaski zat op de passagiersstoel voorin en draaide zich naar me om. Bo Warrens Corvette reed grommend de rustige straat uit en Gaylen stuurde de Impala er achter aan.

Eau de toilette. Zoetigheid. Geweerolie.

'Heel dom van je om dergelijke spelletjes met mij te spelen,' zei Rupaski. 'Ik bied je de wereld aan en je pist erop. Nou, dit is dan je beloning.'

'Wat heeft Bridget gekregen?'

'Acteerlessen,' zei Rupaski. 'Ik heb haar script geschreven en dat hebben we gerepeteerd. Ik dacht wel dat jij halsoverkop achter dat zogenaamde bandje aan zou gaan. Dat telefoontje kwam tweehonderd meter van jouw voordeur vandaan.'

'Waar is ze nu?'

'In de kofferbak, met plakband over haar lippen.'

Gaylen reed in oostelijke richting de 91 op en hij reed hard. Vlak bij de districtsgrens schoot hij tolweg 241 op. Op het lange stuk naar Windy Ridge keek ik naar de sterren die twinkelden boven de donkere heuvels en voelde ik het gewicht van de automatische .45 die ze vergeten waren me af te nemen. Niemand verwacht er drie. Rechterkant, dus trekken met links. Zeven schoten.

De man rechts van mij liet zijn revolver op zijn heup rusten en hij had het uiteinde van het touw drie keer om zijn linkervuist gewikkeld. De man links van mij drukte een geweer met afgezaagde loop tegen mijn nieren. Hij porde er wat harder mee en keek me met een uitdagende glimlach aan.

Rupaski draaide zich opnieuw om. In het vage licht was zijn gezicht geëtst in zwart en grijs. Onder zijn borstelige wenkbrauwen kon ik zijn gierenogen zien, klein en glinsterend.

'Ze komen geen meter verder met die bekentenissen van Millie,' zei hij. 'Jij hebt op de een of andere manier Gaylens stem nagebootst en Gaylen zelf zal dat getuigen. We hebben de zaak dus stevig in handen, Joe. Ik en Jack en Millie en John hier. Met jou als de inmiddels ontbrekende schakel blijft er niets over. Birch kan ons vragen stellen tot hij een ons weegt, maar hij krijgt slechts de antwoorden die wij willen geven.'

'Hij vindt wel een manier.'

'Hij is ouder dan ik. We schudden meewarig ons hoofd en schudden wat handen als ze hem ten grave dragen.'

Ik zag de lichten van de tolpoort bij Windy Ridge nu voor me. Het was mijlen in de omtrek het enige licht. Het was in alle richtingen pikkedonker, tot helemaal aan de sterren aan toe.

'Die ventweg komt eraan, John,' zei Rupaski. 'Net voorbij dat bord daar.'

'Ik weet het.'

Gaylen reed nog steeds plankgas, remde toen hard en stuurde de auto de berm in. Ik hoorde gravel en zand tegen het chassis slaan en voelde de banden grip krijgen. Een paar meter voorbij het bord reed hij zachtjes over een lage betonnen rand, door een openstaand hek in een afrastering van harmonicagaas dat vol zat met losgewaaide struiken, een onverharde ventweg op. Hij maakte een scherpe bocht naar rechts, deed zijn koplampen uit en reed zachtjes achteruit in de richting van waar we gekomen waren.

Honderd meter. Tweehonderd. Toen sloeg Gaylen linksaf en volgde de onverharde weg die hier zacht hellend omhoogliep. Ik zag het stof opwarrelen in het schijnsel van de bleek oranje dashboardverlichting. De heuvels waren inktzwart en je kon alleen aan de sterren zien waar ze ophielden. Ik keek omlaag naar de tolweg en zag de auto's achter hun koplampen aan rijden. Op dat moment bereikten we het hoogste punt en gingen weer omlaag. Toen we eenmaal over de top heen waren, zag ik alleen nog maar zwarte heuvels en een vage vallei van licht waar de weg er doorheen sneed.

'Je kunt nu de koplampen wel weer aan doen,' zei Rupaski. 'Voorbij de watertank linksaf.'

De alsem en wilde boekweit zagen er zilverkleurig uit in de koplampen. Het droge gras leek wel van goud. Het huiverde in de wind, stond vervolgens onbeweeglijk stil en huiverde weer.

Een ogenblik later kwam de watertank in zicht, een van die grote waarmee ze de watertrucks van de OCTA vullen. Het OCTA-embleem stond op de zijkant. Gaylen sloeg linksaf en de weg werd nu slechter.

Weer een heuvel over en vervolgens omlaag, een grazige vlakte in. Ik wist dat het een vlakte was omdat de sterren hier lager stonden en de bries zwakker was. De weg veranderde in een wasbord en de grote Impala-schokbrekers vingen de klappen op. Steentjes ketsten tegen de onderkant en zand schuurde langs de carrosserie.

'Ik zal je iets leuks vertellen, Joe,' zei Rupaski. 'Ik ben vannacht al hier geweest, nadat Millie had gebeld – dat moet om ongeveer drie uur geweest zijn. Donker. Stil. Maar ik heb een van de bulldozers tot leven gewekt en ben daarmee deze weg opgereden. Ik verdiende vroeger mijn vakantiegeld door voor mijn ouweheer zo'n ding te besturen. Prachtig vond ik het. Maar goed, ik kom hier deze vlakte op en ik laat dat oude, getande blad zakken en raad eens wat ik toen heb gedaan?'

'U hebt een graf voor mij gegraven.'

'Precies. Het is ongeveer drie meter diep en ietsje breder dan je schouders. Je hebt de lieftallige Bridget om je gezelschap te houden. Je zult het dus niet koud krijgen.'

De man links van mij lachte en drukte zijn geweer nog eens extra hard in mijn zij. 'Volgens mij moeten we hem levend begraven.'

'Houd je bek,' zei Rupaski. 'We zijn geen wilden. Wij vertegenwoordigen het gezag. De Transport Authority. Wij gaan Joe en Bridget naar een betere plek transporteren, meer niet. Wij dienen het publiek. Dat is onze taak, daar doen we het voor. En weet je wat zo grappig is, Joe? Nee? Dan zal ik het je vertellen. Tien hectare van deze grond wordt volgende maand geëgaliseerd en geasfalteerd. De TA heeft hier in het zuiden een nieuw onderhoudsterrein nodig voor al het werk aan de nieuwe tolwegen. Het is niet kosten-effectief om de machines helemaal vanuit Irvine hierheen te slepen. Jij en Bridget krijgen dus uitzicht op de onderkant van ons nieuwe terrein. Jullie zijn de hoekstenen. Ik vind dat wel grappig eigenlijk – Will Trona's aangenomen griezel van een zoon en een van zijn vele scharreltjes, begraven onder TA-eigendom. Het lijkt een beetje op wat ze vroeger in Chicago deden. John, stop hier maar. De aarde rond het gat is nogal zacht en we willen natuurlijk niet dat deze auto vast komt te zitten. Het laatste stukje lopen we wel.'

Gaylen stopte, schakelde het licht uit en zette de motor af. Rupaski draaide zich om en keek naar de man rechts van mij. 'Jullie blijven allebei bij hem. Breng hem pas naar buiten als ik dat zeg. Hoeveel wapens hebben jullie hem afgenomen?'

'Allebei,' zei de man rechts van me.

Rupaski glimlachte, stapte uit en drukte met zijn heup zachtjes het portier weer dicht.

Nu de chef weg was, prikte de man links nog maar eens met de loop van zijn geweer in mijn nier.

'We gaan je levend begraven.'

'Ik heb je de eerste keer wel verstaan, hoor.'

Ik hoorde de kofferbak opengaan, voelde de verandering in gewicht. Ik zag hoe ze Bridget links langs de auto naar voren brachten, haar handen op haar rug gebonden, elke man met een van haar armen stevig in zijn greep.

'Breng hem naar buiten,' zei Rupaski. 'Aan deze kant.'

Niermans opende zijn portier en stapte uit, zijn geweer op mijn gezicht gericht. Ik voelde de man achter me het touw nog wat steviger vastpakken. Ik klom naar buiten, mijn armen dicht tegen mijn lichaam. Mijn enige hoop zat keurig onder mijn linkeroksel weggestopt en ik wilde dat liever niet aan de grote klok hangen.

Ik rechtte mijn rug en keek naar Bridget. Ze kreunde zachtjes, alsof ze pijn had. Haar haar zat in de war, haar blouse hing over haar rok, haar mond was een streep en de tranen liepen over haar gezicht.

'Maak je maar geen zorgen,' zei ik.

'Nee, maak je maar geen zorgen,' zei Rupaski. 'Joe hier heeft het allemaal onder controle. Oké, meiden, lopen. We hebben nog een en ander te doen en ik moet morgen weer vroeg op mijn werk zijn.'

Rupaski liep met een zaklantaarn voorop. Bridget direct daarachter. Achter haar volgde Gaylen, die zijn arm in een stevige greep om haar middel had geslagen. Ze wankelde op haar pumps en haar helblonde haar stak af tegen het donker. Ze kreunde harder nu. Niermans liep achter Gaylen, steeds een stukje achteruitlopend, dan weer vooruit, vervolgens weer achteruit, om mij maar zo goed mogelijk in de gaten te houden. Achter mij liep de cowboy met het touw en zijn zesschots revolver.

De grond was vlak en zanderig. Er was hier vroeger water geweest, vermoedde ik, misschien een riviertje of een bron. Ver weg hoorde ik het zoeven van autobanden op de tolweg en dichterbij het kraken van voetstappen op zand en droog gras. Een vliegtuig vloog dreunend over ons heen, op weg naar John Wayne Airport. Een eind voor ons uit hoorde ik het *tsjik-tsjik* van kwartels die door onze komst werden opgeschrikt. Het is hun signaal dat er gevaar dreigt, het geluid dat ze maken voor ze in paniek opvliegen.

'Hé, Joe,' riep Rupaski. 'Hoe maakt Mary Ann het eigenlijk?'

Ik luisterde naar de kwartels voor ons en gaf geen antwoord. Toen Niermans zijn rug naar me toekeerde om een paar stappen vooruit te lopen, bracht ik voorzichtig mijn linkerhand omhoog om mijn holster open te maken.

'Ik heb haar altijd al een stuk gevonden, Joe. Ik vond haar veel te goed voor zo'n armoedzaaier als Will. En dan al die miljoenen die ze heeft. Natuurlijk hield hij veel te veel van zichzelf om het bij één mooie vrouw te houden. Hij moest zo nodig een hele harem hebben.'

Ik hoorde weer het *tsjik-tsjik*. En nog een keer. Hoe sneller ze dat geluid herhalen, hoe banger ze zijn. Dezelfde plek: voor ons uit en iets naar rechts.

Ik zocht naar hun slaapplaats. Hoge struiken. Bomen. Misschien zelfs wel een stekelige cactus, als die niet te dicht op elkaar stonden en hoog genoeg waren. En als we er dicht genoeg langsliepen, zouden ze luid en in paniek opvliegen en dan zouden vijf harten geschrokken overslaan.

Er daalde een grote rust op mij neer. Ik zag scherper. Ik kon nu de omtrekken van de struiken voor me zien, nog een eind voor het dansende licht van de zaklantaarn uit. En mijn oren hoorden dingen die ik normaal niet hoorde: het links-rechtspatroon van de voetstappen van Cowboy achter mij, het ritselen van Niermans' jas als hij zich weer naar mij omdraaide. Ik voelde me geestelijk in evenwicht, mijn tred was soepel.

'Ja, Joe. Behalve dat Will ons altijd over de meest onmogelijke zaken aanviel, vond ik het nog het ergst dat hij Mary Ann en haar geld had. Ik werd daar echt gallisch van. Mijn vrouw is gewoon lelijk. Dat is ze altijd al geweest en dat zal ze ook altijd blijven. Maar goed, dat geldt voor mij ook, dus ik verwachtte toch al geen Raquel Welch. Dat toont trouwens maar weer eens hoe oud ik ben. Ik had natuurlijk een of andere jonge filmster moeten noemen, maar die ken ik niet. Ik ga zelfs nooit naar de film. Ik werk alleen maar.'

Ik luisterde naar hem en keek langs hem heen naar een groepje manzanita's rechts van ons.

Tsjik-tsjik. Tsjik-tsjik. Tsjik-tsjik.

'Zeg eens wat, Joe.'

'Ik vind mijn moeder ook heel knap, meneer.'

Hij grinnikte.

'Levend begraven,' zei Niermans.

'Misschien doe ik dat wel. Misschien is dat precies wat ik ga doen, Joe.'

Bridgets gekreun werd luider. De manzanitabomen waren ongeveer dertig meter bij ons vandaan. Ik hoorde Rupaski's zware ademhaling en de voetstappen van Cowboy achter me en de vogels die onrustig in hun slaapplaats bewogen.

Tsjik-tsjik-tsjik. Tsjik-tsjik-tsjik. Tsjik-tsjik-tsjik.

Bridget struikelde en Gaylen trok haar aan haar rok omhoog. Haar blonde haar lichtte op in het duister. Ze huilde nog steeds achter haar opeengeklemde lippen.

'Je had ook beter moeten weten, Bridget,' zei Rupaski. 'Mij chanteren. Christus.'

Vijftien meter bij de manzanita vandaan. De kwartels verschoven op hun takken. Niermans draaide zich weer naar me om en liep achterwaarts. Ik haalde diep adem en zette twee stappen.

Tsjik-tsjik-tsjik-tsjik. Tsjik-tsjik-tsjik-tsjik.

Gefladder van vleugels.

Toen schoten de vogels uit hun schuilplaats tevoorschijn en Niermans draaide om zijn as en dook weg alsof hij onder vuur werd genomen.

'Wat is dit, verdomme?' riep Rupaski.

Ik schoot twee keer op Niermans. Draaide me om en schoot twee keer op Cowboy. Knielde terwijl Gaylens arm mijn kant opging en vuurde ook op hem twee kogels af.

Bridget viel op de grond en Rupaski begon te rennen.

Ik ging achter hem aan, het touw nog steeds om mijn nek. Het duurde niet lang of ik had hem ingehaald. Hij was zwaar en langzaam en ik verwachtte dat hij zich zou omdraaien om op me te schieten.

Toen ik hem dicht genoeg genaderd was, voerde ik een vliegende tackle uit en hij plofte languit in de struiken. Ik dook boven op hem, zodat de lucht uit zijn longen werd geperst. Fouilleerde hem, draaide hem om en fouilleerde hem nogmaals. Hij hapte naar adem en probeerde te vloeken en hij stiet zulke smerige taal uit dat ik hem met een korte linkse hoek buiten westen sloeg. Ik bond met het touw zijn handen achter zijn rug en liep zigzaggend terug naar Gaylen. Hij lag languit op zijn rug en haalde snel en oppervlakkig adem. Tranen op zijn wangen, bloed op zijn lippen. Zijn wapen lag naast hem, dus dat schopte ik weg. De andere twee leken geen adem meer te halen. Cowboy had een zwakke pols die onder mijn vingertoppen wegstierf.

Ik stond boven John Gaylen en keek neer op de man die Will had vermoord. Ik wilde dat ik meer kon doen dan dit. Bloed en tranen. Korte, hijgerige ademhaling. Vingers die in de aarde klauwden. Toen spande Gaylen zijn nekspieren en hij rochelde en zijn vingers ontspanden zich. Het maakte voor Will allemaal geen enkel verschil meer.

Bridget zat inmiddels met gekruiste benen op de grond. Er hingen slierten haar voor haar gezicht en ze had haar gebonden handen nog steeds op haar rug.

'Mmm,' kreunde ze zacht.

'Ja.'

'Mmm-hmm.'
'Ik zal u helpen opstaan.'
'Mmm.'
'Kunt u lopen?'

Ik trok haar zachtjes overeind. Ze viel met haar gezicht tegen mijn borst en ik trok haar stevig tegen me aan, terwijl de krekels weer begonnen te tsjirpen en de maan boven de oostelijke heuvels verscheen. Mijn ogen en oren waren weer normaal. Mijn hart klopte snel. He zweet brak me uit en het voelde zo koud en zwaar aan dat ik het tot in mijn sokken kon voelen. Ik voelde me triomfantelijk en slecht.

28

Drie dagen later reed ik naar het stadje Fallbrook, in San Diego County. Het was er groen en heuvelachtig en heet. Een bord meldde: 'Welkom in het Vriendelijke Dorp.' Ik lunchte in een Mexicaans restaurant en las de plaatselijke krant. Het voorpaginanieuws was dat Fallbrook als 'Interessante Plek' was opgenomen in de nieuwe AAA-gids van Zuid-Californië. In een ander artikel stond dat Fallbrook zijn geld verdiende met boomkwekerijen, citrusvruchten en avocado's.

Ik volgde een weg die me het stadje uit leidde. Hoe verder je kwam, hoe groter de huizen werden. De meeste stonden enigszins van de weg af, in de schaduw van avocado- of eucalyptusbomen. Veel wit hekwerk, paarden en schuren, en magnolia's met glanzende bladeren en enorme witte bloesems.

Ik vond Julie Falbo's laatste bekende adres, reed er voorbij, keerde en parkeerde vijftig meter bij de postbus vandaan. Van waar ik stond, was er niet veel van het huis te zien, alleen maar een stuk wit pleisterwerk en een deel van de schoorsteen die in het groen verdween. Ik reed iets verder door en daar had ik een beter zicht. Het huis zag er oud maar goed onderhouden uit, met een pannendak en ramen met vrolijke blauwe kozijnen. Felpaarse bougainville klom omhoog tegen de pilaren van een veranda die aan de westkant voor schaduw zorgde.

Rechts van het huis lag een tuin met een wit hek er omheen. Er was een zwembad met langs de ene kant enorme palmen en aan de andere kant tuinmeubilair.

Er zat een vrouw bij het zwembad. Ze zat met haar rug naar me toe en met haar voeten in het water. Een klein meisje zat naast haar.

Een jongen sprong van de duikplank en kwam met een plons in het water terecht.

Ik stapte uit en trok ondanks de hitte mijn jasje aan en zette mijn hoed op. Ik liep naar het hek. De jongen klom weer op de duikplank, zag toen mij en wees. 'Mam? Kijk!'

Ze draaide zich om en keek naar mij, waarna ze opstond. Ze trok een witte bloes aan en knoopte die dicht terwijl ze op het hek af kwam lopen. Tien meter bij me vandaan bleef ze staan, alsof ze door een onzichtbare hand werd tegengehouden. Ze leek halverwege de dertig, hoewel ik wist dat ze ouder was. Mooi figuur, prachtig gezicht, dik donker haar met een rode gloed er over. Ik herkende haar – zij het maar nauwelijks – van de enige foto die ik ooit had gezien, toen ze het gerechtsgebouw uitliep en een sigaret opstak.

Ze kwam nog wat dichterbij, tot ze ongeveer twee meter bij me vandaan stond.

'Ik ben Joe Trona,' zei ik.

'Dat weet ik.'

Ze staarde me aan en ik zag iets van de hardheid in haar blik die ik ook op de foto gezien had. Even verdween die hardheid, maar toen was hij weer terug, alsof ze die blik naar believen aan en uit kon zetten.

'Ik wil u niet storen, maar ik zou u graag een vraag stellen.'

'Dit zijn mijn kinderen. Dit is mijn leven. En dat heeft niets met het jouwe te maken.'

Haar stem klonk zacht en aangenaam.

Het meisje kwam nu ook aangelopen en drukte zich tegen het been van haar moeder. Ze bekeek me aandachtig, draaide zich toen om, rende terug naar het zwembad en sprong erin. Haar broer was ook in het water en keek met zijn ellebogen op de rand in mijn richting. Hij schreeuwde toen ze over hem heen sprong.

'Ze zijn gelukkig,' zei Julie Falbo. 'Ik ben tevreden. Mijn echtgenoot is zorgzaam en lief. Ik ben een goede echtgenote.'

'Dat is heel mooi.'

'Wat wil je?'

'Thor heeft me verteld waarom hij dat zoutzuur over me heen goot. Hij heeft me verteld over het geld dat hij van u kreeg. Ik wil weten wie mijn vader is.'

Ze keek me één lang ogenblik aan. Ik kon de kinderen in het water horen fluisteren. Iets over een monster met een hoed op. Mijn halfbroer en -zuster gluurden over de rand van het zwembad in mijn richting. Julie keek langs me heen naar het huis en riep om ene Maria. De drie lettergrepen kwamen er luid en schor uit.

Bijna onmiddellijk verscheen er een forse, donkere vrouw, die zich de trappen af in onze richting haastte. Ze keek even kort naar mij en sloeg toen haar ogen neer.

'Maria, pas op de kinderen.'

Maria schuifelde langs mij heen en deed het hek open.

Julie kwam naar buiten en liep de oprit af naar mijn auto. De oprit werd omzoomd door jacarandabomen die een koele, gevlekte schaduw wierpen en het beton bedolven onder verwelkte, purperen bloesems. We hielden tamelijk veel afstand voor twee mensen die samen opliepen. Ik keek naar haar en zag iets in haar gezicht dat ik ook buiten de foto om herkende. Ik wist niet wat het was. Het was vertrouwd, maar ik had het nooit eerder gezien.

'Dit gesprek zal niet lang duren,' zei ze.

'Dat hoeft ook niet.'

'Ik ben nooit een aardig meisje geweest. Meer hoef je eigenlijk niet van me te weten. Nooit aardig, altijd kwaad.'

'Waarop?'

'Dat weet ik niet,' zei ze. 'Ik ben van huis weggelopen toen ik vijftien was, omdat ik zag dat ik mijn vader op alle mogelijke manieren kon manipuleren. Ik wil daar verder niets over zeggen. Ik raakte aan de speed omdat ik altijd al van snelheid gehouden heb en als mijn hersens op hol sloegen, was ik gelukkig. Tot mijn zeventiende zat ik bij een motorbende. Ik werd opgepakt wegens het bezit van marihuana, pillen en openbare dronkenschap. Ik heb ook een keer iemand gemolesteerd. Die iemand was mijn vent, Fastball, zo noemden ze hem. Hij verdiende het. Ik raakte hem met een ijzeren pijp. Het probleem was dat hij bewusteloos raakte en veel bloed verloor. Ik raakte in paniek, belde 911 en ze kwamen hem halen. Dat was vlak bij de Ortega Highway, bij San Juan Capistrano. Ik vertelde de politieman die erbij was dat Fastball dronken was en met zijn kop op de werkbank in de garage was gevallen. De agent geloofde me niet.

Hij kwam een paar uur later terug en stelde me nog wat vragen. Hij geloofde me nog steeds niet. Maar het was een geschikte kerel en hij zei dat Fastball het waarschijnlijk wel verdiend had, wat er ook was gebeurd. Dus daar hebben ze me niet voor opgepakt.

Een paar maanden later werd ik zwanger. Niet van Fastball. Ik probeerde af te kicken, geen speed meer te gebruiken. Ik was achttien. Ik ontmoette Thor. Hij was veertig. Hij reed ook motor, maar zat niet bij een bende, gewoon een knaap die van motoren en drugs hield. Hij had een tijdelijke baan en hij mocht me graag. Ik had trouwens ook niet veel tijd om een ander te zoeken. Ik trok dus bij hem in en een maand later vertelde ik dat mijn menstruatie over tijd was en dat ik een kind van hem kreeg. Hij was blij en dom. Pas nadat jij geboren was, begon hij achterdochtig te worden. Ik had het misschien beter gewoon kunnen vertellen, ik weet het niet. We waren altijd dronken en maakten voortdurend ruzie. Hij controleerde de data en de kalender en zei dat ik hem belazerd had – jij kon niet van hem zijn. En ik zei, nou en? Wat maakt het uit? Jij verschoont zijn luiers en geeft hem te eten van wat je met dat armzalige baantje bij het pompstation verdient, dus wat maakt het uit? Die avond liep het uit de hand. We dronken en maakten weer ruzie en raakten door het dolle heen en het volgende moment staat hij daar met een kopje zoutzuur in zijn handen. Jij lag in een oranje kistje in de keuken. Hij gooide het spul er in en het liep helemaal over één kant van je gezicht. Hij zag wat hij had gedaan en werd hysterisch. Alsof hij verbaasd was over wat hij had gedaan, zich erover verbaasde hoe slecht hij was. Hij pakte je op en stopte je hoofd onder de kraan om het er af te spoelen. Dat lukte niet. Hij probeerde het met een krant, maar dat hielp ook niet. Het spul bleef zich maar een weg door jouw huid vreten.'

Ik keek haar aan en zij keek mij aan. Haar ogen waren donkerbruin, net als de mijne. Niets – geen make-up of de natuurlijke schoonheid van haar gezicht – kon de kilte in die ogen wegnemen.

'Wat hebt u zelf gedaan?'

'Ik ging er vandoor. Ik wilde niet dat de volgende lading in mijn gezicht terecht zou komen.'

Ik keek haar weer aan, maar ze beantwoordde mijn blik niet. Ze had haar ogen neergeslagen en ze leek naar binnen te kijken. Ze slikte moeizaam.

Ik zag de basisvorm van mijn hoofd terug in die van haar. De structuur van haar gezicht leek veel op die van mij: dezelfde lijnen, dezelfde plaatsing van neus en oren. En ook in haar houding herkende ik iets van mezelf.

'Ik heb in een telefooncel in Elsinore een van mijn vriendjes bij de politie gebeld, maar Thor had jou al meegenomen naar de brandweerkazerne. Hij was met de motor en had jou als een voetbal onder zijn arm. Ik had namelijk zelf de auto genomen. Ik kon niet met die motor overweg. Maar goed, zo is het gegaan. Er zijn ergere dingen, ergere verhalen. Als ik er zo af en toe weer aan terugdenk, was het wel erg, maar dan lees ik de krant en realiseer me dat ik het ook niet moet overdrijven, vergeleken met wat er tegenwoordig gebeurt. Ik kijk om me heen en besef dat je jezelf kunt veranderen en verbeteren en dat je zo los kunt komen van het verleden. En dat heb ik ook gedaan. Ik denk er nu niet meer aan.'

In haar profiel zag ik opnieuw wat ik had herkend maar niet kon definiëren. Zelfs op de foto was er iets van te zien geweest. Ik kon er nog steeds niet goed de vinger op leggen. Maar het was er en ik wist het en ik wist ook wat het was. Het Onbekende Iets. Julie Falbo had het. Charlotte Wample had het ook gehad.

We liepen door de gevallen jacarandabloesems. Door de bomen heen was de lucht blauw, met hier en daar een flard van een wolk. Ik keek naar haar en er viel een purperen bloesem omlaag die in haar roodzwarte haar bleef zitten. Ze plukte hem er voorzichtig uit en gooide hem op de oprit, zoals je een sigarettenpeuk wegsmijt. Ik realiseerde me dat ze knap was. Dat was ze geworden sinds drieëntwintig jaar geleden die foto was genomen. Ze had er toen schraal en hongerig uitgezien. Nu zag ze er gevuld en sterk uit. Het leek alsof een voorzichtige timmerman een jonge, stekelige twijg had gepakt en er iets heel moois en glads uit had gewrocht.

En ik begreep het. Fastball had Het Onbekende Iets in haar gezien. Thor had het gezien. Zelfs de agent die op Charlotte Wamples 911 had gereageerd, had het gezien. Hij had het heel duidelijk gezien en het was iedereen duur komen te staan.

'Die agent die op die 911 reageerde,' zei ik. 'Dat was geen agent. Dat was een hulpsheriff.'

'Hij was tien jaar ouder dan ik, getrouwd, twee kinderen. Hij zag er fantastisch uit. En hij kon praten. Man, wat kon die kerel praten. En een energie, niet te geloven. Daarbij vergeleken leken mijn speedtrips wel dutjes. Hij hield van me. Tweedejaars hulpsheriff Will Trona, van het bureau van de sheriff van Orange County, altijd tot uw dienst, mevrouwtje.'

Ze bleef staan en draaide zich naar mij om. De harde ogen priemden uit het zachte gezicht en het leek wel of in haar twee vrouwen huisden.

'Ik vond het wel goed toen hij jou adopteerde. Ik weet dat hij en zijn vrouw geen kinderen meer konden krijgen. Ik kende hem goed genoeg om te weten dat hij jou de liefde kon geven die ik niet kon opbrengen. Hij bleef Thor betalen, om de rest van zijn gezin deze kleine misstap te besparen. Ik ben blij dat jij de kans kreeg in een goede omgeving op te groeien. En dat je naar college kon en hulpsheriff werd. Het spijt me dat je pas nu te horen krijgt dat je zijn kind was.'

'Bedankt dat u me toch de waarheid nog hebt willen vertellen.'

'Is dat jouw auto?'

'Hij is van Will.'

'Ik rijd in zo'n grote Lexus. Het is de snelste personenauto uit zijn prijsklasse.'

'Dat beweren ze in de advertenties.'

'Wil je nu gaan?'

'Wacht even. Als de betalingen aan Thor stoppen, zal hij willen praten over wat er gebeurd is en waarom. Hij zal een kans zien om weer beroemd te worden.'

'Ik neem die betalingen wel over. Tot ziens.'

'Ik wil nog één ding weten. U zei dat u niet van mij kon houden. Waarom niet?'

Haar gezicht was zacht, maar haar ogen stonden hard. 'God heeft mijn hart niet op de juiste plaats gemonteerd. Het klopt alleen maar ten gunste van mijzelf. Alles wat ik doe is om iets anders te krijgen.'

'Waarom hebt u dan geen abortus laten plegen?'

'Ik dacht dat jij Will wel wat geld waard was. Nadat Thor had gedaan wat hij deed, vond ik jou niet meer de moeite waard.'

Dat moest ik even verwerken. Ze keek achterom naar het zwembad. Ik zag de jongen door de lucht zweven, de armen gespreid, wild trappelend met zijn benen, een bruine werveling tegen de blauwe hemel.

'Ik begrijp de leegheid in uw hart,' zei ik. 'Ik heb daar ook enigszins last van.'

'Niet zoveel als ik, mag ik hopen.'

'Nee.'

'Will had een groot hart. Misschien dat jij een beetje van allebei hebt.'

'Ik heb iemand ontmoet en ik heb nu ook het idee dat ik een groot hart heb.'

Haar gezicht werd rood en er kwamen tranen in haar bleke ogen, maar ze namen de hardheid niet weg. Haar ogen zagen er kil en nat uit, als kwarts op drieduizend meter hoogte.

'Vaarwel, zoon. Je moet nu gaan.'

'Vaarwel, moeder. Ik ben blij dat ik u heb ontmoet.'

29

Ik droom nog steeds van klaprozen. Velden vol klaprozen die zich over de hellingen uitstrekken. Soms veranderen ze in vlammen op een mannengezicht, en dan realiseer ik me dat dat mijn gezicht is. Maar soms zijn het alleen maar bloemen en die zijn ook van mij, felgekleurd en fragiel en dapper.

Ik droom van mooie gezichten. Eén gezicht komt steeds weer terug. Het is slank en recht en de ogen zijn van een diepbruin waarin soms een lach schuilt, maar die ook kunnen bliksemen. De huid is als vochtig koper en de mond is klein. Mijn hart bonkt. Soms maakt het gezicht me wakker en dan steek ik mijn hand uit en voel het naast me, weggestopt in het kussen, verzonken in slaap. Ik ga er heel licht overheen met de palm van mijn hand en dan voel ik de haartjes kriebelen, voel ik de oren, de wangen.

En er is nog een gezicht, dat niet eens zo erg veel van dat eerste verschilt. Maar het is het gezicht van een man en ik zie de krachtige kaak en de stoppels op zijn huid en de gretigheid in zijn ogen. Soms is die gretigheid spijt en probeert hij me iets te vertellen, maar ik kan de woorden niet allemaal verstaan. Het begin is steeds hetzelfde. *Ik vind dat jij het moet weten… ik vind dat jij het moet weten… ik vind dat jij het moet weten…* En als ik van dat gezicht droom, antwoord ik steeds hetzelfde: *Ik weet het, ik weet het, ik weet het.* En dan leunt hij achterover en gaan zijn ogen halfdicht, maar zijn blik is nog alert en dan kijkt hij me met een soort bezitterstrots aan, en met een kritische afstandelijkheid die zegt dat ik nog voor verbetering vatbaar ben.

En ik droom van een vrouw die helemaal Het Onbekende Iets is. Haar gezicht is prachtig, maar haar ogen zijn hard en ze wendt zich altijd af, dus moet ik om haar heen draaien om haar aan te kunnen kijken, maar ze is me steeds te snel af en ik krijg nooit de kans haar te zien zoals ik wil. Uiteindelijk is ze niet meer dan een vage werveling die langzaam oplost. Vaarwel. Leuk u te hebben ontmoet.

Dopen helpt niet meer. Het verlangen ernaar is verdwenen. Ik voel nu af en toe het immense verlangen om in bewegend water te staan. Ik heb het strand geprobeerd, maar daar is het te druk en het water waar ik behoefte aan heb, mag maar in één richting stromen. Ik heb een keer in de goot in mijn straat gestaan, toen een van de buren haar gazon iets te veel water gaf, en ik liet het donkere vocht over mijn voeten kabbelen. Ik kon het begin van een echte loutering voelen, maar ik had meer volume nodig. Het leek op een liedje dat ver weg op een radio werd gespeeld en dat ik net niet helemaal kon horen.

Dus vond ik uiteindelijk een rivier waarin ik kon staan. Nou ja, het is eigenlijk niet meer dan een kreek. Er zijn rivierkreeftjes en kikkers en schildpadden en kleine, grijze visjes en allerlei vogels, zowel exotische als heel ordinaire. Het is niet ver van mijn huis en ook in de zomer stroomt er water. Als ik daar in het midden van het riviertje sta, met de beide oevers slechts enkele meters van me vandaan, voel ik het zachte bewegen van het water tegen mijn enkels.

Een watermassa zou beter zijn – een massieve, kilometer brede stroom met kolken en stroomversnellingen en dieptes en een verleden. Mijn kreek is slechts enkele centimeters diep. Maar als ik mijn ogen sluit en de zonde en het litteken en de lelijkheid uit mijn hart laat, neemt het water van de kreek dat mee.

Ik heb een lijstje opgesteld van de grote rivieren in ons land en ik wil voordat ik sterf in elk ervan gestaan hebben. Ik heb in een blauw notitieboekje een soort schema gemaakt dat vijf decennia en eenendertig rivieren omspant. Ik ga beginnen met de Colorado, die wat betreft het zuidelijke deel, op de grens van Californië en Arizona, niet al te ver van Orange County ligt. Daarna volgen de Russian River, de Eel, de Sacramento, de Columbia, en zo verder. Tegen de tijd dat ik bij de Hudson ben, zal ik een oude man zijn. Ik vraag me af of in een schommelstoel in een rivier zitten ook werkt. Misschien kun je op de oever gaan liggen en een voet of een vinger in het water laten bungelen.

Een week later brachten ze Savannah terug bij haar moeder. Ik praatte elke dag een paar keer met haar, meestal via de telefoon, en Savannah leek steeds sterker te worden naarmate de weken verstreken. Ze vertelde me dat zij en haar moeder de rest van de zomer in het huis in Aspen zouden doorbrengen. Ik heb ze één keer opgezocht in Pelican Point. Lorna zag er alert en nuchter uit. Savannah was zwaarder geworden. Ik was verrast toen Lorna me een cheque van $ 100.000 overhandigde en me vertelde dat ze wist van het aanbod van haar echtgenoot als ik Savannah weer veilig thuis zou brengen. Ik accepteerde het geld.

We lieten Alex vrij in ruil voor een getuigenverklaring tegen zijn eigen vader. En omdat Phil Dent niet verwachtte dat die aanklacht wegens ontvoering stand zou houden als de advocaat van Alex Savannah zou oproepen en zij zou vertellen dat ze zelf naar Alex was gegaan en steeds vrij was geweest om weer te vertrekken. Alex verdween, iets waar hij al steeds heel goed in is geweest.

Jack Blazak bleef natuurlijk in de gevangenis, opgesloten in Mod J, met aanklachten wegens doodslag voor het aftuigen van Luria Blas en wegens samenzwering tot moord voor de dood van Will Trona. Melissa in het lab heeft zijn bloed vergeleken met het vleesmonster dat onder Luria's nagels was gevonden en stelde vast dat het vlees van de heer Blazak afkomstig was. Haar vingernagel – dat kleine schrammetje – zal hem de das omdoen, zelfs als Savannah's videoband uiteindelijk niet als bewijsmateriaal wordt geaccepteerd.

Toen we na zijn dood Gaylens auto doorzochten, vond Rick Birch $ 35.000 aan contanten, verborgen op de plek waar normaal de reserveband zat. Ik denk dat dat geld Jack Blazaks manier was om een pak slaag op te waarderen tot een moord. Zelfs een moordenaar als Gaylen heeft zijn prijs. Ik denk dat Bo Warren het geld voor de aanslag aan Gaylen overhandigde, misschien wel die avond op de parkeerplaats van de Bamboo 33. Ik hoop dat Warren hier zijn licht over zal laten schijnen als Dent de strop rond zijn nek begint aan te trekken.

De oude Carl Rupaski zat ook in Mod J, aangeklaagd wegens samenzwering wat betreft de dood van Will, en wegens ontvoering met geweld en poging tot moord op Bridget Andersen en mij.

Bo Warren kreeg administratieve afzondering in Mod F omdat wij vonden dat hij publiekelijk te weinig bekend was om in Mod J te worden opgesloten. Hij kan eenzelfde aanklacht tegemoet zien als Rupaski. Ze hebben hem in cel vierentwintig gezet, tussen een blanke, racistische moordenaar die graag zichzelf toezingt en een praatgrager roofovervaller. Van mijn vrienden hoor ik dat Warren zich tekortgedaan voelt in Mod F, en dat was ook precies waar we op hoopten. Trots zou hem wel eens loslippig kunnen maken. De bewakers zeggen dat hij die gevangenis meer haat dan wie ook.

We gebruiken Millbrae om onze zaak tegen de drie andere samenzweerders hard te maken. Ze wijzen nu natuurlijk allemaal naar onze angstige, kleine rat en naar John Gaylen, die zich inmiddels niet meer kan verdedigen. Hun advocaten laten elk uur dingen uitlekken naar de pers, zo lijkt het. Millie staat op het punt gearresteerd te worden. Dat hangt van Dent af. Mij kan het niet schelen of Millbrae moet zitten. Hij is een lafaard en hij is geruïneerd en dat is genoeg. Hij was trouwens maar een loopjongen en geen Brutus. Hij was onze glibberige sleutel tot het geheel, ook al was dat dan met tegenzin.

Bernadette Lee en Pearlita Escobar en Del Pritchard werken met ons mee, voornamelijk natuurlijk omdat ze daar zelf beter van worden.

Niemand heeft gewag gemaakt van de toch behoorlijke betrokkenheid van dominee Daniel Alter bij dit alles. Maar wacht maar tot de media daar lucht van krijgen. Zijn preken zijn de laatste tijd flets en staan bol van passages over nederigheid en gebeden voor verlossing en vergeving. In een vlaag van boetedoening die maar door weinigen begrepen werd, heeft Daniel een fonds opgericht voor de familie van Luria Blas en Miguel Domingo. Ik dacht erover Lorna's \$ 100.000 daarin te storten, maar June zei dat ze dat onzin vond. We zochten met zijn tweeën Enrique Domingo op, Luria's kleine broertje. We namen hem mee uit eten en toen we afscheid van hem namen, gaven we hem een nieuwe rugzak met daarin de honderdduizend. Ik stopte mijn eigen visitekaartje en eentje van Mary Anns advocaat in een vakje van de rugzak, voor het geval hij werd aangehouden en ondervraagd. Tot nu toe geen bericht van Enrique.

Ik was verbaasd toen ik een telefoontje van Jennifer Avila kreeg.

Ze vertelde me dat ze door Pearlita was gebruikt. Pearlita, zo zei ze, was woedend geweest toen Will weigerde haar van moord beschuldigde broer Felix te helpen. Dat was nadat Pearlita Will naar het Ritz-Carlton in Dana Point had verwezen, waar hij uiteindelijk Alex en Savannah had gevonden. *Ik doe wat ik kan, maar ik kan nog steeds geen ijzer met handen breken.* Jennifer had die avond vanuit het HACF met Pearlita gebeld om te bevestigen dat Will daar was. Ze was in de veronderstelling dat Pearlita nog een kans wilde om Felix' zaak bij Will te bepleiten. Toen belde Pearlita later die avond Will zelf – op het nummer dat Jennifer haar gegeven had – ten einde Gaylen te kunnen mededelen dat Will op weg was naar het rendez-vous. Jennifer speculeerde erop dat Pearlita's uitzinnige woede haar ertoe had gebracht Ike Cao uit de weg te ruimen, hoewel er ongetwijfeld ook wel wat geld mee gemoeid zou zijn – het geld in Gaylens kofferbak kreeg daarmee een nieuwe dimensie. Jennifer zei dat dit pas later allemaal tot haar was doorgedrongen. Ze had voor de moord op Will nog nooit van John Gaylen gehoord. Ik geloof haar. Ze is een te trotse vrouw om zich voor zo'n ongelooflijke stommiteit tegenover mij te verontschuldigen, maar de barst in haar stem sprak boekdelen.

Toen beantwoordde ze een vraag waarvan ik dacht dat hij nooit beantwoord zou worden. Ik had er mijn hoofd over gebroken, maar ik had tot dan toe niet geweten bij wie ik ermee terecht kon. Van alle mensen op aarde zou Jennifer de aangewezen persoon zijn tegen wie Will het verteld zou kunnen hebben.

'Waarom heeft hij mij er buiten gelaten?' vroeg ik.

'Omdat hij zich schaamde,' zei ze. 'Hij gebruikte een klein meisje om haar vader te grazen te nemen. Hij worstelde ermee of hij hier wel mee door moest gaan. Hij veranderde voortdurend van gedachte. Hij vroeg zich almaar af wat jij wel niet zou denken als je het verhaal te horen kreeg. Ik heb hem al van het begin af aan voorgehouden dat hij Savannah gewoon bij de Kinderbescherming moest onderbrengen. Maar Will kon die gelegenheid om Blazak te pakken gewoon niet laten schieten. Hij haatte zichzelf er om, maar ging er toch mee door. Het werd zijn dood. Hij vertelde mij dat hij wilde zorgen dat jij hogerop kwam in de wereld, en niet dat je mee omlaag zou worden getrokken. Dus hield hij jou er tot het einde toe buiten.

Tot het naar hij dacht gelukkige einde. Hij nam je die avond mee om te laten zien wat voor een held hij was.'

Daar moest ik lange tijd over nadenken. 'Hij heeft me in al die twintig jaar nooit gevraagd wat ik van hem vond.'

'Hij aanbad je. Ik denk dat hij meer van jou hield dan van zijn eigen zoons, ook al was je dan geadopteerd.'

Na een verklaring van dr. Zussman dat ik geestelijk in orde was, haalde brigadier Delano me weg bij Module J. Te veel kansen op een conflict nu er zoveel gedetineerden zaten die in verband stonden met Will. Ik werk nu op de Musik Honor Farm, een heropvoedingsgesticht. Het ligt buiten het district, en het werk is er een stuk relaxter. Ik mis de orde, de strikte regels, de regelmaat van de Centrale Gevangenis en Module J.

Vorige week doorzochten ze bij verrassing Sammy's cel en vonden ze een wapen dat gemaakt was van een balpen, aluminium van een blikje frisdrank, de veer van een rattenval en wat onderdelen van zijn bril. De rest van die val hebben ze nooit gevonden. Die zal hij waarschijnlijk door het toilet gespoeld hebben. Niemand heeft nog enig idee waar Sammy die val vandaan had. Misschien heeft hij hem op dezelfde manier verkregen als zijn nagelknipper voor honden die hij, naar ik nu begrijp, wilde hebben vanwege de krachtige veer. Het door hem gefabriceerde wapen was geschikt voor .22 kogels en zou bij gebruik dodelijk zijn geweest. Brigadier Delano heeft een grondig onderzoek gelast om na te gaan hoe Sammy binnen Module J aan munitie heeft kunnen komen. Het wapen was klein genoeg om in een lichaamsholte te verbergen, of in de zool van een tennisschoen.

Een dag later onderschepten ze een vliegertje van Sammy – bedoeld voor Bernadette – waarin hij een ontsnappingsplan specificeerde. Het begon met Sammy die een epileptische aanval zou simuleren, zodat hij naar het ziekenhuis vervoerd zou worden. Eenmaal daar zou Sammy de bewaker neerschieten met zijn zelfgemaakte wapen, zich vermommen als arts en Bernadette op de parkeerplaats ontmoeten. In het vliegertje stond met zoveel woorden dat hij hoopte dat ik niet die bewaker zou zijn. Sammy staat nu dus strafverzwaring te wachten, hoewel hem waarschijnlijk al de doodstraf wacht voor de moord op agent Dennis Franklin.

En toch mis ik hem. En Chapin Fortnell en Frankie Dilsey en Grote Mike Staich en de andere moordenaars, verkrachters en psychopaten in Mod J. Ik mis de gespannen kalmte in de kantine, de schetenwagen en de zwarte wagen, de Mexicaanse wagen en de Aziatische wagen, deze file van criminelen die keurig in de rij wachten tot ze gevoerd worden. Handen in de zakken. Geen gepraat. Van links naar rechts op de banken schuiven. Het doet me op de een of andere manier allemaal aan mezelf denken.

Ik mis mijn monteursslede en de lange uren in de onderhoudsbuis, luisterend naar de plannen en dromen en verlangens van mannen in kooien. June zei dat de frisse lucht op de Honor Farm me goed zou doen. Dat zal ook wel, en ik geloof bovendien alles wat zij zegt, maar ik moet het nog zien. Ik moet nog een jaar gevangenisdiensten draaien – op welke afdeling ze me ook zetten – en dan kan ik bevorderd worden tot geüniformeerd agent.

Geüniformeerd agent.

Dan zal ik pas een echte politieman zijn.

Ik dacht lang en hard na of ik mijn moeder over Will en Charlotte Wample moest vertellen. Moest ik haar lijden nog extra verzwaren? Moest ik de leugen zijn langzame, giftige werk laten doen, zoals dat bij leugens altijd ging? Was het mogelijk dat ze er sterker uit zou komen als ze zou weten dat Wills bloed door mijn aderen vloeide – hoe het daar dan ook in terecht gekomen was?

Op een zondagavond vertelde ik haar, gezeten onder de parasol naast het zwembad van ons huis in de Tustin Hills, het hele verhaal.

Toen ik klaar was, zat ze daar, nipte van haar drankje en tuurde naar de groene, door de smog verzachte contouren van de heuvels.

'Nou, nou, Joe. Ik weet niet goed wat ik moet zeggen.'

'U hoeft niets te zeggen.'

'Will, Will, Will. Zijn leugens duren maar voort.'

'Deze is nu voorbij. Ik houd van u. En ik zal altijd van u blijven houden. U bent mijn moeder.'

We stonden op en omhelsden elkaar. We zeiden een heleboel met die omhelzing. Van alles over trouw en verraad, zwijgen en geheimen, pijn en kracht, vergeving en liefde. Vooral over liefde.

June en ik gingen eind juli voor het eerst met elkaar op reis. Het was maar voor een weekend – twee nachten in een stadje genaamd Bullhead City. Bullhead City ligt aan de Colorado en het hotel dat ik had geboekt, beloofde een kamer met uitzicht op de majestueuze rivier.

We vertrokken op een zaterdagochtend om negen uur van haar huis. Ik had de Mustang genomen, want het district had Wills BMW teruggevorderd. Ik vond het vervelend om hem terug te geven, want het was een goede wagen en hij was van hem geweest. De Mustang is luidruchtig en snel en meedogenloos, en na een uur heb je het gevoel dat je in een botsauto zit waar je niet uit kan. We stopten om te vrijen in Riverside, Barstow en Needles, dat die dag de heetste plaats in de staat was: vijftig graden Celsius. In Riverside aten we een uitgebreid, verlaat ontbijt. In Barstow aten we hamburgers en dronken gemberbier. In Needles kochten we een piepschuimen koelbox en een six-pack bier, dat we onder het rijden opdronken. De rit van vier uur kostte ons negen uur.

Bullhead City was niet zo mooi als de brochure je wilde doen geloven. Maar het lag wel aan de Colorado en onze kamer was koel en rustig en ruim. Minpunt was dat het op de rivier krioelde van de speedboten, waterskiërs en jetski's die zo te zien door dronken idioten werden bestuurd. Maar 's avonds verdwenen ze en dan stroomde het donkere water kalmpjes van rechts naar links op zijn weg naar Mexico.

Later die avond liepen we er tot onze knieën in en voelden de koele kracht door ons heen trekken. Ik hield Junes hand vast en sloot mijn ogen en liet alles wat ik niet in mij wilde hebben in dat water vloeien. Ik stelde me de gezichten voor van de mannen die ik had gedood en ze vloeiden uit mij de rivier in. Ik stelde me de pijn en het verdriet van mijn moeder voor en het vloeide de rivier in. Ik stelde me Will en zijn geheimen voor, al die haat en rivaliteit, al dat gekonkel, en het vloeide uit mijn bloed de rivier in. Ik stelde me mijn eigen gezicht en dat van Thor voor, en ze verdwenen in de rivier. Ik stelde me voor dat alles zich zou verspreiden en verder en verder van mij weg zou vloeien. Ik wist dat het terug zou komen. Belangrijke dingen keren altijd weer terug. Zelfs als ze akelig zijn en je ze nooit in je had willen hebben. De rivier zou deze dingen niet vasthouden. Ze nam gewoon wat ik haar aanbood, koesterde dat een tijdje en gaf het dan weer terug. Omdat het nu eenmaal bij mij hoorde.

Will was alweer terug voor we op de oever stonden. Ik droeg hem mee naar het hotel en hij was er bij toen June en ik op het balkon van het maanverlichte water genoten.

Ik pakte Junes hand en dacht aan Het Onbekende Iets, en hoe June er wel van gemaakt leek te zijn. Ik dacht aan de vrouwen bij wie ik het had gezien en ik besefte dat het iets te maken heeft met goedheid en ook iets met verdorvenheid, maar nog veel meer met onweerstaanbaarheid. Het kan een man te schande maken of het kan tot een hartstochtelijke liefde leiden.

'Waar denk je aan?' vroeg June.

'Aan jou.'

'Goede dingen?'

'Goede dingen.'

Ik had haar de volledige waarheid kunnen vertellen en haar kunnen proberen uit te leggen hoe krachtig haar Onbekende Iets was, hoe het mij tot haar aantrok en hoe makkelijk het mij of ons tot dwazen kon maken.

Maar ik ben de zoon van mijn vader. Dus nam ik opnieuw zijn advies ter harte, voor de miljoenste keer.

Ik zei verder niets. Ik hield haar hand vast en keek hoe de rivier voorbij gleed, zilver op zwart, vol zonden en geheimen, gelach en licht.

Mond dicht, ogen open. Misschien steek je er nog iets van op.

Ik heb dit allemaal uit mijn herinnering opgediept. Mogelijk zijn er wat hiaten. Er is nog meer. Ik heb wel een paar dingen geleerd.

Koester je vrienden, gebruik je vijanden.

Wie heeft het gedaan?

Iedereen.

Wat zeg je als je een man bent met mijn gezicht, met bloed aan zijn handen, en een hart dat heet genoeg brandt om lief te hebben en kil genoeg is om te doden? Wat zeg je dan tegen de persoon naast je?

Kijk naar me. Want ik kijk naar jou.